目次

俘《ふ》虜《りょ》記《き》

或る監禁状態を別の監禁状態で表わしてもいいわけだ。

デフォー

捉《つか》まるまで

わがこころのよくてころさぬにはあらず
歎異抄《たんにしょう》

私は昭和二十年一月二十五日ミンドロ島南方山中において米軍の俘虜《ふりょ》となった。

ミンドロ島はルソン島西南に位置するわが四国の半分ほどの大きさの島である。軍事施設として見るべきものなく、これを守るわが兵力は歩兵二個中隊、海岸線に沿った六つの要地に名ばかりの警備駐屯《ちゅうとん》を行うのみである。

私の属する中隊は昭和十九年八月以来、島の南部及び西部の警備を担当した。中隊本部は私を含む一個小隊と共に島の西南端サンホセにあり、他の二つの小隊はそれぞれ東南ブララカオ及び西北パルアンにあった。サンホセ、パルアン間、つまりこの島の全長を蔽《おお》う約五十里の西海岸の全部が開け放たれ、ゲリラが自由に米潜水艦の補給を受けていた。しかし彼等は攻撃しては来なかった。

昭和十九年十二月十五日米軍は艦船約六十隻《せき》をもってサンホセに上陸した。我々は直ちに山に入り、南部丘陵地帯を横切って、三日の後ブララカオ背後の高地で同地駐屯の小隊と連絡した。米軍はまだこの地に上っていなかったが、彼等はサンホセの砲声を聞いて、いち早く糧食、無線機と共にここに退避していたのである。糧食はなお豊富であり、まもなく我々と合流した附近の水上機基地の海軍部隊、遭難船舶工兵、非戦闘員を合せ総員約二百名、なお三カ月以上を支え得るはずであった。明けて一月二十四日米軍の襲撃を受けて四散するまで、我々は約四十日ここに露営した。

米機は終日頭上にあったが、米軍は直ちに追求しては来なかった。「奴等《やつら》は怠け者だからこんなとこまでやって来やしないさ。そっちが来なけりゃこっちだって行かないや。そのうち戦争も終るだろう」と我々の当分の宿舎となるべき小屋掛け作業を指揮しながら或《あ》る下士官がいったがこれは我々の希望のかなり端的な表現であった。即《すなわ》ち米軍がこの島をルソン島攻撃の中継基地として選んだことが明白である以上、我々がこの山中にじっとしていれば、戦は我々の上を通過して、ここは最後まで所謂《いわゆる》「忘れられた戦線」として残る可能性があったからである。我々のような孤立無援の小部隊の抱き得る唯一《ゆいいつ》の希望である。

しかし不幸にして我々はやはり「行かない」わけにはいかなかった。我々はやがてルソン島バタンガス所在の大隊本部から敵状偵察《ていさつ》の命を受け、度々《たびたび》十数名より成る斥《せっ》候《こう》が組織され、十日或《ある》いは一週間サンホセ附近の山中に潜伏して帰った。或る時彼等は米哨兵《しょうへい》に発見され射撃された。

まもなく一個小隊はサンホセを見晴らす高地に移動して分哨となり、毎日彼等が望遠鏡で見た状況を大隊本部に打電した。彼等は屢々《しばしば》数十隻より成る船団がサンホセ沖を通過北上するのを見、大型爆撃機が多数新設飛行場から離陸するのを見た。かつて我々がボートを操って魚を釣《つ》った湾内には、米機外艇が引掻《ひっか》いたように白い水脈を引いて縦横に疾駆していた。

一月に入り大隊本部は百五十名から成る斬込《きりこみ》隊の派遣を告げて来た。しかし彼等の到着予定日には米軍が中部東海岸一帯に上陸して居り、彼等を乗せた舟艇は以来行方不明であった。もっともこの斬込隊は我々の間ではあまり歓迎すべき客とは考えられていなかった。何となれば彼等の到着はとりも直さず、我々の中からも若干の決死隊を出して嚮導《きょうどう》とせねばならぬことを意味したからである。六十隻をもって上陸した米軍に対する百五十名の斬込隊の成果について、我々は何の幻想も持っていなかった。

しかし我々はその後も命令により幾度かブララカオに出張し、或いは到着しているかも知れぬ斬込隊を迎えに行った。我々は無人の民家を荒し、たまたま家財を取りに来た不運な住民を拉致《らち》して帰った。こうして我々は不本意ながらだんだん掃蕩《そうとう》される原因を作って行ったのである。

こうした絶望的状況にあっても、我々兵士は比較的呑気《のんき》であった。我々は尽《ことごと》くその年初めて召集され、三カ月の教育の後直ちにここへ送られた補充兵であり、経験の欠除から事態の重大さがピンと来なかったからである。しかしいくら正確に事態を認識したからといって、いつ来るかわからぬ圧倒的に優勢な相手を毎日気に病んでいられるものでもない以上、こうした無智《むち》は我々にとってむしろ一種天与の恩恵だったということも出来ようか。我々は大部分私のような三十を越した中年の兵士であり、目前の事態から強《し》いて早急な結論を求めようとはしなかった。

それにこの山中の生活は最初のうちはそんなに悪いものではなかった。気候は既に乾季に入って雨も少なく、暑いのは日中、それも日向《ひなた》だけであるから、着のみ着のままの露営生活には丁度手頃《てごろ》な陽気である。糧食も差当って不自由なく、分隊毎《ごと》に疎開《そかい》分宿したから軍紀もおのずから緩んで、兵士を片苦しい軍隊の日常の作法から解放した。我々はキャンプにでも来たような気持で谷川の水で飯を炊《た》き、マニヤンと呼ばれる附近の山地人（これは海岸地方に住む一般比島人より色の黒い異人種で、戦争に無関心である）と馴《な》れて、赤布、アルミ貨等を与えて芋、バナナ、煙草《たばこ》等を獲た。我々は時々は麓《ふもと》に下り、飼主を失って彷徨《ほうこう》する牛を射《う》ってその肉を食べた。

しかし災厄《さいやく》は意外な方からやって来た。マラリアである。

ミンドロは比島群島中最も悪性のマラリアの発生する島だそうである。しかし予防薬をとっていたため、サンホセにいる間は患者は二三名を越えなかったが、山へ入る時衛生兵がキニーネを忘棄したため、やがて急速に蔓延《まんえん》し、一月二十四日米軍に襲撃された時、立って戦い得る者三十人を出なかった。最後の半月の間には大体一日三人ずつ死んで行った。

病人は静かに死んだ。彼等の急激な意気沮喪《そそう》は著しく、その呑気な日常と異様な対照を示していた。

中隊長は毎朝各分隊の小屋を見舞った。彼は小屋に充満している病人を眺《なが》め、黙って戸口に立ちつくした。

私の分隊長は米軍上陸直後まだ退路の開いていた間に、遮二無二《しゃにむに》北上してルソン島に渡らなかったことにつき、中隊長の決意を非難する口吻《こうふん》を洩《も》らした。彼によれば、こんな山の中にいつまでもまごまごしているから、大隊本部から面倒な偵察の命令を受け、結局こうして病人が増えて動きがとれなくなったのである。

下士官のエゴイズムである。しかしこの判断にはルソン島を不落の安全地帯と見做《みな》す近視眼的前提が含まれていた。かつてノモンハンの戦闘を見た中隊長が、比島派遣軍の運命についてかかる楽観的予測を抱懐し得たはずはない。

彼は幹部候補生上りの若い中尉で、二十七歳であったが、無口で陰気で、三十歳より下には見えなかった。彼がノモンハンで何をなし何を見たか、彼は一度も語らなかったが、その眼その顔には現れていた。私は彼の体にその僚友の死臭を嗅《か》ぐようにさえ思った。

「警備隊は警備地区をもってその墓場と心得ねばならぬ」と彼はいつもいっていたが、私は彼が通り一遍の訓示を行っていたとは思わない。

彼は我々の現在地を特に米軍から秘匿《ひとく》しようとはしなかった。サンホセから道案内した土民には、慣習に反して食糧を与え放ち帰らしめた。彼の言動には常に一種の諦《あきら》めがあり、彼の動作はいわば過度に緩慢であって、時々歯の間から押し出すように弱く笑った。犠牲者の笑いである。

彼は幾分進んで死を求めたようである。サンホセ駐屯中行《おこな》った討伐戦において、彼は常に先頭に立って戦い、決して自分を遮蔽《しゃへい》しなかった。彼は自分では戦争の要請を至上命令として自らに課することを許しながら、それを部下に課することについては自己の責任を感ぜずにはいられないあの心の優しい指揮者の一人であった。彼等は一般にただ自己の死によってしか、その部下に対する要求を正当化する手段を持っていない。

山中で最後に米軍の襲撃を受けた時、彼は火点観測のため単身前進し、迫撃砲の直撃弾を受けて最先《まっさき》に戦死した。恐らく本望だったろう。

一種の共感から私はこの若い将校を秘《ひそ》かに愛していた。私もまた私なりに彼とはかなり違った意味においてであったけれど、自己の確実な死を見詰めて生きていたからである。

私は既に日本の勝利を信じていなかった。私は祖国をこんな絶望的な戦に引きずりこんだ軍部を憎んでいたが、私がこれまで彼等を阻止すべく何事も賭《と》さなかった以上、今更彼等によって与えられた運命に抗議する権利はないと思われた。一介の無力な市民と、一国の暴力を行使する組織とを対等に置くこうした考え方に私は滑稽《こっけい》を感じたが、今無意味な死に駆り出されて行く自己の愚劣を笑わないためにも、そう考える必要があったのである。

しかし夜、関門海峡に投錨《とうびょう》した輸送船の甲板《かんぱん》から、下の方を動いて行く玩具《おもちゃ》のような連絡船の赤や青の灯《ひ》を見て、奴隷《どれい》のように死に向って積み出されて行く自分の惨《みじ》めさが肚《はら》にこたえた。

出征する日まで私は「祖国と運命を共にするまで」という観念に安住し、時局便乗の虚言者も空《むな》しく談ずる敗戦主義者も一絡《ひとから》げに笑っていたが、いざ輸送船に乗ってしまうと、単なる「死」がどっかりと私の前に腰を下して動かないのに閉口した。

私の三十五年の生涯《しょうがい》は満足すべきものではなく、別れを告げる人はあり、別れは実際辛《つら》かったが、それは現に私が輸送船上にいるという事実によって、確実に過ぎ去った。未来には死があるばかりであるが、我々がそれについて表象し得るものは完全なる虚無であり、そこに移るのも、今私が否応《いやおう》なく輸送船に乗せられたと同じ推移をもってすることが出来るならば、私に何の思い患《わずら》うことがあろう。私は繰り返しこう自分にい聞かせた。しかし死の観念は絶えず戻って、生活のあらゆる瞬間に私を襲った。私は遂《つい》にいかにも死とは何者でもない、ただ確実な死を控えて今私が生きている、それが問題なのだということを了解した。

死の観念はしかし快い観念である。比島の原色の朝焼夕焼、椰子《やし》と火焔樹《かえんじゅ》は私を狂喜させた。到《いた》る処《ところ》死の影を見ながら、私はこの植物が動物を圧倒している熱帯の風物を眼で貪《むさぼ》った。私は死の前にこうした生の氾濫《はんらん》を見せてくれた運命に感謝した。山へ入ってからの自然には椰子はなく、低地の繁茂に高原性な秩序が取って替ったが、それも私にはますます美しく思われた。こうして自然の懐《ふところ》で絶えず増大して行く快感は、私の最後の時が近づいた確実なしるしであると思われた。

しかしいよいよ退路が遮断され、周囲で僚友が次々に死んで行くのを見るにつれ、不思議な変化が私の中で起った。私は突然私の生還の可能性を信じた。九分九厘《りん》確実な死は突然推しのけられ、一脈の空想的な可能性を描いて、それを追求する気になった。少なくともそのために万全をつくさないのは無意味と思われた。

明らかにこれは周囲に濃くなって来た死の影に対する私の肉体の反作用であった。こうした異常な状態にあって、肉体が我々をして行わしめるものは頗《すこぶ》る現実的であるが、その考えさすものは常に荒唐無稽である。

私には一人の仲間があった。それはSという或る漁業会社の重役の息子で、私と同年の、妻子のある男だったが、彼は銃後の資本家のエゴイズムに愛想をつかし（と彼はいっていた）その手先たらんよりは前線に出て一兵卒として戦うことを夢みた。彼は内地で教育中前線出動の可能性をわざと軍に影響を持つ父親に知らさず、自ら内地に残る手段を絶ち切っていた。彼の夢は前線の状況を見て破れた。彼はわが軍が愚劣に戦っていると判断し、「こんな戦場で死んじゃつまらない」と思ったという。

この言葉は私にとって一種の天啓であった。この死を無理に自ら選んだ死とする倨《きょ》傲《ごう》が、一種の自己欺瞞《ぎまん》にすぎないことに私は突然思い当った。こんな辺鄙《へんぴ》な山中でなすところなく愚劣な作戦の犠牲になって死ぬのは、単に「つまらない」ただそれだけなのである。

我々は二人で比島脱出の計画を立てた。その計画とはこうである——いずれ我々が米軍によって現在地を逐《お》われるのは確実として、何とか敵中を潜《くぐ》って西海岸に出る。そして住民の帆船を分捕り、季節風を利して島伝いにボルネオに遁《のが》れる（この際私が海水浴場で覚えた帆走術が役立つはずであった）。私はボルネオも安全とはいえないから、いっそ南支那海を突切って仏印に渡ってはどうかと提案したが、Sはそれは食糧と航海技術の関係で不可能だから、次善を選ぶほかはあるまいといった。

帆船が得られなかった場合、我々は再び山に籠《こも》り、草の根でも食べて休戦を待つのである。我々は子供の時読んだ「ロビンソン・クルーソー」の細目を語り合い、土民から竹から火を起す方法を学んでおいた。

この計画はいかにも空想的なものであるが、我々はその実現の可能性を少しも疑わなかった。

我々は繰り返しこの計画を検討し、日に三人誰かが死んで行く中で、墓掘人足のように快活だった。（我々は実際墓穴を掘った）我々はまた当時我々の最も身近な敵、マラリアに罹《かか》った場合を考慮し、現在残った唯一の対抗法、つまり予《あらかじ》め体力を貯《たくわ》えることに全力をあげた。我々は病人の残した粥《かゆ》を食べ、土に落ちた飯粒も拾って食べた。

しかし我々はこうしてあらゆる場合に備えて周到に計画していたにも拘《かかわ》らず、我々がマラリアで発熱している丁度その時、米軍がやって来る可能性については想到していなかった。

二人共申し合わせたように一月十六日に発熱した。私は四十度の熱が続き、二日目に足が立たなくなり、三日目に舌がもつれた。Sの症状は私ほど重くはなかったが、やはり毎日三十九度以上の熱が出た。

最初の試煉《しれん》が来たのである。私は心に「武器を取れ」と叫んだ。私の体は強健ではなかったが、病に対しては比較的抵抗力があるのを知っていた。私は細心に自分の症状を観察し、療法を自分で工夫した。熱のためすぐ下痢が始まったのを見て、消化器に無益な負担をかけないために（これがその時の私の考えであった）一切食べないことにした。半月位食べずにいても、体力を維持するだけのエネルギーを貯えてあると私は自負していた。

衛生兵は山へ入ってから奇妙なマラリア療法を発明していた。それはマラリア患者は水を呑《の》んではいけないというのである。私はそれまでの盲従の習慣を一擲《いってき》し、断乎《だんこ》として反対した。あらゆる論拠をあげて、その禁止の無意味なることを証明して見せた。分隊長は怒って兵士が私のために水を汲《く》むことを禁じた。私は他の分隊の兵士が通るのを待ってひそかに頼み、或いは自分で十間ばかり離れた泉まで匐《は》って行って水筒に水を入れた。

私は死がマラリア患者を急激に襲うのに気がついていた。私は絶えず自分の体の状態を監視し、まだ死につつないのを確かめた。私はまた病人が死ぬ前に糞便《ふんべん》を失禁するのを見て、苦痛が激しくなると、わざと戸口まで匐い出して小便をして見た。

この間に一人同じ分隊の兵士が死んだ。死体は私の胸を越えて運ばれた。分隊の全員が病人であったから、比較的軽い病人が土葬を手伝わねばならなかった。長らく発熱していて少しよくなったと思われた一人の兵士が、死人の装具を一町ばかり上の中隊本部まで返納にやらされた。帰って小屋に入る時、私は彼の顔が異様に歪《ゆが》んでいるのを認めた。翌朝彼は死んでいた。

この兵士が死んだのは一月二十二日である。私も少し熱が下り、夕方発病後初めて少量の粥を摂《と》った。その時展望哨が米船三隻がブラカオ湾内に入るのを見たと伝えられた。

分隊長は中隊本部へ行き、なかなか帰らなかった。帰っても不機嫌《ふきげん》に横になったきり何もいわなかった。我々は通りすがりの兵士から直ちに四名の斥候が出たということを聞いた。

翌朝眼がさめて小屋の周囲が何事もなく明るくなっているのを、不思議な気持で眺めたのを憶《おぼ》えている。私は漠然《ばくぜん》とその払暁《ふつぎょう》米軍が来るかと考えていたのである。その日も一日無事に暮れた。前夜出た斥候は帰らなかった。夜私は分隊長に「今日米軍が来なかったところを見ると、僕達は包囲されてるんじゃないでしょうか」といった。彼は「病人の癖に生意気いうな」といった。

次の日は一月二十四日である。この払暁また一組の将校斥候が出た。七時頃一人の兵士が帰って、一行は麓で襲撃され、将校は戦死したと伝えた。

分隊長はまた中隊本部に呼ばれ、すぐ帰って、病人は非戦闘員と共にサンホセ方面高地の分哨小隊まで退避する、歩ける者は支度しろ、といった。そして彼自身も支度をはじめた（彼も少し前から病人と称していた）。

私も漸《よう》く歩いて便所へ行けるまで恢復《かいふく》していたが、分哨まで十五粁《キロ》の道は自信がなかった。その先またどれだけ歩かなければならないか知れたものではない。私は遂に自分がここで死ななければならないことを納得した。

分隊長以下十二名中二名が死んで十名である。そのうち私を入れて四名が残った。

Sは行くつもりらしく支度を始めた。私も外へ出て、何となく小屋の廻《まわ》りを歩きながら、彼に改めて「俺《おれ》は残るよ」といった。

彼も大分よくなっていた。彼は私の腋《わき》の下へ腕を入れ「大丈夫だ。俺が助けてやるから一緒に行こう」といった。私はふと歩けるところまで彼と一緒に行く気になった。私は分隊長に決心を変えたことを伝えた。彼は黙っていた。

各自押し黙って支度をした。別れの言葉は交されなかった。

出発の時になった。私が皆に随《つ》いて歩き出そうとすると、分隊長が振り向いて、しかし私の顔を見ないようにしながら「大岡、残るか」といった。私は咄嗟《とっさ》に私がいかに一行の足手纏《まと》いになるべきか、私の状態が職業軍人の眼にどう映るかを了解した。私は「残ります」と答え、銃を下した。

Sは何故《なぜ》かこの時先発して私の見えないところまで上っていた。その時の状況では彼を呼び返す気は起らなかった。こうして私はこの比島脱出の相棒と、さよならもいわずに別れてしまったのである。

この退避組は全部で六十名余りになったが、二粁ばかり行ったところで襲撃されちりぢりになった。米軍はこの時既に完全に我々を包囲していたのである。Sはその晩まで分隊長と一緒にいたが、翌朝落伍《らくご》していたそうである。(こうしたことを私はあとで私と同じ俘虜収容所に来たこの分隊長から聞いたのである。彼は四名の兵士と共に一カ月ばかり山の中をさまよった揚句比島人に捕えられた。彼はその手に残っていた手榴弾《しゅりゅうだん》を投げなかった）

残った者の取るべき行動については、何の命令も与えられていなかった。とにかく各自靴《くつ》を穿《は》き、脚絆《きゃはん》を巻いて戦闘準備をして横になった。

私はこの時分隊で一番重い病人であったから残るのは当然として、他の三人が出発した連中と比べて、特に悪い状態にあるとは見えなかったのは意外であった。

一人はKという有名な大正の講壇批評家の息子で会社員であった。彼は常々命令された最少限度を行うという頗る消極的な勤務振りを示し、上官の受けはよくなかった。Kというのは珍らしい姓であったから、私は或る時彼に「君はK先生の親類かい」ときいたが、彼は「親類じゃねえ」と嚙《か》んで吐き出すようにいった。それは「親類じゃねえ、赤の他人だ」とは受け取れない妙な返事だった。私は「息子だな」と感じたが、その返事が気に入らなかったから追求しなかった。しかしサンホセに米軍が上陸する直前私が最初の発熱をした時、彼も足を傷《いた》めて班内にいたが、飯盒《はんごう》に水を汲んで来て丁寧に私の頭を冷やしてくれた。その看護には女のような奇妙な優しさがあり、彼の不断の人に馴れないエゴイスチックな態度とは似合わなかった。私が前の質問を繰り返すと彼は素直に次男だといい、問わず語りに彼の父が震災で不慮の死を遂げてから後の一家の歴史を細々と語った。以来我々は友人となった。しかし彼は私とSの脱出計画を冷笑していた。

彼ははっきりしたマラリアの症状を示さず、仮病じゃないかという者もあった。少なくとも出掛けたSよりは遥《はる》かにいい状態にあったことは事実である。彼は口を曲げて「行ったたって残ったたって同じことさ」といった。彼は心は優しいが幾分自分を粗末にする男だったようである。

他の一人は土木師だった。彼はサンホセ駐屯《ちゅうとん》中上官の前でよく働き、屢々《しばしば》上等兵の勤務をとった。私は彼を阿諛《あゆ》者《しゃ》として嫌《きら》っていたが、山へ入りもはや序列も昇進も問題でなくなった後にも、彼は依然としてよく働き、進んで重い物など担《かつ》いだ。そして恐らくそのため分隊で一番先に病人となったのである。私はこの齢《とし》になってもまだ人を見る眼に誤りがあるのを秘かに愧《は》じた。彼はもう熱はなかったが、多分体が見掛け以上に弱っていたのであろう。

もう一人はおとなしい北多摩の百姓である。彼は行くとも残るともはっきり意志表示をせず、ただ皆が出掛けた後で、見たら彼がそこにいたというにすぎない。彼はべそをかいたような顔をして、脚絆も巻かずに壁に向いて寝てしまった。

時刻は残留者が誰も時計を持っていなかったのではっきりしたことはわからない。私は通りがかりの兵士に飯盒に水を汲んで来て貰《もら》い、何度もそれを水筒に詰めようとして、つい億劫《おっくう》で止《や》めたのを憶えている。物音はなかった。兵士もだんだん通らなくなった。

突然、我々の小屋のあった谷の下の方から三発の鈍い発射音が聞え、少し間をおいて中隊本部の山の上で三発の澄んだはじけるような音がした。

それは小銃の音ではなかった。私はそれまで迫撃砲の音を聞いたことはなかったが、何故かこの時それを迫撃砲ときめてしまった。しかもそれは弾着を見るための試射の音であるように思われた。

皆起き上った。表情のない顔だった。「来たらしい――とにかく上まで行って見ようか」と私はいった。皆「うん」と答えて身動き始めた。

私は飯盒の水を水筒に移そうとした。手が震えて水は外へこぼれた。私は「死ぬのに水は要らねえや」と呟《つぶや》いて飯盒を遠く投げ飛ばした。

私の友人は屢々私が何事にも見切りがよすぎるといって私を非難したが、私が今日生きて帰ってこんな文章を書いていられるのは、ひたすらこの時この水を棄《す》てたという一事に懸っている。

私はなるべく身軽に身をこしらえ弾入《たまいれ》も一個しかつけないで外へ出た。その時の私の感じでは、私の生命はその三十発を射ち尽すまでは持たないのである。

他の三人はまだ中でごそごそやっていた。私は中隊本部まで一町の坂道も上れるかどうか自信がなかった。私は「先へ行くぜ」と声をかけて歩き出した。

「一緒に行かないのか」とKが不服そうにいった。私は「歩けるかどうかわかんないから、先に行くよ。多分途中で待ってる」といい棄て、銃を杖《つえ》に狭いジグザグの坂道を上り始めた。これがこの連中の見収めとなった。

彼等は、一人もこの米軍の砲撃正面となった谷から出られなかった。

私は不思議に歩けて途中休みなしに上りきることが出来た。上ではみんな活潑《かっぱつ》に動いていた。二三人ずつ隊伍を組み緊張した顔を連ねて無言で右左に摺《す》れ違っていた。

私は稜線《りょうせん》を越えたところにある一つの分隊小屋に入って腰を下した。二三人の病兵が銃を抱き顔を歪めて横《よこた》わっていた。

途端に小屋は炸裂音《さくれつおん》に包まれた。私は反射的に小屋を出て弾の来る方角へ伏せた。今私が上って来た谷の方角である。炸裂音は続いた。「前へ出ろ、前へ出ろ」という声が聞えた（この時私のいた位置から十米《メートル》後方の衛兵所に弾が落ちて一人の兵士が大腿骨《だいたいこつ》を砕かれたのである）。私は匐って前へにじり出た。炸裂音はなお前方で激しくしていた。私は前進を中止した。「前へ出ろ」の声は続いていた。

中隊長が出て来た。彼は鉄兜《てつかぶと》を背負いその上から上衣を羽織って傴僂《せむし》のような恰好《かっこう》をしていた。彼は笑いながら「賑《にぎ》やかでいいじゃないか」といって双眼鏡を持ち添え、弾の来る方へ映画の画面を横切る人のように歩いて消えた。これが私が彼を見た最後である。

二十人ばかりの兵がそこらに伏せていた。私は隣りの兵士と顔を見合せた。その顔は熱病患者らしく蒼《あお》くふくれていた。その顔も笑っていた。

弾はまた一しきり激しくなって依然前方に落ちた。それから止んだ。

「隊長殿がやられた」という声がし、「衛生兵」と呼ぶ声が続いた。(この衛生兵も後で収容所で会ったが、彼は中隊長の死体を見付けることが出来なかったという)

先任軍曹《ぐんそう》が来て、「病人は谷に降りろ」といった。私は今しがた休んだ小屋へ行って病人を促がした。彼等は私が最初入った時と同じ姿勢で寝ていた。そして聞えるのか聞えないのか身動きもしなかった。

我々は私が登って来た谷とは反対側の谷へ一列になって降り始めた。病人でない者も皆降りた。私の前には先任軍曹が歩いていた。「隊長殿がやられた」という声がまた聞えた。私は私の前に何の反応を示さずに動いて行く軍曹の背中を不思議な生物を見るような気持で見続けた。私は「軍曹殿、隊長殿がやられたそうですが」と注意したが、軍曹は振り向かず「そうか――ほんとうかなあ」といって、なおも歩度を緩めずに歩き続けた。

谷を下りた所に別の軍曹が腰掛けていた。先任軍曹は傍《そば》へ行って「隊長殿がやられたっていうんだが、ほんとうかなあ」といった。「ふーん、ほんとかなあ」鸚鵡《おうむ》返しに別の軍曹が答えた。私は彼等の会話を聞くに堪えなかった。私がそこを離れようとすると「みんなあそこへかたまって命令を待ってろ」といって、谷の向うの空地を指さした。

そこには既に三十人ばかりの兵士が集っていた。病兵が道傍《みちばた》に倒れていた。或《あ》る者はうつ伏せに死んだようになって倒れ、或る者は銃を横に抱いて「く」の字形に寝ていた。右手は弾倉に当てられ弾を押し込もうとして力を失っていた。弾が地上に散らばっていた。私はその弾を込めてやり、兵士の体を揺すぶったが、彼は眼をあかなかった。

空地に集った兵士の間に伍長が一人混っていた。「命令を待て」という軍曹の言葉を伝えると「けっ、命令なんか、待っていられるか。俺がうまく逃がしてやるから、みんな来い」といって一方の道をどんどん上り出した。私は機械的について行った。

上りは辛《つら》かった。私がずっと後《おく》れて半町ばかり上り、一息ついていると、一行はどや引き返して来た。伍長は血走った眼をして「駄目《だめ》だ。こっちも撃ってやがる。あっちから行こう。あっちも駄目だったら、銃座へ立籠って最後の一戦を交えるまでだ」といいながら摺り抜けて行った。見知らぬ海軍の兵士が私を見て「しっかりしろ」といい棄てて続いた。

私はぼんやり彼等の後を見送っていた。私はここまで上るのに私の力を使い果していた。私は一緒に行こうか、ついて行けるだろうかと思案しながら、そこに腰を下してしまった。

一隊はずんずん降りて横へ切れ、林へ入ってしまった。それはこの谷を少し上ってから別の尾根へ取り付き、先で今彼等が引き返して来た道と合する道である。私はその道を知らなかった。また一隊の兵士が足早に空地を横切って林の中へ吸い込まれて行った。私はその中によく私のところへ身上話《みのうえばなし》をしに来た、或る若い兵士の姿を見たように思った。彼もまたマラリアで寝ていたはずである。その兵士の姿が私にまたついて行く気を起させた。私は思いきって立ち上り、今来た道を下りて行った。

空地には倒れた兵士の外誰もいなかった。林の中には道はなかった。前方では兵士等の呼び交う声が響いていた。その声はどんどん遠ざかり、やがて呟くような音となって止んだ。その遠ざかる速度は私の到底ついて行けない速度である。

私はまた腰を下した。そして「わかったよ。もう沢山だ。わかったよ」と呟いた。（こうして一人になってから、私は始終声を出して考えていた。恐らく自分の考えを自ら確めるためだったろう）「わかったよ」とは「どうせ俺はここで死ぬことにきめたんじゃないか。思ったより歩けたからここまでついて来たものの、どうせ皆と一緒には行けないんだ。わかったよ」という意味である。

私は槲《かしわ》に似た大木の根元に身を横え、おもむろに腰の手榴弾をはずして傍へ置いた。今となっては、これが私の唯一《ゆいいつ》の友であり、希望であった。その強烈な爆発力は私を苦痛なくあの世へ送ってくれるはずである。

この時私がやがてこの道を来る米軍について何も考えなかったのは、かなり奇妙なことである。恐らく私は到頭自分の最後の時に来たという考えに圧倒されていたのであろう。或《あ》るいは漠然と米軍が来るにはまだ間があると思っていたのかも知れない。何故なら、さっき伍長がこの道の前方に聞いたという銃声を、私自身は聞かなかったからである。

何の感慨もなかった。死については既に考え尽されていた。門司《もじ》を出て以来私の運命はこの一条の線から逃れることは出来なかった。今その最後の一点に来たというにすぎない。私は「まず末期《まつご》の水を」と呟き、水筒を傾けた。それは空であった。私は分隊を出る時水を棄てたのを思い出した。その時私は後でこうしてゆっくり水を飲む暇があろうとは思っていなかった。また私は早まったのかも知れない。私は苦笑した。その時急に渇きがひどくなった。

私は今自分が存在するのを止めようとしている時、一杯の水を飲むか飲まないかはどっちでもいいことだと自分にいい聞かせた。その間にも渇きはどんどんひどくなって行った。

附近には水はなかった。その時私のいた谷の川は、我々がここに来た時既に流れていなかった。そして今は乾季だったから、ますます干上って、濁った水がここかしこ水溜《みずたま》りをつくっているだけである。水を飲むには再び中隊本部のある山を越えて、私の分隊の傍の泉まで帰る外はない。しかしその時の私にはそこまで行く力は残っていないと思われた。

私は以前偶然この谷の上流と覚しきところを渡った時、そこに水があったのを思い出した。その水はたしか黒くなかった。

私の知っているそこへ行く道もやはり一旦《いったん》中隊本部まで上るのである。しかしもしそれが事実この川の上流であるならば、この谷を伝って行けば自然そこへ出るはずである。この道は平坦《へいたん》であり、なお私の力に堪えそうである。

私は再び手榴弾を腰につけて立ち上った。そして藪《やぶ》を掻《か》き分けて水のない谷川の川床に降りた。

私は前に今私が生きているのは分隊小屋を出る時水を棄てたという一事に懸っていると書いた。第一そのため私だけが一瞬の差で米軍の攻撃正面にあったその谷から出られたのである。第二、そうして水を持っていなかったため、私はこの最初に選んだ死場所を離れた。もし私がなお暫《しばら》くそこにいれば、私は米軍の手によって完全に私の目的を達していた。後で聞いたことだが、翌朝このあたりまで偵察《ていさつ》に入り込んで来た分哨《ぶんしょう》の兵は、私が弾をこめてやった病兵が胸を射《う》たれて死んでいるのを見た。ここは米軍の進撃路の一つに当っていたから、ここにいれば、私は抵抗するしないに拘《かかわ》らず、確実に殺されていたのである。

川の水はさらに少なくなっていた。十間以上離れて飛び飛びに、一坪ほどの黒い水溜りがあるばかりである。

川に沿って一条の道がついていた。私は機械的にそれを辿《たど》って行った。渇きは加速度的にひどくなって行き、一瞬も我慢出来ないほどになった。思えば私は発熱以来こんなに長く水を飲まずにすごしたことはなかったわけである。

私は黒い水を見詰めた。異様な臭気が立っている私の鼻まで上って来た。水底に何か黒い昆虫《こんちゅう》が匍《は》っていた。私はその水を手で掬《く》み口に含んでみた。舌を刺す味があり、呑み込むことが出来なかった。

大きな水溜りがあり、四五匹の水牛が浸っていた。我々がサンホセから荷物を載せて連れて来た水牛である。

水牛は私の顔をいぶかし気に眺《なが》めた。その一頭と私は暫く眼を見合せていた。その顔は見れば見るほど人間に似ていた。私は奇妙な混乱を感じた。水牛はてれたように顔をそむけ、一声鳴いて水からあがった。水がざぶざぶとその大きな体からこぼれた。その水もやはり飲めない水である。

水牛はさらに川原から岸に上り、林の中へ入った。気がつくとそこは両岸が小さな崖《がけ》をなして迫り、道は川から離れて今水牛が去った林の方へ続いていた。水溜りの奥で谷は急に曲り先は見えなかった。

水牛を押し分けてその水溜りを渡って行く気にはなれなかった。私は林に入った道がまた先で川床に降りるだろうと推測し、その道を辿って行くことにした。

それは私が降りたとは反対の側、つまり中隊本部のある山の側である。道は上っていた。私はもはや両側の枝につかまりながら歩いていた。道はどんどん川から離れ、林が切れて草原へ出た。そしてそこでまた大きく川とは反対の側へ曲っていた。

私はこれが川を遡行《そこう》する道ではなく、陣地の正面（我々はここに陣地というほどのものを構築してはいなかったが、中隊本部の前方半町、ブララカオとサンホセから来る道の合流点に我々の持つ唯一の機関銃を据《す》える銃座を掘り、そこを陣地正面と呼んでいた。さっき伍長が立て籠《こも》ろうといったのはこの銃座である）へ行く道、更に正確にはそこからこの谷へ降りる道であることを了解した。目的の渡渉点へ行くにはやはり一旦その正面まで上り、また私の知っている道を下りて行かねばならないらしい。

私は再び私の力を使い果していた。私は目的地の水が果してそれだけの労力に値するかどうか疑った。この水の減りようから判断すればそこの水もやはり干上っていると思わねばならぬのではあるまいか。私は林のへりに倒れてしまった。

前方の草原はさし渡し二十間ばかり、左手つまり谷の側から前面までずっと叢林《そうりん》で縁取られ、右手のみ開いて緩やかに陣地正面に上っていた。そこには比島の丘々にあの柔和な夢幻的な緑を与えている、細い長い萱《かや》に似た雑草が生えていた。

何の物音もなかった。私がどれほどそうして横わっていたか明らかではない。私はやはり自殺を考えていたか、渇《かつ》えていたか、明瞭《めいりょう》でない。これに続いて私の逢着《ほうちゃく》した一つの事件が、この間それと関係がないあらゆる記憶を抹殺《まっさつ》してしまっている。

確かなのは私が米兵が私の前に現われた場合を考え、それを射つまいと思ったことである。

私が今ここで一人の米兵を射つか射たないかは、僚友の運命にも私自身の運命にも何の改変も加えはしない。ただ私に射たれた米兵の運命を変えるだけである。私は生《しょう》涯《がい》の最後の時を人間の血で汚したくないと思った。

米兵が現われる。我々は互に銃を擬して立つ。彼は遂《つい》に私がいつまでも射たないのに痺《しび》れを切らして射つ。私は倒れる。彼はこの不思議な日本人の傍に駈《か》け寄る。この状況は実にあり得べからざるものであるが、その時私の想像に浮んだままに記しておく。私のこの最後の道徳的決意も人に知られたいという望みを隠していた。

私の決意は意外に早く試煉《しれん》の機会を得た。

谷の向うの高みで一つの声がした。それに答えて別の声が比島人らしいアクセントで「イエス、云々《うんぬん》」といった。声は澄んだ林の空気を震わせて響いた。この我々が長らく遠く対峙《たいじ》していた暴力との最初の接触には奇怪な新鮮さがあった。私はむっくり身をもたげた。

声はそれきりしなかった。ただ叢《くさむら》を分けて歩く音だけが、ガサガサと鳴った。私はうながされるように前を見た。そこには果して一人の米兵が現われていた。

私は果して射つ気がしなかった。

それは二十歳位の丈の高い若い米兵で、深い鉄兜の下で頰《ほお》が赤かった。彼は銃を斜めに前方に支え、全身で立って、大股《おおまた》にゆっくりと、登山者の足取りで近づいて来た。

私はその不要心に呆《あき》れてしまった。彼はその前方に一人の日本兵の潜む可能性につき、些《いささ》かの懸《け》念《ねん》も持たないように見えた。谷の向うの兵士が何か叫んだ。こっちの兵士が短く答えた。「そっちはどうだい」「異状なし」とでも話し合ったのであろう。兵士はなおもゆっくりと近づいて来た。

私は異様な息苦しさを覚えた。私も兵士である。私は敏捷《びんしょう》ではなかったけれど、射撃は学生の時実弾射撃で良い成績を取って以来、妙に自信を持っていた。いかに力を消耗しているとはいえ、私はこの私が先に発見し、全身を露出した相手を逸することはない。私の右手は自然に動いて銃の安全装置を外していた。

兵士は最初我々を隔てた距離の半分を越した。その時不意に右手山上の陣地で機銃の音が起った。

彼は振り向いた。銃声はなお続いた。彼は立ち止って暫くその音をはかるようにしていたが、やがてゆるやかに向きをかえてその方へ歩き出した。そしてずんずん歩いて、忽《たちま》ち私の視野から消えてしまった。

私は溜息《ためいき》し苦笑して「さて俺《おれ》はこれでどっかのアメリカの母親に感謝されてもいいわけだ」と呟《つぶや》いた。

私はこの後度々この時の私の行為について反省した。

まず私は自分のヒューマニティに驚いた。私は敵を憎んではいなかったが、しかしスタンダールの一人物がいうように「自分の生命が相手の手にある以上、その相手を殺す権利がある」と思っていた。従って戦場では望まずとも私を殺し得る無辜《むこ》の人に対し、用捨なく私の暴力を用いるつもりであった。この決定的な瞬間に、突然私が眼の前に現われた相手を射つまいとは夢にも思っていなかった。

この時私に「殺されるよりは殺す」というシニスムを放棄させたものが、私が既に自分の生命の存続について希望を持っていなかったという事実にあるのは確かである。明らかに「殺されるよりは」という前提は私が確実に死ぬならば成立しない。

しかしこの無意識に私の裡《うち》に進行した論理は「殺さない」という道徳を積極的に説明しない。「死ぬから殺さない」という判断は「殺されるよりは殺す」という命題に支えられて、初めて意味を持つにすぎず、それ自身少しも必然性がない。「自分が死ぬ」から導かれる道徳は「殺しても殺さなくてもいい」であり、必ずしも「殺さない」とはならない。

かくして私は先の「殺されるよりは殺す」というマキシムを検討して、そこに「避け得るならば殺さない」という道徳が含まれていることを発見した。だから私は「殺されるよりは」という前提が覆《くつがえ》った時、すぐ「殺さない」を選んだのである。このモスカ伯爵《はくしゃく》の一見マキアベリスチックなマキシムは、私が考えていたほどシニックではなかった。

こうして私は改めて「殺さず」という絶対的要請にぶつからざるを得ない。私はここに人類愛の如《ごと》き観念的愛情を仮定する必要を感じない。その宏《ひろ》さに比べて私の精神は狭小にすぎ、その稀薄《きはく》さから見れば私の心臓は温かすぎるのを私は知っている。

むしろこの時人間の血に対する嫌悪《けんお》を伴った私の経験に照して見れば、私はここに一種の動物的な反応しか見出《みいだ》すことは出来ない。「他人を殺したくない」という我々の嫌悪は、恐らく「自分が殺されたくない」という願望の倒錯にほかならない。これは例えば、自分が他人を殺すと想像して感じる嫌悪と、他人が他人を殺すと想像して感じる嫌悪が全く等しいのを見ても明らかである。この際自分が手を下すという因子は必ずしも決定的ではない。

しかしこの嫌悪は人間動物のその同類に対する反応の一つであってその全部ではな

い。この嫌悪が優位を占めたのは一定の集団の中では我々の生存が他人を殺さずに保ち得られるようになった結果である。「殺すなかれ」は人類の最初の立法と共に現われたが、それは各人の生存がその集団にとって有用だからである。集団の利害の衝突する戦場では今日あらゆる宗教も殺すことを許している。

要するにこの嫌悪は平和時の感覚であり、私がこの時既に兵士でなかったことを示す。それは私がこの時独りであったからである。戦争とは集団をもってする暴力行為であり、各人の行為は集団の意識によって制約乃至《ないし》鼓舞される。もしこの時僚友が一人でも隣にいたら、私は私自身の生命の如何《いかん》に拘らず、猶予《ゆうよ》なく射っていたろう。

しかし決意についてはもう十分だろう。人類愛から発するにせよ、動物的反応によるにせよ、とにかくこの時私が「射たない」と考えたことは確実である。問題は私がそれを実現したか、しなかったかにある。

最初私が米兵を見た時、私は確かに射とうと思わなかった。しかし彼があくまで私に向って前進を続け、二間三間の前に迫って、遂に彼が私を認めたことを私が認めた時、私はなお射たずにいられたろうか。

私は自然に銃の安全装置をはずした手の運動を思い出す。してみればこの時私が確実に私の決意を実現し得たのは、ひたすら他方で銃声が起り、米兵が歩み去ったという一事に懸っている。これは一つの偶然にすぎない。

私の決意に照して見れば、この時の私の行為は完成されていない。従ってそれに関する私の反省も当然未完成たるべきである。しかし私は一応私の決意が何処《どこ》まで私の行為を導き得たかを、この時の私の心理に求めずにはいられない。

米兵は私の前で約十間歩いた。恐らく一分を越えない時間である。その間私が何を感じ何を考えたかを想起するのは、必ずしも容易ではないが、有限な問題である。

この間私の想《おも》いは「千々に乱れた」ということは出来ない。私はずっとこの米兵を見ていたのであり、その間私の想念は彼の映像によって規制されていた。

私は精神分析学者の所謂《いわゆる》「原情景」を組立《とと》てて見ようとする。この間私の網膜に映った米兵の姿は、確かに私の心理の痕跡《こんせき》を止めているべきである。

私が初めて米兵を認めた時、彼は既に前方の叢林から出て開いた草原に歩み入っていた。彼は正面を向き、私の横わる位置よりは少し上の方へ視線を固定さしていた。

その顔の上部は深い鉄兜《てつかぶと》の下に暗かった。私は直ちに彼が非常に若いのを認めたが、今思い出す彼の相貌《そうぼう》はその眼のあたりに一種の厳しさを持っている。

谷の向うの兵士が叫び、彼が答えた。彼は顔を斜め声の方向に向けた。私が彼の頰の薔薇色《ばらいろ》をはっきり見たのはこの時である。

それから彼はまた正面を向き、私の方へ進んだはずである。しかしこの時の彼の映像は何故《なぜ》か私の記憶から落ちている。

この次の記憶に残る彼の姿は、前とは反対の頬を私に見せ、山上の銃声に耳を傾けている彼である。が、この二つの横顔が直ちに繋続《けいぞく》するものでないことは、私の記憶の或る感じによって確実である。

この間私は銃を引寄せ、その安全装置をはずしたらしい。或いは私はそのため手許《てもと》に眼を落したのだろうか。が、私の手にある銃の映像も同じく私の記憶にはない。

この空白の後で銃声が響き、多分私はその方を見たであろう。（これは全く仮定である）再び前方を見た時（これも仮定だ）米兵は既にその方へ向いていた。この横顔から頬の赤さは記憶にない。ただその眼のあたりに現われた一種の憂愁の表情だけである。

この憂愁の外観は決して何等《なんら》かの悲しみを示すものではなく、また私自身の悲しみの投影と見る必要もない。これが一種の「狙《ねら》う」心の状態と一致するものであることを私は知っている。対象を認知しようとする努力と、次に起そうとする行動を量る意識の結合が、屢々《しばしば》こうした悲しみの外観を生み出す。運動家に認められる表情である。

彼はそのまま歩き出し、四五歩歩いて私の視野の右手を蔽《おお》う萱に隠れた。（前に書くのを忘れたが、私の右手山上陣地の方向は、勾配《こうばい》の加減で一寸《ちょっと》した高みとなり、その方は伏した私の位置からは繁《しげ》った萱しか見えなかった）それから私は溜息し、アメリカの母親に関する感想を洩《も》らすということになる。

最初彼の姿を見た時、私は射つ気が起らなかった。これは確かである。時間的順序から見て私はこれがその前にしていた決意の結果だと思っていた。しかしこれはそれほど確かだろうか。少なくとも私の心理にはそれを保証する何者もない。

この時まで私は引続き私の決意を反芻《はんすう》していたようである。しかしそれは漠然《ばくぜん》たる夢想の域を出ず、米兵が現われた場合に備えて常に射つまいと用意していたわけではない。谷の向うの声によって私は不意に呼び醒《さ》まされた。私は驚愕し、新しく生れた期待と共に私の中に進行し始めた状態は、私の事前の夢想と何の関係もなくてもいいのである。

私は私の前に現われた米兵の露出した全身に危惧《きぐ》を感じ、その不要心に呆れた。この感想は頗《すこぶ》る兵士的のものであり、短い訓練にも拘らず私がやはり戦う兵士の習慣を身につけていたことを示している。この感想の裏は「この相手は射てる」である。

しかも私は射とうと思わなかった。しかしこれは果して事前の決意のためだったろうか。もし私が戦闘意識に燃えた精兵であったとして、果してこの優勢な相手

（私の認知しただけでも一対三である）を直ちに射とうとしたであろうか。

この瞬間の米兵の映像から私の記憶に残った一種の「厳しさ」は、私の抑制が私の心から出たものではなく、その対象の結果であった証拠のように思われる。それは私を押し潰《つぶ》そうとする尨大《ぼうだい》な暴力の一端であり、対するに極めて慎重を要する相手であった。この時私の抑制が単なる逡巡《しゅんじゅん》にすぎなかったのではないかと私は疑っている。しかし彼が谷の向うの兵士に答え、私がその薔薇色の頬を見た時、私の心で動いたものがあった。

それはまず彼の顔の持つ一種の美に対する感歎《かんたん》であった。それは白い皮膚と鮮やかな赤の対照、その他我々の人種にはない要素から成立つ、平凡ではあるが否定することの出来ない美の一つの型であって、真珠湾以来私の殆《ほと》んど見る機会のなかったものであるだけ、その突然の出現には一種の新鮮さがあった。そしてそれは彼が私の正面に進むことを止《や》めた弛緩《しかん》の瞬間私の心に入り、その敵前にある兵士の衝動を中断したようである。

私は改めて彼の著しい若さに驚いた。彼の若さは最初私が彼を見た時既に認めていたが、今さらに数歩近づいて、その前進する兵士の姿勢を棄《す》て、顔を上げて鉄兜に蔽われたその全貌を現わした時、新しく私を打ったのである。彼は私が思ったよりさらに若く、多分まだ二十歳に達していないと思われた。

彼の発した言葉を私は逸したが、その声はその顔にふさわしいテノールであり、言い終って語尾を呑《の》み込むように子供っぽく口角を動かした。そして頭を下げて谷の向うの僚友の前方を斜めにうかがうように見た。（この時彼がうかがわねばならなかったのは、明らかに彼自身の前方であった）

私は一人の放蕩者《ほうとうもの》の画家を識《し》っていた。彼は中年を過ぎて一人の女子の父親となったが、以来二十歳前の少女に情欲を感じないといっていた。自分の子供がこの年頃《としごろ》になったらこんなになるだろうか、という感慨が邪魔をして、彼が認めた感覚的な美に対して正常な情念が起きなくなった、と彼は自分の感覚を説明した。

この説明にはかなり誇張が感ぜられ、彼が実際常にその感覚に忠実であったかどうか、私はあまり信用していないが、とにかく彼が一度か二度こうしたタブーを感じたと思ったことはあり得ないことではない。

私がこの米兵の若さを認めた時の心の動きが、私が親となって以来、時として他人の子、或《ある》いは成長した子供という感じの抜けない年頃の青年に対して感じた或《あ》る種の感動と同じであり、そのため彼を射《う》つことに禁断を感じたとすることは、多分牽強附《けんきょうふ》会《かい》にすぎるであろう。しかしこの仮定は彼が私の視野から消えた時、私に浮んだ感想がアメリカの母親の感謝に関するものであったことをよく説明する。明らかにこれは私がこの米兵を見てから私の得た観念である。何故ならその前私が射つまいと決意した時、私は前にどういう年齢の米兵が現われるかはなお不明であり、私が母親について考慮する根拠は全然なかったからである。

人類愛から発して射たないと決意したことを私は信じない。しかし私がこの若い兵士を見て、私の個人的理由によって彼を愛したために、射ちたくないと感じたことはこれを信じる。

私は事前の決意がこの時の一聯《いちれん》の私の心理に痕跡を止《とど》めていないために、それが私の心と行為を導いたということは認め難《がた》い。しかし父親の感情が私に射つことを禁じたという仮定は、その時実際それを感じた記憶が少しもないにも拘《かかわ》らず、それが私の映像の記憶に残る或る色合とその後私を訪れた一つの観念を説明するという理由で、これを信ぜざるを得ないのである。これが我々が心理を見詰めて見出し得るすべてである。

しかしこれから先万事が変な工合になって来る。米兵はそれからまた正面を向き私の方へ進んだのを私は知っており、しかもその映像が私の記憶にないことは前に書いた。

今度私の憶《おぼ》えているのは内部の感覚だけである。それは息詰まるような混乱した緊張感であり、私が敢《あ》えてそう呼ぼうとは欲《ほっ》しない一つの情念に似ていた。即《すなわ》ち恐怖である。

恐怖とは私の普通に理解するところによれば、私に害を与えると私の知っている対象に対する嫌悪と危惧の混った不快感である。それは通常その対象の「怖《おそ》ろしい」映像を伴うべきであり、私がこの米兵から残していたむしろ快い印象とは両立しないと思っていた。

しかし今私は「原情景」を検討して、私が映像を選択して保存しているのを知った。無論我々は過去の尽《ことごと》くを記憶するものではなく、その脱落は多く偶然によるものであるが、この瞬間の空白を偶然と見做《みな》すには、場合はあまりにも重大であり、私はあまりにもそれを忘れる理由を持ちすぎている。

或いは私はそれを思い出すのを欲しないのであろうか。或いは女に分娩《ぶんべん》の苦痛を忘れさすのと同じ理法によって、自然はあまりにも苦しかったこの一瞬の記憶を私から取り去ったのであろうか。この時私の内部の緊張について、私はその強さを尽く再現していると自負することは出来ないのである。

今私がその美と若さに感歎した対象は、近づく決定的な瞬間の期待を増しつつ迫っていた。その時最初彼の顔に瞥見《べっけん》した厳しさがどんな比例で拡大したかは測り難く、その白い皮膚と赤い頬《ほお》に拘らず、彼の顔が私に怖ろしく見えなかったとは保証出来ない。そしてもし私がこの時なお射ちたくないと思っていたとすれば、その映像は、一層私に堪え難かったであろう。

私は銃を把《と》りその安全装置を外した。私はやはり射とうとしたのであろうか。或いは顔に当ろうとする虫を見て眼を閉じる反射運動に似た反応から、無意味に防禦《ぼうぎょ》の準備をしたのであろうか。

実際私は眼を閉じたのかも知れない。この動作の記憶を失ったとする方が、映像のそれを失ったとする仮定よりも或いは自然である。

この時銃声が轟《とどろ》いた。それはその時私の緊張も、近づく決定的な瞬間も吹き飛ばして鳴ったように、今も私の耳で鳴り、私のあらゆる思考を終止せしめる。これが事件であった。

とまれかくして米兵は私を認めずに去り、私はこの青年を「助けた」という「美行」の陶酔と共に残された。もっともこの陶酔には苦い味がなかったわけではない。即ち私はすぐ私の逸した兵士が陣地正面の戦闘に加わり、それだけ僚友の負担を増したことに気がついたからである。

この反省は辛《つら》かった。しかし米軍がかくも優勢である以上、僚友はいずれ死なねばならぬ。そして私も永く生きてはいないであろう。この考えが依然として私の万能の口実であった。

機銃の音は続いていた。それはひとしきりして、それに答えるようにまたひとしきり、そうして交互に繰り返して行った。私の所からはそれは丁度撃ち合っているように聞えた。

私は私の正面からも米兵が来たのを見て、伍長《ごちょう》の一隊もこの方面から脱出出来ず、正面の銃座へ立て籠《こも》って「最後の一戦」を交えているものと想像した。私は死に行く人の脈をとるような気持でこの銃声に耳を傾けた。

銃声はかなり長く続いていたが、遂《つい》に一発の長く余韻を引いた音と共に止んだ。少しして谷の下の方、丁度さっき二人の軍曹《ぐんそう》が隊長の戦死の真偽を論じ合ったあたりで銃声が起りすぐ止んだ。一発、手榴弾《しゅりゅうだん》と覚しき炸裂音《さくれつおん》がした。これが私の聞いた銃声の全部である。

(「逃がしてやる」といった伍長も軍曹の一人も後で俘虜《ふりょ》収容所へ来た。彼等は叢林《そうりん》に潜って無事に脱出したが、二カ月山中を彷徨《ほうこう》した挙句ゲリラに捉《とら》えられた。私は彼等は全部戦って死んだと信じていたが、事実は私が最初に上りかけた尾根で休んでいた間に、歩ける者は全部脱出していたのである。従って私が陣地正面に聞いた銃声は、撃ち合いの音ではなく、二基の米軍の機銃の交互発射の音だったわけである。この時脱出に成功した者は凡《およ》そ八十人であるが、大部分山の中で落伍もしくは病死し、収容所に来た者は四人である)

あたりは再び静かになり、私はまたひとり死と顔を突き合せて残された。私は装具をはずし、脚絆《きゃはん》を解いて、ゆっくり身を横《よこた》えた。すると渇きがまた激しく私を襲って来た。

私はもし今すぐ自分を殺すならば、同時にこの渇きも殺すことが出来ると自分に説得しようとしたが、渇きは承知しなかった。私の喉《のど》はまずその焦《こ》げつくような渇きを治めてから、存在を止めることを欲した。

この要求はもっともと思われた。「一杯の水を飲んでから死にたがる自殺者」このテーマは私の気に入った。私はむしろ私の煩悩《ぼんのう》を是認したのである。

私は改めて水を得る場所と手段について思い廻《めぐ》らした。

前に書いたように、この附近で水のあるのは、まず私の分隊小屋のあった谷である。がそこへ行くには、今は米軍の占拠する中隊本部の山を越えねばならない。第二はやや遠いがこの谷川についてどこまでも下って、その注ぐ別の大きな川に達することである。しかしそれにはさっき二人の軍曹の語らった地点を通らねばならず、それはこの谷を横切る主要道路の一つであるから、なお米軍のいる公算大である。少なくとも日暮まで彼等はそこを去らないであろう。

その夜は遅く出る月があるはずであった。私は月の出を待ってこの第二のコースを試み、米軍が夜までそこに止《とど》まるか止まらないかに一切を賭《か》けることにした。

私はじりじりして日の暮れるのを待ち、さらに月の出を待った。私は全身これ渇《かつ》えであった。私はその大きな川の岸に伏して、顔を水に浸《つ》け、思う存分水を飲む自分を想像した。私は昼は水筒を抱いて附近の叢《くさむら》に隠れ、夜はそうして水際《みずぎわ》に横わって、なお二三日心行くまで水を飲むはずであった。それから気の向いた時に自殺するはずであった。私はむしろ最初に水のある分隊小屋の谷を出たことを後悔した。

それでも遂に月が出た。

私は銃と帯剣を棄てた。米軍に会えば私に戦う気はないことを私は既に確めていた。雑嚢《ざつのう》も棄て、ただ米を両手に一握りずつ取ってポケットに入れた。食欲はなかったが、私がなお二三日水を飲むために生きるとすれば、その間またそれを必要とするやもはかり難い。ただ手榴弾はしっかり腰につけ、水筒を大事にはすかいに肩にかけた。

私は木の枝につかまって立ち上った。眩暈《めまい》がし、枝を握る手に余程力を入れないと支えきれない。五六歩歩いて道へ出て、手を放すと私は突然倒れた。

私はこの腰と脚が何の予告も受けずに、萎《な》がれるように倒れる感覚を知っていた。その日一日の運動が、私の体を元の歩行不能の状態に突き戻していたことを私は知った。

私は土に伏し、肱《ひじ》で胸を支えて傷《きず》ついた獣のように思案した。私は遂にこの望みを遂げることが出来ないのではないか、という暗い予感が初めて私の頭を過ぎた。しかし私はなお望みを断たなかった。この時またこの後にも、私はこうしてかなり「絶望的」な状態にありながら、かつて何等かの次の手段を考える力を失うほど絶望したことはない。この時の私の経験から推せば、絶望の二字は矛盾した文字の結合であって、人間にはあり得ない状態の誇張した表現にすぎないのである。

私はおもむろに第二の計画を思い廻らした。私が今歩けない状態にあることは肯《うべな》わないわけには行かない。しかし数時間前に私は一旦《いったん》歩けたのであるから、この状態はまず一時的と考えて差支《さしつかえ》あるまい。とはいえ今の倒れ方から推せば、恢復《かいふく》には少なくとも夜明けまではかかると思わねばならぬ。夜が明けた以上、米軍の間を潜ってこの谷を下ることは諦《あきら》めねばならぬ。私は私の今いる地点の外方に水のありかを求めねばならぬ。

私は以前分哨《ぶんしょう》へ連絡に行った時見たまた別の大きな川を思い出した。それはここから約八粁《キロ》二時間行程のところにあったが、私の知っているそこへ行く道は、昼間最初休んだ尾根を伝って行くのである。私は米軍が全部私が今いる線を越えて中隊本部の方へ集り、私が既にその外にあるものと想像していた。夜明と共に出発することが出来れば、私は遅くとも昼までには、その川に行きつくことが出来るかも知れない。今まで渇きに堪えた時間に比べて、それはさして長い時間とは思われなかった。

私は希望はすべて夜明けまでに、再び歩ける状態に戻るということに懸っていた。そしてそのために今私の第一なすべきことが、眠ることであるのは明白である。

私の再びそれまで横わっていた場所（そこはとにかく木の根や下草の配合で、人間一人寝るのに何となく工合のいい一隅《いちぐう》であった）に戻って横になった。そして眼をつぶってひたすら眠ろうと努めた。

が、眠りは来なかった。ふと気が付くと私は耳元で囁《ささや》く一つの声に耳を傾けていた。それは何となく呉服屋の番頭のような（これがその時浮んだ比喩《ひゆ》である）低い落着き払った声であって、私が今すぐ私の足をして歩かしめて水を飲みに行かないことを不満として、全内臓がストライキに入ろうとしていると警告していた。私は無論これが熱のための幻聴であるのを知っていた。私は笑って「よせやい、お前なんかいやしねえの知ってるぞ。みんな熱のせいなんだ」と叫んだ。その途端、私はこう叱咤《しった》することと自体、相手の存在を認めるにほかならないことに気がついた。私は口をつぐんだ。

同時に私はこれが「カラマゾフの兄弟」のイワンの二重人格の場合と同じであることに気がついた。この発見は不愉快だった。私はこの生涯《しょうがい》の最後の瞬間に、私の個人的たるべき幻覚においてさえ、なお先人に教えられたところに滲透《しんとう》されているのを苦々しく思った。さらに私は私の幻覚が妙にインテリ臭い内臓のストライキだったのが気に食わなかった。いっそ鬼か般若《はんにゃ》が出て来ればいい。私は幻覚等の基礎をなす私の意識の或る層が、こうした下らぬ知識によって充《み》たされていることを今更知りたくなかったのである。

この幻聴はまた幾分私を不安にした。発熱以来初めて現われた幻覚だったからである。四十度の熱が一週間続いたにも拘らず、私は譫妄《せんもう》状態に陥った記憶がなかった。私はいつも明白に自己の状態を自覚し、あたりで行われることを正しく認識していると思っていた。幻覚は私には悪い徴候と思われた。私は心を静めて幻聴を去ろうとした。しかし呉服屋の番頭のような忠告者は依然としてなだめるように、今は私の憶えていないことを囁き続けた。

一陣の生ぬるい風が木の葉を鳴らして過ぎた。私はむっくり身をもたげた。私は新しい希望に燃えた。私はその風がこの季節では雨の前触れをする、土民には一般に家畜を頓死《とんし》せしめると信ぜられている風であることを知っていた。

実際雨はほどなくやって来た。さわやかな音があたりに満ち、やがて雨滴が低い枝の葉から滴《したた》り落ちた。私はそれを口で受けた。

水滴は乾ききった喉に散って殆んど何の感覚も残さなかった。雨が小止みとなり水滴の落ちる間合いが遠くなった。私は外では間断なく雨が落ちているのに、繁みの中で葉末の水を待つのは愚《おろか》であると思い、草原へ匍《は》い出して仰向けに寝た。しかし丁度開けた口に落ち込む雨の足は、葉から滴る水滴よりは繁くはなかった。

雨が止んだ。私は頭を廻《めぐ》らして風上を顧みた。それは陣地正面の方角で、ゆるやかに草原が上った向うに、見馴《みな》れた木立が月明りに霞《かす》んで見えた。私は意外に陣地正面に近くいたのである。

その木立が霧に包まれた。あたりは再び物音に満ち、風が頰に当ってパラパラと雨が空の奥から落ちて来た。私は口を開け、同時に両手を展《ひろ》げて掌《てのひら》に雨を溜《た》めようとした。しかし雨は掌を濡《ぬ》らすほどにも降らずに止んだ。天頂に近く雲が切れて歪《ゆが》んだ月が現われた。その光は耐え難い眩《まぶ》しさで私の眼の中に差し込んだ。そして雨はもうそれきり落ちて来なかった。

それから夜明けまでどれほどあったろうか。私はもとの林の居心地のいい場所に戻った。囁く忠告者の声は去っていたが、そのかわり胸苦しさが今までにない激しさで襲って来た。私は苦痛を柔げるためにあらゆる奇怪な姿勢を試み、声をあげて呻《うめ》いた。私は「胸を掻《か》きむしる」という常套句《じょうとうく》が比喩ではないことを知った。

月は次第に向うの大木の梢《こずえ》に移って行き、そこで暫《しば》らく躊躇《ためら》っているように見えた。あたりの月夜の明るさにはいつか黎明《れいめい》の乳色の光が重なり、影が退いた。そして突然明け離れてしまった。

水牛が下りて来た。多分昨日私の前にこの道を上って行った一匹である。彼は私を認めて暫し立ち止ったが、やがて首をしゃくって前を向き、その進路を続けて行った。そのゆるやかな重い足取りが私を力づけた。胸苦しさは薄らぎ、私は苦しい一夜を越した病人の朝の爽快《そうかい》な気分をいくらか味った。私は儀式的に生米を少し齧《かじ》り、出発の用意にかかった。

その時私は谷の向う側、私のこれから行こうとする尾根の方向に銃声を聞いた。後で確めたところによると、これはこの朝この辺まで偵察《ていさつ》に来た分哨の兵の放ったものである。彼等は谷のこちら側に米兵の姿を見てこれを射撃し、直ちに後退したのである。この兵士は後で収容所へ来たが、彼はこの時三発撃ったといっている。この話を聞くまで私は一発聞いたと思っていた。この記憶の誤りには意味がある。それはその時の私にとって、一発であろうと三発であろうと、それが銃声であれば十分であったことを示している。

僚友がここまで来ることは私の想像に入り得なかったから、銃声は私にとって米兵がなお私の外方にいること、従って今私が脱出することは不可能なことを意味した。同時に彼等がいつまでこの附近にいるかは不明であり、彼等の退去を待つならば、私がいつまで水なしでここにいなければならないかわからないということを意味した。私は遂に私が水を飲まずに死なねばならぬことを納得した。いずれ死ぬ私の生命は、あてもなくこの渇きと共に生きる苦しさに堪えて、それを延ばすに値しない。

私はこの平静な決意に早く到達しなかった自分に微笑《ほほえ》みかけた。

私は手榴弾を腰からはずし、眼の前の土に置いて眺《なが》め入った。それは九九式と呼ばれる樺色《かばいろ》に塗られた六角の鉄の小筒で、その胴には縦横に溝《みぞ》が走っていた。その溝によって区切られた方三分ほどの小片が内部の火薬の爆発と共に四散する仕掛けらしい。

私は安全栓《せん》と呼ばれる信管を横に貫いた針金を抜こうとした。針金はきつく信管に纏《まつわ》りついて、手では取れなかった。剣の先でそれをこじながら、私はふとこの針金が遂に取れないで、私は死ねないのではないかと思った。私は幾分それが取れなければいいがと思っていたらしい。しかし私の手はいわば私の願望に反して動き続け到頭それを取ってしまった。

私は以下私がどうして自殺に成功しなかったかにつき詳しくは語らないつもりである。自殺者の心理が元来甚《はなは》だ興味薄きものである。まして自殺し損った者の心理の如《ごと》き——それは結局自然に反した一事を行わんとする多少強い意志と、それに抗《さから》う頗《すこぶ》る正確な肉体の反応との結合に尽きている。そしてその成否を決定するのは多く全く偶然の外的条件である。私の生命は私の携行した手榴弾が不発だったという偶然に負っている。もっとも太平洋戦線に送られた友軍の手榴弾の六割が不発だったそうであるから、私の幸運は大して珍重に値するものではない。

私が私の生命の終りを劃《かく》する一線を比較的気軽に越すことが出来たのは、やはりこの時私の肉体が病んでいたからであろう。

私はこれまで愛した人の顔を一通り思い浮べようとしたが、すべて「思い浮べる」というほどはっきりとは眼の前に現われては来なかった。私はそうしてごたごた私の意識の底でひしめき合っている彼等を気の毒のように思い、笑いながら「あばよ」といって、その呼びかけから連続した動きで、信管を地上の石に打ち当てた。信管は飛び、手榴弾は火を吹かなかった。

私は信管を失った手榴弾を調べた。裸のその口の奥には小さな円形の突起が出ていた。それを刺戟《しげき》すれば発火することは明白である。私はその突起を見てわずかに戦慄《せんりつ》した。これがこの一昼夜に私の意識した唯一《ゆいいつ》の恐怖である。

私は飛散した信管の部分を集めて復元してみた。信管の内部の細い針は、私の目測では円形の突起に届かないようである。石に打ち当てた。手榴弾は果して発火しなかった。

私は苦笑した。私に楽な一瞬の死すら与えない運命の皮肉が何となくおかしかった。この前日からすべては私に皮肉に起って来ていた。私はいまいましく舌打ちして手榴弾を林の奥に投げ込んだ。

この時あの内部の突起に触れれば発火すると推測していた私が、それが信管の装置に限らず、何かほかのもので、例えば木の枝でも刺戟するという考えが浮ばなかったのはかなり奇妙なことである。この手段が成功したかどうかは問わない。問題は私が全然それに想到しなかったことにある。

自殺とは予《あらかじ》め定められた手段による決行である。自殺者の注意はこの決行の一点に向けられ通常その手段については反省の労を取らない。或る自殺の手段が流行し得る所以《ゆえん》である。

私が手榴弾に望みを懸けていたのは、それが私の肉体の致命的な部分を、確実に一瞬の裡《うち》に破壊すると空想したためである。それは丁度スイッチの一押しで電気が消えるように、私の苦しい意識を無としてくれるはずであった。その一押しにこれだけ面倒な障害があって、精神の工夫を加えねばならないのは、私の予定に入っていなかった。

私はそれに最初のひと打ちに私の意志のエネルギーの大半を費消していた。

私が何物かによってこの突起を刺戟するという考えを抱懐し得なかったのも、こうした狼狽《ろうばい》と虚脱の結果であったと思われる。そしてこれに続く一聯《いちれん》の行為においても、私は著しい工夫の欠除を示した。

私は第二の自殺の手段を思い、無論銃を思った。私は上半身を起して銃口を両手で額に当て、右足の靴《くつ》を脱してその親指で引金を引こうとした。（この姿勢は内地で教育中古兵から教わったものである。私は依然として人に教えられたところに従ってた）しかし私はこの不安定の姿勢を保つことが出来ず横に倒れた。私は「今やっちゃ失敗する」と思った。私は口中に拳銃《けんじゅう》を二発撃ち込みながら、頬《ほお》を砕くに止《とど》ったアントアーヌ・ベルテの場合を思い出した。私はもう少し熱が下るのを待って試みる方が賢明であると思った。

この時もし私が積極的であるならば、木の枝に引金をかけることに想到していたろう。ろう。同じ足の指を用いるにしても、木にもたれるなり、乃至《ないし》横に寝たままでも行えないはずはない。この時私はまるでいやいや自殺を図る人のように振舞った――しかし結局私が銃を持ったまま横に倒れた時、銃口が額から離れて、つまりこのままでも射《う》てると私に気づかせないような姿勢で倒れたことは、運であったということが出来よう。

私が銃を横におき、右足に靴を穿《は》くかわりに左足の靴もとって再び横になった時、日はかなり高く昇っていたような気がする。この間私は極めて緩慢に考え、行っていたようである。

渇きはやはりあったろうが、それについて何の記憶もない。

私は眠ったのだろうか、それとも所謂《いわゆる》人事不省に陥ったのだろうか。これも明らかでない。腰に連続する衝撃を感じながら私は次第に意識を取り戻しつつあった。そしてやっとそれが私を蹴《け》りつつある靴であると感じることが出来た瞬間、片腕を強くつかまれて、完全に我に返った。

一人の米兵が私の右腕をとり、他の一人が銃口を近く差向けていた。彼は「動くな。お前は私の俘虜《ふりょ》だ」といった。

我々は見合った。一瞬が過ぎた。そして私は私に抵抗する意志がないことを彼が了解したことを了解した。

俘虜収容所で私はよく米兵から「君は降服したのか、捉《つか》まったのか」ときかれた。(彼等は日本人が降服するより死を選ぶという伝説を確めたかったのであろう）私はいつも昂然《こうぜん》として「捉まったのだ」と答えるを常とした。

彼等はまたきいた。「君は我々が俘虜を殺すと思っていたか」私は答えた。「私はそんな軍部の宣伝を信じるほど馬鹿《ばか》ではない」「そんなら何故《なぜ》降服しなかったのか」「名誉の感情からである。私は降服について別に偏見を持っていないが、しかし敵の前に屈するのは、私の個人的プライドが許さない」

しかし囚人の自尊心が私を去った今、よく考えてみれば、私はこの銃を向けられた時進んで抵抗を放棄したのであるから、やはり「降服」していたのである。白旗を掲げて敵陣に赴くのと、包囲されて武器を捨てるのと、その間程度の差にすぎない。

一人の米兵は私の銃と帯剣を持ち、他の一人は私の体から銃口を離さなかった。そして「立って歩け」といった。私は「歩けない」といった。彼等は「歩け、歩け」といった。

我々は昨日私の上って来た道を下りて行った。私は木から木へ捉まりながら歩いて行ったが、川原へ降りると、捉まるものがなく、膝《ひざ》を突いた。米兵の一人が私の腋《わき》に腕を入れて支えてくれた。

私はその兵士の腰に水筒を見て「水をくれ」といった。彼は水筒を振って見て「ノー」といいもう一人の兵士を顧みた。彼は単に「ノー」といった。

昨日私が最初この谷へ下りた地点へ来た。軍の鉄兜《てつかぶと》、飯盒《はんごう》、米を炊《た》きかけの釜《かま》、破壊されたガスマスク、その他あらゆるがらくたがそこにあった。血は流れていなかったが、私はここで僚友が多く死んだことを疑わなかった。私は軍曹《ぐんそう》の一人が大切に保温し熟せしめていたバナナが散乱しているのを見て、胸を衝《つ》かれた。

中隊本部の小屋まで上りは苦しかった。小屋に近づくと私を支えた米兵は絶えず「射つな、射つな」と叫び続けた。

そこで私は四五人の別の兵士に引き渡された。綿密な身体の検査を経て、私は稜線《りょうせん》を伝ってマニヤンの畑のある平坦地《へいたんち》の方へ連れて行かれた。私はそこに約五百人の米兵の屯《たむろ》しているのを見た。

何故私がこの時自分が殺されるものと思い込んでしまったかはいい難い。私は死ぬ前に一杯の水を飲みたいと思い、歩きながら、立ち並ぶ兵士の腰に水筒を探し、「水をくれ、水をくれ」と叫びかけた。私は米兵の気紛《きまぐ》れをあてにしていた。

この間にも私は貪婪《どんらん》な好奇心でもって私の視野に入る米兵を眺め続けた。昨日若い米兵が横に歩み去って以来、私は死ぬ前に人間を見ることが出来ようとは思っていなかった。そしてこれは私の最後に見る人間となるべきだった。

行進は長かった。露営地の中心と覚しきあたりを過ぎてもなお止れといわれないので、私はいよいよ何処《どこ》かの隅《すみ》へ連れて行かれて銃殺されるという確信を強めた。処々《ところどころ》丁度人一人横《よこた》わるほどの穴が掘ってあった。私にはそれが我々を埋める穴であると思われた。（私はこの時私がこの地点で捉まった唯一の俘虜であることを知らなかった）

しかし遂《つい》に坐《すわ》れと命ぜられた。私は俯《うつむ》向きに倒れ、なお「水をくれ」と叫び続けた。私は一人の主だったたと覚しき米兵を見付け、ひたとその眼に見入って、丁寧に私の要求を繰返した。彼は「何とかしてやる」といって何処かへ行ってしまった。

彼はなかなか帰らなかった。希望を得て渇きは堪え難くなった。私はまた叫び始めた。さっきの兵士の顔が人垣《ひとがき》の後に見えた。彼の手には水はなかった。彼は当惑そうにもじもじしていたが、やがて手を振って引込んでしまった。私は絶望した。

なおも叫んでいると、何処からかどさりと友軍の水筒が飛んで来た。水が半分ほど入っていた。一息に飲み干した。味も何もなかった。

眼鏡をかけた二人の兵士が来て私に衣服を脱げと命じた。下着も取れといった。私がそれを足から抜き去ろうとすると「もういい」といった。身体検査であった。

別にまた二人来た。一人は米軍の鉄兜に一杯の水を持って来た。私は飛びついた。彼は手で私を制し、さっき与えられた友軍の水筒へ水を移した。他の痩《や》せた中年の兵士が丁寧に水に浮んだ草をわきへどけた。

私が十分飲み終ると、その草をどけた米兵が、突然私を見て「名前は何というか」ときいた。その語調と眼附《めつき》から私はこれが隊長であることを了解した。

私は俘虜の小説によくあるように「余は兵士である」とはいわなかった。すらすらと本名、階級、部隊名をいった。私は平凡な事柄《ことがら》について真実を告げるという平易な道を選んだにすぎない。

やがてもう一人の兵士が友軍の雑嚢《ざつのう》から一束の書類を出した。ここに遺棄されてあった書類であろう。それは中隊長が持っていた地図、分隊編成表から兵士の手帳にいたるあらゆる雑多な紙片を含んでいた。私はそれ等がいかに取るに足らないものであるかを説明することが出来たようである。

こうして訊問《じんもん》を受けながらも私は絶えず水を飲み続けた。私はなお訊問が終れば殺されるものと信じていた。一人の兵士が来て隊長に何か耳打した。私にはそれが私の処刑の準備が出来た知らせだと思われた。私はあわてて水の残りを飲み干した。私は大きな米軍の鉄兜一杯の水を三十分足らずの間に飲んでしまったのである。

莨《たばこ》が与えられたが、一服吸うと頭がぐらぐらして吸い続けることは出来なかった。

日は既に高く頭上にあった。ここらでたった一本の樹《き》の下に我々はいたが、その樹は高い梢に冠のように痩せた葉をつけているばかりで、蔭《かげ》ともいえないほどの薄い蔭が根元に落ちていた。私は横臥《おうが》して答えることを許され、その蔭に頭を突込んで、蔭の移るに従って体の位置を変えた。

訊問は一時間は続いたろう。隊長は重要な件については何度も繰り返し訊《き》いた。私は前の答えを確保するためにその度に緊張した。私は疲れて来た。

一兵士の日記帳があった。隊長がそれを訳してみろといった。私は少くともその間は面倒な訊問から逃れられるのが嬉《うれ》しく、ゆっくりと一語一語訳して行った。その日記はサンホセ駐屯《ちゅうとん》中に書き始められたらしく、幼稚な感傷的な筆で、軍隊に入って以来日記をつける習慣をやめていること、しかし他《ほか》に何の慰めもないのだから、軍務の暇に日記を書いても別に兵士の義務を怠ることにはならないだろうと思う、しかしこのため時間を使うのだから、それだけ他の時は軍務に精励しなければならないと思う、などと恐らく上官に見つけられた時の用意であろう、そんな言訳がくどくど書いてあった。そしてそれっきり後は何も書いてなかった。

名前がなく筆蹟《ひっせき》も見覚えがなかったが、我々の間に混っていた昭和十八年徴集の若い兵士のものであることは確実であった。彼等はすべて著しく無智《むち》であったが、親切で鷹揚《おうよう》で、狡猾懶惰《こうかつらんだ》な我々中年の兵士をかばってよく働いてくれた。彼等は体力を調節して使うことを知らず、病に遇《あ》うとすぐ斃《たお》れた。

私は顔をあげた。隊長の眼が一種の同情と好意をもって私を見凝《みつ》めていた。私が「おしまいです」というのと、彼が「もういい」というのと同時であった。そしてそれが訊問の終りであった。

隊長は横を向いて呟《つぶや》くように「すぐ食物をあげる。お前はいつか国へ帰れるだろう」といった。私は茫然《ぼうぜん》としてこの言葉を聞いた。その時私の心はそれに反応する弾力がなかった。

他の一人が書類を友軍の雑嚢にしまった。その覆《おお》いに縫取りした持主の名前が私の眼を射た。

それは私と共に最後まで分隊に残り、私が出発する時、「一緒に行かないのか」と不服そうにいった、あの大正の批評家の息子の名前であった。衝撃は大きかった。私は顔を反《そむ》けて叫んだ。

「殺せ、すぐ射ってくれ、僚友がみんな死んだのに私一人生きているわけに行かない」

「そいつは俺《おれ》が引受けた」という声がした。振り向くと一人の兵士が機銃で私を覘《ねら》っていた。私は「どうぞ」といって胸をあけたが、その兵士のいたずらそうな眼を見て私の顔は歪《ゆが》んだ。

隊長は私の叫びが聞えないかのように黙って行ってしまった。

ビスケットの包みが一つ胸に当った。一人の鬚《ひげ》の濃いいかつい顔をした若い兵士が見下していた。その顔は完全に無表情で、私の礼に彼は答えず、黙って銃をずり上げて去った。

私は改めて周囲の米兵を観察し始めた。私はこれほど雑多な皮膚や髪をした人間の蝟集《いしゅう》したのを見たことがない。彼等は大部分休息しているようであったが、一部作業している者もいた。携行無線機を背負った兵士が、空を背景に立ち止り、何か操作して消えた。三脚を据《す》えて測量用の望遠鏡らしいものを覗《のぞ》いている一団があった。その目標と覚しき方向には分哨《ぶんしょう》のいる高地を含む山脈が遥《はる》かに緑を連ねていた。私はその美しい頂上、山襞《やまひだ》の一つ一つを舐《な》めるように見廻《みまわ》した。彼等はたった今攻撃されているかも知れない。私は自分が彼等にとって不利な陳述をしなかったことをもう一度心に極めた。（実際は彼等はこの時この山地にはいなかった。朝この附近まで来た斥候《せっこう》が帰るのも待たず、彼等はその位置を離れて北上した。二カ月後五十人中十一人が私と同じレイテの収容所に来た）

一人の肥《ふと》った中年の兵士が私をカメラで覗った。それから近づいて「何処が悪い」とたずねた。私が「マラリアだ」と答えると、額に手を当て「口を開けろ」といった。そして黄色い錠剤を五六粒抛《ほう》り込んで「水を飲め」といい、私が水を飲むのを見届けて「私は軍医だ」といい棄《す》てて遠ざかった。

火の手が中隊本部の小屋と昨日私が病兵を見た分隊小屋から上った。私はこんなに狭い焔《ほのお》がこんなに高く上るのを見たことがない。或《ある》いはガソリンを用いて屍《しかばね》を焼いたのであろうか。

夕闇《ゆうやみ》が迫って来た。米兵は私が墓穴だと思った穴の中で火を焚《た》き夕食を料理し始めた。愛想のいい若い兵士が料理された食事を持って来た。食欲はなかった。私はビスケットを一枚かじった。

顔見識《みし》りの土民が通りかかった。私はこれほど憐憫《れんびん》に溢《あふ》れた顔を見たことはない。つまり生涯《しょうがい》でこの時ほど私が憐《あわれ》むべき状態にあったことはないわけである。それは一人の若い男であったが、彼等の風習に従って頭に赤い布を巻き、髪を肩まで垂らして、女かとまがう顔であった。その顔を私は美しいと思った。

その夜私は幾度も薬を飲むために起されつつ、ぐっすり眠った。翌朝隊長は私に「我々はこれからサンホセに帰る。我々は南の方の或る所から乗船するが、お前はブララカオから乗って貰《もら》う。歩けるか」ときいた。私は「出来るだけ歩いてみる」と答えるほかはなかった。

私は二人の米兵に両腋を支えられて麓《ふもと》まで下りた。そこには数人の比島人がいて、そこからブララカオまで十粁《キロ》の道を担架でかついでくれた。彼等は担架を肩に乗せたので、仰臥《ぎょうが》した私の眼に入るのは眩《まぶ》しい空と道を縁取る樹々の梢《こずえ》のみとなった。その美しい緑が担架が進むにつれて後へ後へと流れるのを見ながら、私は初めて私が「助かった」こと、私の命がずっと不定の未来まで延ばされたことを感じる余裕を持った。と同時に、常に死を控えて生きて来たこれまでの生活が、いかに奇怪なものであったかを思い当った。

サンホセ野戦病院

ブラカオに着くと、私は海に臨んだ町役場の留置場に入れられた。かつてわが警備隊の一部が分哨《ぶんしょう》として宿営していた建物である。しかし彼等は町の比島人と善く、留置場はいつも空であった。

私は疲れていた。麓《ふもと》で担架に乗せられてからは楽であったが、それまで二粁《キロ》の山道を、両脇《りょうわき》の護衛の米兵にぶら下るようにしながらも、とにかく歩いて降りた疲労は、間断ない胸の苦しさとなって残っていた。鉄の格子《こうし》のはまった狭い房《ぼう》の板敷に、ひとり横《よこた》わって、私は大きく息をしていた。

遅い午後の光を漲《みなぎ》らせた空が高い窓に切り取られていた。その下に拡《ひろ》がる海を思わせる、底まで光の滲《し》み通ったような空である。永らく山で僚友の死と共に暮して来た私にとって、海は遂《つい》に私が人間の世界に帰って来たことを意味した。

やがて一人の二世日本人が入ってきた。二十四五のなかなかの好男子である。我々が苦しんでいた山の中と三里と離れていないこの地点に、こんな血色のいい日本人がいたということは、信じられないほど奇怪なことであった。私はこの米軍の制服を着た日本人を見た時ほど、敗者の位置を痛切に感じたことはない。

私の眼は多分「よろしく頼む」といっていただろうと思う。彼はにやっと笑って、それから簡単な訊問《じんもん》に入った。私は彼がわが軍の状況に詳しいのに驚いた。

「こんなもの見たことある？」といって、彼は一枚の紙片を示した。それは日本兵に宛《あ》てた投降勧告のビラで、大きな日除《ひよ》けの帽子をかぶり、ニッパを編んだり土を耕したりしている、南方の俘虜《ふりょ》の写真が載っていた。両眼のあたりは白くマスクのようにくり抜かれ、その下で口だけが笑っていた。「皆さん、無益な戦を止《や》めて、温かい米軍の保護の下に、楽しく戦争の終るのを待ちましょう」というような言葉が印刷してあった。

二世が私にこのビラを見せたのは、多分私に将来を安心さすためだったろう。しかし私は既にそれまでの米兵の取り扱いによって、私が文明国の俘虜となったことを知っていた。そして病人の我儘《わがまま》から、幾分米軍の賓客のような気でいたらしい。その時の私の病んだ肉体と思い上った心には、こうした俘囚の空虚な労働の幸福はさして有難いものとは思われなかった。私は単に「初めてですね」と事実を告げてビラを返した。

私は二世に名前と出身地を訊《き》いてみたが、彼はぶっきら棒に「ここではそれはいわないことになっている」と言い捨てて去った。「ここでは」とは「戦場では」の意であろう。

二世が去った後、格子には鍵《かぎ》は下《おろ》されなかった。外には一人の米兵が腰かけて番をしていたが、そこからチョコレート、角砂糖等を取り出して格子の間から差し入れてくれた。その旨《うま》さは未《いま》だに口に残っている。彼はまた大きなチーズの塊りを出したが、私が断るといきなりそれを窓から投げ棄てた。

担架が来て私は再び外に運び出された。椰子《やし》の間を縫って海岸に降り小舟に乗せられた。夕暮の赤い雲の流れる空を背景に裸の船頭が動き叫んだ。帆が廻《まわ》り舳《へさき》が水を嚙《か》む音が快く耳元で鳴った。舟は沖を目指すらしい。

やがて哨戒艇と覚しき鋼鉄船の横腹が視野に入り、近づいて横づけになった。担架は釣《つ》り上げられた。舷側《げんそく》を越すと、一人の水兵がいきなり私を抱き上げ、舳を廻って船艙蓋《せんそうがい》の上に横えた。この水兵の行為はひどく私を驚かした。サンホセ駐屯《ちゅうとん》中、私は偶々《たまたま》抑留された比島人に秘《ひそ》かに食糧、莨《たばこ》等を与えるくらいの奉仕はしたが、必要があっても彼等の汚れた体に触る気にはならなかったであろう。

私の下半身は四十日着のみ着のままの軍袴《ぐんこ》であり、上は素肌《すはだ》に山で米軍から与えられた腰から切られたレーンコートを着ていた。（このレーンコートには「ロンドン製」のマークが入っていたが、どうしてそんなものが山の上にあったのか見当がつかない）そして首には一葉の俘虜票が懸けられ、そこに私の姓名、生年月日、捕獲の場所等が記してあった。水兵は黙ってこの俘虜票を私の首からはずし、レーンコートのポケットに押し込んで行った。

こうした積極的な好意と思いやりは明らかに勝者の寛容以上のものである。アメリカの政体と繁栄は、ある人にその善良性の赴くに委《まか》せる余裕を与えた。この点に関し何の偏見も抱く必要はない。

二世は私を護送してサンホセへ行くらしく、後で様子を見に来た。

船は動き出した。ブラカオからサンホセまで、我々が連絡に用いた小型発動機船（内地の漁船を徴用せるもの）で約八時間行程である。船は岸に沿うて南下した。まもなく日が暮れ、やがて月が出た。

影を孕《はら》んだ岸の山々、輝やく海を見て、私は改めて自分が助かったという観念を嚙みしめた。と同時に、自分が遂に俘虜であるという考えがうずくように胸を突き上げて来た。

た。私は俘虜となることを、日本の軍人の教えるほど恥ずべきものとは思っていなかった。兵器が進歩し、戦闘を決定する要素において人力の占める割合が著しく減少した今日、局所の戦闘力に懸絶を生ぜしめたのは指揮者の責任であり、無益な抵抗を放棄するのは各兵士の権利であるとさえ思っていた。しかし、今現に自分が俘虜になって見ると、同胞がなお生命を賭《と》して戦いつつある時、自分のみ安閑として敵中に生を貪《むさぼ》るのは、いかにも奇怪な、あるまじきことと思われた。

私はふとこのまま海に飛び込んで死にたい衝動に駆られた。しかしこれは偽りの衝動であった。前の日山で訊問を受けながら、敵の手にある戦死した僚友の持ち物を見て「殺せ」と叫んだ時と同じく、私の存在の真実に根拠を持たない贋《にせ》の衝動であった。あたりに見張りの米兵はなかったにも拘《かかわ》らず、私は身じろぎもしなかった。衝動は過ぎ、ただ深い悲しみを残した。私はそうした偽りの衝動を感じなければならない自分を憐《あわれ》んだ。

いつか私は眠っていた。物音と人声が近づいて来た。着いたらしい。さっきの米兵がまた私を抱き上げ、一段低くなった艫《とも》まで運んだ。そこから機外艇の平らな後尾に移るのが問題であった。思いきって跳んだ。倒れて胸まで水の上へ突き出しながら、とにかく私は水に落ちずに済んだ。

砂浜は煌々《こうこう》たる反射燈に照明され、踏み荒された砂の凸凹《でこぼこ》に、いちいち影を持っていた。新しく建てられた無電塔から電波をはなつ音が空中に充《み》ちていた。サンホセには以前彼等がつくった高い無電塔があるにも拘らず、必要に応じて無造作に新設する彼等の贅沢《ぜいたく》を見て私の胸は痛んだ。

ここは我々がサンホセの港として使用していた船着場とは別の海岸らしい。いずれにしてもサンホセの町はこのあたりに開けた小さな平原の中央にあり、どこからも四粁入らねばならぬ。

私は二世に助けられて砂の上を歩き、待っていたジープに乗った。サンホセまで坦々《たんたん》たる自動車道路がつき、時々低いベトン・トーチカがヘッドライトに照らし出された。

二世は私を顧みて「どうだ、驚いたろう」といった。私は事実を告白するほかはなかった。彼は運転する米兵に私の驚きを告げ、二人で声を合わせて笑った。

私は彼等に笑われて喜ぶ心を心の中に感じ、脣《くちびる》を嚙んだ。これが私が捕えられて以来、囚人の阿諛《あゆ》の衝動が受けた最初の警告であった。この後米軍の間で暮した一カ年、私は出来るだけ通訳者の阿諛に陥らぬように警戒したが、時々こうした身を卑《いや》しめて相手に喜ばれるのを喜ぶ心を自己の裡《うち》に認めざるを得なかった。問題は私がそれを抑制したことではない。それが起きるのを避けられなかったことである。何故《なぜ》か。

突然私は我々がサンホセ駐屯中兵舎としていた建物を認めた。米人が比島人に英語を教えるために建てた小学校である。細長い校舎は悉《ことごと》く窓を閉ざし、何事もなかったように月光の下に静まり返っていた。首をさし延べる暇もなく、ジープは角を曲り、建物は見えなくなった。

私の上陸した海岸からここへ来るまでには一部落を通過するはずであったが、私は遂にそれを見なかった。そして曲ってからの方向にあるべき林も窪地《くぼち》も今は跡形もなく、ただ一面の平坦地に無数のテントが立ち並んでいるばかりである。私は米軍の土木能力に今更馬鹿のように感歎《かんたん》した。

ジープは一つのテントの前で止り、私はカンバスを張った折畳式ベッドに導かれた。軍医が来て診断し薬が与えられた。二世は私がここで二三日療養し、動けるようになったらレイテの俘虜専用の病院に移されると告げた。

長方形のテントの両側に十数個のベッドが並び、一つ一つ小さな蚊帳《かや》が釣ってあった。夜は既に遅いらしく、燈火は消えていた。二世は軍医と共に去り、一人の米兵が監視に残った。

枕《まくら》の上には鋭く尖《とが》った頂を規則正しい弧線で繫《つな》いだ山が黒く聳《そび》えていた。それは私の全然見覚えのない形だった。半年駐屯してその隅々《すみずみ》まで知っていたはずのこの土地に、山があんな見知らぬ形で見える地点があったのかと、私はいいようのない淋《さび》しさに襲われた。

胸がまた苦しくなってきた。捕まる前夜、叢林《そうりん》でひとり苦しんだ「胸をかきむしる」苦しさである。その日一日の旅行が効果をあらわしたらしい。私は再び声をあげて呻《うめ》き、胸部の皮膚を指で刺戟《しげき》して苦痛を軽減しようとした。見知らぬ山は絶えず輾《てん》転《てん》する私の視野にいり、脅《おびや》かすように嘲《あざ》けるようにのぞきかかった。

「静かに出来ないのか」と隣りに寝ていた米兵が呟《つぶや》くようにいった。監視兵が当直の衛生兵に注意に行った。軍医が呼ばれて来た。私は心臓の苦痛を訴え、強心剤の注射と眠り薬を要求した。(私は医者のいない山で療法を自分で工夫した習慣を残していた) 軍医は私をなだめ、何かつんとする飲み薬を与えて去った。

苦しみは去らず、眠りも来なかった。私は自分が死につつあるように思い、軍医が私の要求したカンフルを注射してくれなかったのに忿《いか》りを感じた。

前々夜叢林で同じ苦しみを苦しんだ時、私はかつて死を思わなかった。その時の私にとって死は既に予定の事実であり、苦しみはただ死ぬ前に一杯の水を飲む機会を摑《つか》むために、やりすごすべき一状態にすぎなかった。今や私は平穏に米軍の病院にあり、前途に希望を持っていた。だから私はすぐ死を思い、かつそれを恐れたのである。(こうした瞬間私がかなり死の傍《そば》にいたのは事実らしい。私はこの後にも病人が一夜で死ぬのを屢々《しばしば》見た。が、この後確かめたところによると、この時の私の状態ではカンフルは却《かえ》って私の症状を悪化さすだけであった。私は結局この後二カ月を病院で暮した。マラリアは十日で去ったが心臓の弁膜に故障が発見された。退院する時軍医は笑いながら、君は一生酒を飲んではいけない、バスに乗り遅れそうになっても駈《か》け出してはいけない、といった)

しかし私はいつか眠っていた。眼を覚ますとあたりは既に明るく、蚊帳は外されていた。ベッドの他の米兵は大部分起き上っていた。胸の苦しさは去っていた。

私のベッドはテントの一番端にあった。そこから礫《こいし》だらけの広い空地が拡がり、その向うにまた同じようにテントが並んでいた。そのテントの屋根に、私は昨夜山だと思った頂と弧線を見て驚いた。

若い衛生兵がホット・ケーキとコーヒーを配って歩いた。食欲はなく私はコーヒーだけすすった。

隣りの米兵が起きて身支度を始めた。退院らしい。私が「昨夜は喧《やかま》しくてすまなかった」と詫《わ》びると、彼は「いや大したことはない」といい、チョコレートを示して

「いらないか」ときいた。私は断ったが、彼は無理に私の枕の横において行った。そして結局それがこの日一日私の喉《のど》を通った唯一《ゆいいつ》の食糧となった。

「へーイ、トージョー」と少し離れたベッドから声が懸った。私は激しい怒りを感じた。その名は私の最も憎む名であり、私は無論私がその名で呼ばれることを欲《ほっ》しない。しかしこの時私を怒らせたのはそのことにはなかった。私は聞えないふりをして黙っていた。声の主は「何だ、彼奴《あいつ》は英語が出来ないじゃないか」と呟いて黙ってしまった。

後で読んだ米国の雑誌の記事によると「トージョー」とは米兵が日本兵一般に冠した綽名《あだな》であり、この時特にこの米兵が私を指して呼んだわけではないことがわかった。私はつまらないことに腹を立てたのかも知れない。

がやがや四五人の米兵がベッドを取り巻いた。彼等は私をフジヤマとゲイシャについて質問責めにした。私は私を「トージョー」と呼んだ兵士に、私が英語を解さないわけではないことを示すために、苦痛を冒して出来るだけ詳細な説明を与えた。

彼等はまた訊いた。「何故君達は我々のバターンの傷兵を虐待《ぎゃくたい》したのか」と。私はその頃《ころ》報道班員として比島にいた友人から「死の行進」について聞いていた。私は返辞に窮した。「それは軍部のしたことである」というは易《やす》かったが、私がさっき「トージョー」と呼ばれて個人的侮辱を感じたのと同じ理由によって、この私の黙認した組織の指導によって行われた行為の責任を、その組織にのみ負わせるのは卑怯《ひきょう》であると思われた。咄嗟《とっさ》に私の口を突いて出たのは、私のあまり信じていなかった当時の軍部の宣伝の一部だった。「私はバターンの米兵は傷つかなかったと聞いた。諸君は比島人を前線に出し、後から督戦しただけではなかったか」彼等は笑い崩れた。私は笑われたが工合の悪い返辞を回避することが出来たようである。

一人が一枚の日本語のビラを出した。それは「落下傘《らっかさん》ニュース」と題された新聞紙四半分ほどの宣伝ビラで、日本軍の間に飛行機で撒布《さんぷ》するために作られたものらしい。サイパンの基地から飛び立つB29の写真の下に、内地爆撃の状況、ルソン島の戦況等が掲げられ、裏面には軍部攻撃の漫画、古いフクチャン漫画等が載っていた。私は暫《しばら》くそれを訳させられたが、発行所を西南太平洋総司令部と読むと、彼等は「何だ、宣伝か」といって、それを私の手から取り上げてしまった。

番兵に「諸君はこいつと話しちゃいけない」と注意されて、一同は帰って行った。

私はテントの中の米兵を観察し始めた。半数以上は昼間なのに蚊帳を釣って中で坐《すわ》っていた。このテントはマラリア患者を集めた病棟らしい。

金髪の若い兵士が膝《ひざ》をかかえて坐り、蚊帳越しに向いの兵士と話している。その態度には金持の息子らしい鷹揚《おうよう》と気楽さがあり、高級な民間病院の入院患者と少しも変らない。こうした民間の生活の延長として直ちに戦い得るならば、確かにこれは最善の軍隊である。

一人の兵士が日本人の使う柳で編んだ弁当箱をかざして起き上り、私の視線を迎えるように笑っていた。眼が会うと箱を振って「これは何に使うのか」ときいた。「ランチを携行するものだ」と答えると、満足げに頷《うなず》いて横になった。

明らかにこれはさっき私に「トージョー」と呼びかけた兵士であった。こうした無邪気には抵抗出来ない。

「しかし彼はあの弁当箱を何処《どこ》でどうして手に入れたのだろうか」と私は反省した。「でも、あれは兵士の使うものではないから、多分一般邦人の遺棄したものだろう」という慰撫《いぶ》的な観念が続いた。そしてその時の私にはそれ以上を考える気力がなかった。

胸部のレントゲン写真が撮られ、指頭から採血された。少したつと看護婦が来て「あなたは覆《おお》われねばならぬ」といって蚊帳を釣って行った。マラリア菌が検出されたらしい。

一日は暮れた。上ずった熱の苦しさは続いていたが、前夜のような胸苦しさはもう来なかった。その晩私はよく眠った。

次の朝、依然食欲なし。食事を配った丈《たけ》の高い衛生兵は「何故食べない。とても食べやすいぜ」といって無理に私に皿《さら》を取らせた。私は彼の親切を無にしたくなかったが、しかし与えられた乾燥卵の料理はどうしても喉を通らなかった。看護婦が「あなたはお茶が好きらしいから、ここにおいておく」といって大きなアルミの器に紅茶を入れてベッドの下において行った。

軍医が来て診察した。そして大分いいようだから明日レイテの病院へ出発して貰《もら》おうかといって去った。

一人の看護婦が枕の後からすっと入ってうずくまった。むこう向きに何かしている背中は妙に剛《こわ》ばっていた。振り向いた。出張った額に皺《しわ》が入り、眼の小さい色の黒いむしろ醜い中年の女である。褐色《かっしょく》の嶮《けわ》しい眼がきっちり私の眼を見ている。女はやはり私に用事があったのである。

「あなたは十の兵隊か」と彼女はいった。

私は女の語調から質問の重大さを察したが、その意味は理解出来なかった。訊き返した。同じ質問を焦《い》ら立たしげに繰り返すばかりである。当惑していると軍医が助けに来た。

「この婦人は君がバターンの兵士であったかと訊いておられるんだ」といって私の返辞を待っている。私は軍医の態度を変に思った。彼は私が昭和十九年に初めて召集された補充兵であることを知っているはずである。何故私にもう一度それをいわせようとするのであろう。

私が軍医に向って事実を繰り返すと、彼はそれを女に伝え、私の聞きとれない早口で何か喋《しゃべ》り合った。やがて軍医は向き直っていった。「君達はどうして我々のバターンの降兵をあんな目に遇《あ》わせたのか」

またこの質問である。私は了解した。この看護婦はバターンで行方不明となった米兵の妻で、多分夫の消息を知るためにこうして看護婦を志願して前線に来ているのである。そして英語を解する日本の俘虜《ふりょ》がいると聞いて、遠いテントから訪ねて来たものであろう。

しかし、もし私がバターンに参加した日本兵であったなら、彼女は私に何を要求するつもりだったろう。軍医がわざわざ私の口から否認させねばならないほど、私個人に対する強い関心は何であろう。最初私を見た彼女の眼にあったものは明らかに単なる期待だけではなかった。或《あるい》いは彼女は既に夫の生存について望みを抱いていず、私が彼を殺した日本兵であるかどうかを確かめたかったのではなかったか。

私は再び返辞に窮した。前日の好奇的質問者の国民的憤激に対しては、私はとぼけたおひゃらかしで応《こた》えることが出来たが、今この「死の行進」の犠牲者の妻を前にしては、私は正直に沈黙を守るほかはなかった。

軍医は重ねていった。

「我々は、君達が我々の俘虜を虐待したにも拘らず、君達の俘虜には国際的協定に従った待遇を与えている。それが我々の方針だからだ。しかしバターンの降兵を殺した第十、第十六師団等の兵士だけは（女のいった「十」とは第十師団の意味であった）少くとも今比島で戦っている我々は容赦したくない」

（明らかにこの軍医は単なる個人的感想を語っているか、或いは傍のバターンの寡婦《かふ》の代弁をしていたにすぎなかった。何故なら、後で私がレイテの収容所で最も多く見たのは、米軍上陸当時この島を防備していた第十六師団の兵士だったからである）

私は辛《かろ》うじて反撃の機会を見つけた。

「しかし現在の第十師団を構成する兵士が悉くバターンの暴兵だったとはいえないと思う。彼等の多くは交替しているはずだ」

「我々はそれを一人一人確かめることが出来るだろう」

と軍医は苦りきって答えた。

私はいいたかった。彼等残忍なる暴行者を個人について責めるのは正しくない。彼等は皆誤まてる指導によって悪《あ》しき本能を解放された哀れな犠牲者であり、各自そのなすところを知らないからである、と。しかし、今私の前にいるのはその犠牲者のまた犠牲者である。この最終の犠牲者に対し、その死刑執行人もまた犠牲者であったと説くことほど、彼等を馬鹿にしたことはあるまい。しかもその根拠たるや純然たる我々の内輪の問題である。私は口をつぐんだ。

私は強《し》いて彼女の夫が生存して日本にいるという仮定に立ち、私が偶然神戸で目撃した米軍の俘虜の状況を話すことにした。

私は彼等が元居留地の洋風の建物に収容されていたこと、街路でボールを投げて遊んでいるのを見たと告げた。二人は信じ難《がた》いという顔をしていた。

私はさらに当時聞いた町の噂《うわさ》を伝えた。即《すなわ》ち日本の一般市民には肉がひと月一斤《きん》しか配給されないのに、彼等には毎日必ず若干量の肉が与えられていた。市会議員はこの処置に反対の決議をしたが、政府は方針を変えなかった、云々《うんぬん》。

軍医は皮肉に「それは何年のことだったか」と訊いた。私は残念ながら「一九四二年のことだ」と答えるほかはなかった。

「しかし四四年にも我々は我々の出来るだけのことをしていた。我々は諸君の俘虜に造船所等で働いて貰ったが、毎日飯を油でいためて支給していた」

「君はその俘虜を見たか」

「私はその頃神戸の或《あ》る造船所に勤めていたから知っている。彼等は朝の八時に到着し、午後の四時に帰って行った。我々は彼等に簡単な力業《ちからわざ》をして貰った。諸君は力が強いからね。黒人もいた」

私が何気なくつけ加えたこの最後の一句が二人に強い印象を与えたらしかった。彼等は顔を見合せて溜息《ためいき》を洩《も》らした。黒人が混っていたことが、私の見た良好に取り扱われている俘虜が、米軍の俘虜である決定的な証拠であったからであろう。

女の眼からは最初の嶮しさは消えていた。しかし、やがて礼をいって帰って行った彼女の様子は、たいして慰められたようにも見えなかった。

私が語ったことは嘘《うそ》ではなかった。しかし、私は自分の知っている全部を語ったわけではない。私は中国の或る造船所で俘虜がどんどん死んで行ったのを知っていた。またB29の爆撃が始った今、日本の軍人がどういう報復を彼等の上に加えるかも想像出来ないことはなかった。私がそれを語らなかったのは、この婦人を慰めるためよりは、むしろ自分を衛《まも》るためであった。

一人の黒人が運び込まれて来た。マラリアで発熱しているらしく、終夜汗を流して呻いていた。私は、私にも同情出来る存在が傍にいるのが嬉《うれ》しかった。

翌二十九日の朝、私は改めてその日レイテへ空輸されると告げられた。衛生兵は十一時に出発する私のために、特に昼飯を早く取って来てくれたが、肉類を主としたその料理を私は大半食べ残した。彼は私を病院自動車まで見送り、私に別れの挨拶《あいさつ》をする機を待っている様子だったが、私が執拗《しつよう》に横を向いているので、到頭手を何となく振って行ってしまった。私はその時この親切な衛生兵に、どうしてこう礼儀を欠く気になったのか未《いま》だにわからない。

また以前の兵舎の傍を通った。建物はやはり窓を閉めて静まり返っていた。我々が土嚢《どのう》で築いた防壁も、水槽《すいそう》タンクもすべてそのままで、あたり一帯の激しい変貌《へんぼう》の中に忘れられたように立っていた。ここで半年の間一緒に暮した僚友はあらかた死んだ。私はその建物が見えなくなるまで窓外を見続けたが、私の心は実は無関心に近かった。

彼等は死に、私は生きた。この確然たる事実の受け取り方に二様あるわけはない。あらゆる生還者はその告別式風の物悲しい仮面の下に、こういうエゴイズムを秘めている。心情の問題ではない。事実の結果である。

飛行場は、我々が山上からB24の発着するのを見た新設飛行場である。赤十字のマークをつけた双発ダグラス機に乗る順番を待つ間、私は傍の翼の下へ入って休んだ。

広い滑走路には絶えず各種の航空機が発着していた。敵中にあって友軍に対する戦闘行為の遂行されるのを眺《なが》めるのは肉体的苦痛に近い。

やがて順番が来て、私は護衛の兵士と共に乗り込んだ。私は飛行機に乗るのはこれが初めてである。中に一人の派手なターバンをまいた若い女がいて座席を指定した。これは私が内地を出てから初めて見る美人である。あくどいアメリカ流の化粧をしたブリュネットで、片脚の膝から下にポケットのついたズボンを穿《は》いて、なかなか粋《いき》な恰好《かっこう》である。飛行中病兵を看《み》る係らしい。

護衛の兵士は彼女に向って「どうだい、こいつは」ときいた。「悪くないわ」と彼女は答えて、横眼に私を見た。その眼にはつつましい憐憫《れんびん》が溢《あふ》れていたが、引いた眉《まゆ》、彩《いろど》られた脣《くちびる》が歪《ゆが》んで、むしろ醜い印象を与えた。現代の女は明らかにその心情にふさわしくない化粧をしている。

やがて爆音が起り、機は動き始めた。私を収めた紡錘《ぼうすい》形の空間は、私のこれまで経験したことのない速さで移動している。壁が鳴り、窓外の地面を小石が幾条《いくすじ》も白い流れをなして走った。私はふんわり浮き上る感覚と遠ざかる地表を予想して待ち続けたが、いつまで経《た》ってもやみくもに疾駆しているばかりなので、退屈して眼を内に転じた。

少しして眼を窓に戻すと、外は既に陽《ひ》に照らされた俯瞰《ふかん》景になっていた。渚《なぎさ》がうねった白線を連ね、サンホセと海岸を繋《つな》ぐ道路にトラックが走るのが小さく見える。森は黒ずんでいぼのような緑を並べ、海が陽を反射してきらめいた。地平が遠くまくれ上って瞼《まぶた》にかぶさって来る。その風景が傾き廻《まわ》り、どぎつい海の反射が窓一面に拡《ひろ》がって来た。その眺めを私は醜いと思った。黒と白で快適にニュアンスづけられた航空写真の美しさはない。

機は絶えず不愉快な衝動的な細かい下降運動を繰り返しながら進んだ。座席の間の床に寝てもいいかと訊《き》くと、女は後部の倉庫から担架を出して横《よこ》たえてくれた。同乗の米兵がだんだん酔って来て、ごろごろ転がり始めた。或る者は、私が担架に寝て場所をとっているのが不服らしく「あいつは弱ったふりをしているんだ」と聞えよがしにいった。私は護衛の兵士に「起きてもいいが」といったが、女が傍から「かまわない、寝ていろ」といった。

二時間ほどそうして寝ていたろうか。私は近づく飛行場の眺めを見たく、機が下降し始めたら起きるつもりで様子をはかっていたが、突然女が警告するように「起きるか」といった。私はその意味を理解しかねて、女の顔を見ながらそろそろと上半身をもたげたが、女はまた「いい、いい」と手で制した。この間に機は下から断続する衝撃を受け続け、やがて出発の時と同じ騒々しい疾駆に移った。着陸したのである。タクロバン飛行場の様子もサンホセのそれと別に変らない。我々は小型の病院車に乗り移った。車は海岸へ出て椰子《やし》の並木道をどこまでも走った。

ミンドロは晴れていたが、レイテは曇っていた。入江は灰色に濁り、むしろ寒そうな三角波を立てている。ここ沿道の椰子はミンドロの椰子よりひょろ長く葉が痩《や》せて、幹は埃《ほこり》を浴びてくすんでいた。

至るところ私は米軍の優秀な兵器の羅列《られつ》を見た。それらはすべて私の予想していなかったものではなかったが、今現実にその厖大《ぼうだい》な鋼鉄の力を見て、私は改めて、果してこの無謀な戦が避けられなかったかと自問した。答は否定的であった。

護衛の兵士は丈の低い色黒な精悍《せいかん》な兵士である。彼のスラングは少なからず私を悩ました。私は彼に「君は戦争が好きか」と訊いた。彼は「嫌《きら》いだ。しかし私は戦うことが出来る」といって銃を上げて狙《ねら》う姿勢を示した。

私はまた「着いたら私はどうなるのだろう」と訊いた。彼は「縛り首さ」と噛《か》んで吐き出すようにいった。彼がこの時どうしてこんな冗談をいう気になったか私にはわからない。

病院までかなり距離があった。車は海岸を離れてから幾度も曲り、次第に泥濘《でいねい》の道に入った。「師団野戦病院」と書かれた立札を過ぎて少し行くと車は停《とま》った。芝で蔽《おお》われた前庭を控えた大きな白亜の建物があった。護衛の兵士は出迎えに出た兵士と二人肩を並べ、振り向きもせずにその玄関の方へ歩み去った。私が随《つ》いて行ったもんだろうかどうかと迷っていると、

「おい、お前、こっちへ来るのよ」

と日本語で呼ぶ声がした。振り返ると、道の反対側の低くなった所に、有刺鉄線を繞《めぐ》らした一郭があり、そして椰子の木の幹の門柱の傍に一人の黄色い顔をした二世が立って手招きをしていた。

そうだ、私は前途にこの柵《さく》があるのを忘れていた。

私はのろのろと泥濘に渡した板を渡って門に辿《たど》りついた。中のテントに見馴《みな》れた日本兵のいが栗頭《ぐりあたま》が並んでいるのが見えた。

私は激しい羞恥《しゅうち》を感じた。これは捕えられて以来私の初めて見る同胞であった。そして彼等もまた俘虜である。私の羞恥は共犯者の羞恥であった。

入口に近く寝ている一人と顔が合った。その顔も私と同じ羞恥に歪んでいるように思われた。私は狼狽《ろうばい》した。私はもはや彼等の顔を正視することが出来ず、眼をテントの奥の高い所に固定さして、雲の中へ歩み入るように、彼等の間に入って行った。

タクロバンの雨

なんじら何を眺《なが》めんとて野に出《い》でし、風にそよぐ葦《あし》なるか
マタイ伝

病院車でやたらに引き廻《まわ》されたので地勢はよくわからないが、ここはタクロバンの町はずれ、海岸と奥地を繋《つな》ぐ地峡の一つに当るらしい。広い自動車道路が一方の丘の裾《すそ》を縫い、その下から幅二町ばかりの沼沢地《しょうたくち》が他方の丘との間に拡《ひろ》がっている。頂上に展望哨舎《てんぼうしょうしゃ》を持つ丘の懐《ふところ》に抱かれた、もと何か公共建築物だったらしい白亜の建物は、現在米軍の外科病院に使われている。その建物と道を隔てた沼沢地を埋め立てて、この辺一帯の病院地区を賄《まかな》う小さな発電所があり、それに接して幅十間奥行二十間ほどの有刺鉄線の柵《さく》に囲まれた一郭がある。これが私が入ったレイテ基地俘虜《ふりょ》病院である。

私が着いた昭和二十年一月二十九日には約二百五十名のレイテの俘虜が収容されていた。テントは大小取りまぜて八個、大体五個が外科、三個が内科である。もっとも、内科といっても傷が癒《い》えた後、脚気《かっけ》その他併発症のため療養を続けている傷兵が多い。

私のベッドは門からとっつきのテントの、一番入口に近い端に取られた。既に日暮に近く軍医は帰った後で、米人の衛生兵が二世通訳と相談して、五、六錠の黄色いキニーネの代用薬をくれた。私はミンドロ島からの半日の旅に疲れ、ただぐったりと横《よこた》わっているばかりである。隣の発電所のモーターの音が絶えずテント内の空気を揺《ゆす》っている。

テントには通路を挟《はさ》んで三十ばかりのベッドが並び、水色のピジャマをぎこちなく着た日本の俘虜が寝たり起きたりしている。私は彼等の顔が一斉《いっせい》に私に向けられているのを頬《ほお》に感じた。

悩ましい感覚であった。この俘虜となって以来初めて見る同胞の顔を私は正視出来ないのである。たとえ止《や》むを得ざるに出たとはいえ、生きて捕えられた恥を、私は今彼等を見て感じたところである。

捕えられてから五日米軍の間で暮して、やがてこの柵内で私と同じ境遇にある日本人に会い、一緒に暮すことを予告されながら、私の心がそれについて何の用意もしなかったのはかなり奇妙なことである。

死と顔を突き合わせていた叢林《そうりん》の孤独から不意に米軍の間に入り、私の心がかなり忙しかったのは事実である。しかし米軍の手厚い看護を受けつつ、私が絶えず敗者の屈辱を感じ続け、私の心が彼等に対して頭をもたげるのに費やされたとするのは、多分誇張にすぎるであろう。さらにこの共和国の軍隊の「文明」の雰囲気《ふんいき》に浸って、私の心に何か快く喜ばされるものがあったのも否定出来ない。私は米軍の寛容に馴《な》れ、むしろ彼等の賓客のような気持で、うかうかと自分が囚人であることを忘れていた。私が専《もっぱ》ら観察をこととしていたのは、むしろ私の怠慢であった。私は私の前途にこの柵があるのを忘れていたと同じ程度に、その中にいる同胞のことも忘れていた。

私が彼等に会うのを欲《ほっ》しなかったということは考えられない。いかにも私は昭和初期に大人となったインテリの一人として、所謂《いわゆる》大衆に対する嫌悪《けんお》を隠そうとは思わないし、軍隊に瞞《だま》された愛国者と強《し》いられた偽善者に満ちていたが、しかし比島の敗軍にあっては、私達の間に一種の奴隷《どれい》の友情が生じていたのを私は知っている。私は自分を憐《あわ》れむと同じ程度に彼等を憐んでいた。どうして私にレイテの傷兵にまみえるのを喜ばぬ理由があろう。

私にはただ彼等との再会を想像することが出来なかった。

惟《おも》うに私はこの時俘虜という新らしい状態に圧倒されていたのであろう。同胞と私とを繋ぐ紐帯《じゅうたい》は、私が俘虜であるという事実によってきっぱりと断ち切られていた。

輸送船に乗って以来、私の周囲の同胞の数は一途《いちず》に減少して行った。そして最後に私は叢林中に全く孤独となり、自分の生命を破壊する試みに失敗した後、敵に助けられた。山中で私が最後に別れを告げた僚友を、私はすべて死んだと思っていた。そして彼等と共に私の同胞に対する感情は一旦《いったん》死んでいたのである。

そして今レイテの俘虜病院に着き、新しい俘虜の同僚を見て私の感じたのが激しい羞恥《しゅうち》であったのは意外である。

私は俘虜の地位を日本の軍人が教えるほど恥ずべきものとは思っていなかったし、米軍の待遇もまた私の予想を裏書きしてくれるようなものであった。第一今見る彼等もまた私と同じ俘虜である以上、私に何の彼等に恥ずる理由があろう。

私はここに私が小学校で教えられた祖国と名誉に関する偏見の、私の心における潜在を仮定する必要を認めない。以来常にそれに逆って考えた私の心の歴史の長さと幅に比べて、小学教員が教えたところがいつまでも私の心の底にあると仮定するのは不合理である。私は尚更《なおさら》民族と血の神秘を信じない。

私の羞恥の原因はあくまで私がこの時同胞の間に、一人で、後から入って行ったという状況に求むべきと思われる。彼等は多であり私は一であった。私は彼等が私を恥ずべき人間と思っていはしまいかと懼《おそ》れた。これは人の思惑を気にするという単純な社会的感情を出なかったが、私にそう思わせた根拠は、彼等もまた自分を恥じているのではないかという想像であった。共犯者の羞恥である。

そしてもし私が或《あ》る内心の隠された原理によってこの羞恥を予感し、彼等と会うことを想《おも》うのを避けたとすれば、私は彼等を尊敬していたのである。

新しい感情であった。この時私は理解すべきであった。この時の私の衝動は、それまで軍隊にあって、私が彼等と同じ風に祖国を愛し得ないことを恥じ、却《かえ》って彼等が実は己れを偽っているのではないかと空想して自ら慰めた心の動きと同じであることを。そして今後少なくとも我々がこの柵内にいる限り、我々の関係はこうした私の側の恐怖の上に成り立つほかはないということを。そうすれば私はここで様々の珍らしいことを学んだかも知れなかった。しかし私の心はいつまでもこの感情を支えることが出来ず、次第にもとの傲慢《ごうまん》に閉じ籠《こも》った。羞恥は永続する感情ではない。

私が初めて隣の俘虜に話しかけた言葉は憶《おぼ》えていない。確かなのは先に口を切ったのは確かに私であったということ、及び話すのが著しく困難であったということである。私はその時山で熱のために得た舌のもつれが、まだとれていないのを意識した。

それは二十四五の若い兵士で、色の浅黒い細面《ほそおもて》のなかなか感じのいい若者である。私は彼に水を頼んだような気がする。彼がびっこを引きながら、缶詰《かんづめ》の空缶に水を汲《く》んで来た姿が、眼に残っているからである。

彼はまた板や石塊をかって私のベッドの安定を正してくれた。私の顔を見ないようにしながら、俯向《うつむ》いてベッドの脚の位置に工夫を凝《こら》している彼の姿が、うずくように思い出される。

「どこから来たんですか」と彼は再び横になりながら囁《ささや》くように訊《き》く。

「ミンドロです。マラリアにやられちゃって……あなたは?」

「ここ……オルモックの方で……米《べい》さんは殺さんのじゃもん、しょうがないものなあ」

私は彼の顔を見る。その切れ長の眼は澄んでテントの天井を見ている。私は彼がその真実の感情を吐露しているのを疑わない。この私の最初の俘虜の隣人から聞いた端的な表現は、以来私の日本の俘虜を量る準尺となった。私は今でも彼等がすべて一度はこういう感情を持ったと空想しているのである。

やがて我々の間には二人の見知らぬ兵士が出遇《であ》った時、必ず取り交される会話が始められた。つまり互いに兵歴を語り合うことである。こういう平凡な会話はその時私にとって何よりも慰めであった。四日間異国の言葉を話し続けた後で、私は日本語に飢えていた。

彼は第八師団の兵士である。十九年十月ソ満国境からルソン島に転進、南部各地に陣地構築をして廻った後、十一月中旬レイテに送られた。三隻《せき》の小型輸送船の内二隻が途中で沈められ、彼の乗っていた残りの一隻の兵力も、西海岸に上陸作業中空襲によって半減した。彼も膝《ひざ》に負傷して辛《かろ》うじて比島人の民家に収容されたが、本隊がオルモックに斬込《きりこ》みに行った留守を米軍に襲撃され、屋外に遁《のが》れようとして、新たに腿《もも》に一弾を受けて捕えられたのである。

私の中隊も最後は彼と同じ第八師団の指揮下に入っていた。しかし私達の属したバタンガスの大隊は彼の支隊とは何の関係もないことが明らかになった。彼は伍長《ごちょう》であり私は一等兵であったが、それを聞いても彼の態度には何の変化も現われなかった。我々が既に俘囚の恥辱によって平等となっていたわけであろうか。

ひと通り捕えられるまでの経歴を語り合うと我々の話はそこで途切れた。名状し難《がた》い悩ましい観念が再び私を捉《とら》える。それは俘虜が私一人ではなく、ここにいる人間がみなそうだという観念である。

我々の頭上は濃緑色のテントが覆《おお》い、我々の体はカンバスを張った折畳式ベッドによって支えられている。我々は各々洒落《しゃれ》た水色のピジャマを着込み、一人吊《づ》りの蚊帳《かや》と毛布二枚をあてがわれている。これは確かに山中の露営生活よりは遥《はる》かにましである。何よりも有難いのは我々の生命の危険がないことだ。しかしこうして我々がめいめい恥辱を抱いて共におり、何の目的もなく毎日を平穏に送るということは、一体どういうことなのであろう。

テント中央の通路を若い米軍の衛生兵が通る。既に馴染《なじ》みになっているらしい俘虜と、通りすがりに手真似《てまね》交りで冗談をいったりしながら歩いて行く。思いなしか彼の態度には私がミンドロの米軍の野戦病院で見た米兵のような無礙《むげ》な明るさはない。これは既に獄吏である。彼とても面白くない務めであろうが、彼にはとにかく自由な生活が彼の宿舎で待っている。しかし我々の生活はただここだけなのである。

私はベッドから五六歩先にある有刺鉄線の柵を透《とお》してぼんやり外を眺《なが》める。日はだんだん暮れて来る。丈の高いのや低いのや、様々の服装をした米兵が、銀色の食器をぶらぶらさせながら通る。門の前には鉄兜《てつかぶと》をかぶった番兵が椅子《いす》に腰をかけて莨《たばこ》を吹かしている。つと立ち上って二三歩前へ歩き、くるりと踵《かかと》で廻って口笛を吹き、また椅子に戻って腰を下しすぐ足を組む。下士官らしいのが近づいて来る。彼は番兵が坐《すわ》ったまま差し出す銃を握り、形ばかり銃口を上から覗《のぞ》いて行ってしまう。

我々がお伽噺《とぎばなし》のように能率的な軍隊の間に来たことは明白である。しかしこうしてお伽噺のように閉じ籠められてしまった我々の生活は一体何だろう。

おそろしいのはこれが私一人ではなく、我々が一緒に閉じ籠められて、しかもいつまで続くかわからないということである。

一台のトラックが止り、運転手が首を出して「チャーウ」と叫んだ。(chow が米軍の兵俚《へいり》で「食事」を意味することを後で知った) 声はテントの奥へ逓伝《ていでん》されて行く。筋力逞《たく》ましい日本人が四五人駈《か》け出して来る。(これが平癒《へいゆ》した患者の中から選ばれて配膳《はいぜん》係を務めている俘虜だということを後で知った)トラックから数個の金属製の箱を下し、担架に乗せて奥へ運んで行く。通りすぎる箱の腹に、私は以来十カ月いやというほど馴染となったPWの二字を初めて読んだ。食事はこうして米軍の中央料理場から運ばれて来るのである。

やがてざわめきが奥から伝わって来て、患者は三々伍々《ごご》立ち上り中央の通路にバケツリレーの要領に並ぶ。寝たままでいるのは無論動けない患者であろう。

鈍く光る金属の四角い皿《さら》が次々に送られて来る。隣りの兵士が私の分を取ってくれた。それは皿というよりは盆に近い合金製の大きな食器で、弁当の皿のように幾つか区切られた窪《くぼ》みに、缶詰から料理した肉、野菜、果物、菓子等が盛られてある。パンは私が真珠湾以来口に入れる機会がなかった上質のものである。食糧をトラックから降した元気な俘虜が大きな容器を持って、患者の差出すコップにコーヒーを注いで歩く。

食欲は依然としてない。パン、果物を少々摂《と》り、残りを「失礼ですが」といって隣りの俘虜に薦める。「失礼ですが」とは私が軍隊に入って以来初めて使う言葉である。これがおのずから口を突いて出たところに、私が俘虜となると共にいかに完全に兵士の心を失ったかが現われている。

空の盆が重ねてベッドへ送られた後、隣の俘虜は枕《まくら》の下から莨の吸いさしを出し、ブリキを巻いて作った小さなパイプで喫《す》った。一服薦められたが断る。私の体はまだ莨を受けつけるところまで恢復《かいふく》していない。

莨は日に一本の割で三日に一遍配給される由《よし》である。これは米軍の正規の配給にはなく、専ら赤十字の救恤品《きゅうじゅつひん》に頼っているためこんなに少い。米兵は気《き》を利かして吸いさしを患者の取り易《やす》いところまで投げて寄越した。

この後体が恢復して莨を欲するようになってからも、この吸いさしを決して拾わなかったのは私の些《いささ》か誇りとするところだ。これは元来極度の濫煙家《らんえんか》であまり節欲の習慣を持たない私が、生涯《しょうがい》で自分に課した唯一《ゆいいつ》の苦行であったが、遂《つい》にこれを守り通したのはやや満足に思っている。尤《もっと》も隣の俘虜が拾って、例のブリキのパイプで薦めてくれた数服は喜んで受けたのであるから、囚人の自尊心は変なものである。

夜になる。皆と同じ水色のピジャマが与えられ、蚊帳を吊って貰《もら》って寝につく。電燈はテント中央部の一つを残して消され、軽い患者が不寝番に立って重症患者の便器の世話を見る。医務室のテントでは、宿直の米人の衛生兵がトランプを闘かわせている。発電所のモーターの音が高まり、それに交って遠いテントから重い負傷者の呻《うめ》く声が断続して聞える。

明くる日は雨になった。雨はこぼれるように降り、テントの縁から流れ落ちて溝《みぞ》を満たし、急速に敷地後部の方へ動いて行った。発電所のモーターの音は雨と雨滴《あまだ》れの音にまじってかすかになり、唸《うな》るような地響を湿った空気の底に伝えて来た。俘虜はそれ等の物音と競うように、声を高めて話し合っていた。

ピジャマという簡単な衣服のこれ以上様々な着方は考え出せるものではない。彼等は日本の軍隊の習慣に従って皆上衣をズボンの中へたくし込んでいたが、或る者は喉《のど》まできっちりボタンをかけ、或る者は襟《えり》を背広のように折り返していた。袖《そで》は或《あ》るいは手首まで或いは肱《ひじ》まで折り返し、ズボンの裾もまたこれに準じた。上衣をエプロンのように前から着て、隣人に背中でボタンを掛けて貰っている者がいる。或いは全然上衣を脱いでしまって、それを夜着のように顎《あご》までかぶったり、またはきちんと竪《たて》に半分に折って仰臥《ぎょうが》した胸に載せた。共通の特徴はいずれもズボンの紐《ひも》をかたくしめたことである。或る者はそれでも腿のあたりの寛《ゆる》やかさに不安を感じるらしく、それを股《また》一杯に引き上げたので、紐の結び目は乳の上まで来てしまった。そしてピンと張った布地の下に、餓鬼のようにふくらんだ腹の曲線を見せて歩き廻っていた。

朝は軍医の回診があった。軍医は内科外科各一人、衛生兵と二世通訳を連れて回診する。別に平癒患者から採用した通訳二名、衛生兵助手数名も付き従う。

これら日本人の勤務員（と彼等は自ら呼んでいた）が配膳係と共に、粗暴不親切横領等、あらゆる日本軍隊の悪習を継承していたことはいうまでもない。しかし私は今ここで彼等の悪事を数え立てることはしないつもりだ。何等かの意味で私自身のさもしさを露呈せずには、彼等の下劣さは描けないからである。しかも或いは彼等は単に専制に馴れた日本人の、特権に対する弱点（特権を持たない者は持つ者に媚《こ》び、持つ者はそれを濫用せずにはいられないという弱点）の現われの一般的場合にすぎないかも知れないのである。

米軍の軍医も衛生兵も例外なく親切であった。これも縷説《るせつ》を要しない。ただ日本の俘虜のその親切に対する反応はあまり素直ではなかった。

彼等は「敵」の親切に当惑していた。或る者は不可解な恩恵に対して必要以上に卑屈になり、或る者は自分達が懐柔されつつあると邪推し、或る者は「してくれるんならさせといてやれ」式の陰惨なシニスムで受け容《い》れていた。そして長い間には例外なく無感覚になって茫然《ぼうぜん》と俘囚の虚脱に身を委《まか》せていた。

しかし私は素朴《そぼく》な日本の俘虜の当惑も満更理由のないことではなかったと思う。敵屍《てきし》を葬《ほうむ》るのは日本伝統の感傷主義であり、降者を許すのは敵に厳しい戦闘精神の裏腹のもので、日本の俘虜が米軍の温情を感傷的に理解するのは別に困難でなかったはずである。彼等を当惑さしたのはいわば米軍の過度の温情である。彼等は自分を不名誉な俘虜だと思っていたのに、米軍は彼等を人間として扱った。これが彼等を当惑さしたのである。

米軍が俘虜に自国の兵士と同じ被服と食糧を与えたのは、必ずしも温情のみではない。それはルソー以来の人権の思想に基《もと》づく赤十字の精神というものである。人権の自覚に薄い日本人がこれを理解しなかったのは当然といえば当然であるが、しかし俘虜の位置から見れば、赤十字の精神自体かなり人を当惑さすものがあるのは事実である。

敵味方の区別なく傷者をいたわる赤十字の精神が歴史に現われたのは、近代兵器の発達によって戦場の死傷者が莫大《ばくだい》な数に上るようになったという事実、及び近代国家の兵制ではそこで犠牲となるのが多く人民であるという事実に基いている。戦場の悲惨に打たれた英国の貴婦人ナイチンゲールとスイスの遊説家《ゆうぜいか》デュナンの博愛心を疑う必要はないが、しかし彼等の熱誠とそれが急速に各国の元首の賛同を得たということは別のことである。元首はいずれも人民を戦場に駆り立てるために、相互に協定してそれぞれ自国の人民に一種の保障を与えるのを適当と認めた。元首の妻達が主としてこの役目を引き受けたが、いかにも元首自身にはやり難い職業である。赤十字の精神はあらゆる慈善事業と同じく、原因を除かずして結果を改めるという矛盾を持っている。私は無垢《むく》な日本人が人権の自覚を飛び越えて嗅《か》いだのはこの矛盾ではなかったかと思う。

そして彼等にこの透徹を与えたのは、自分達が永久に名誉を失った俘虜であるという謙遜《けんそん》な自覚であった。

彼等は俘虜は帰ったら殺すという陸海軍刑法の明文があると思っていた。これは彼等が受けた玉砕主義の教育と、軍隊内の経験に基いた空想であるが、人はやはりこういう予想の下に生き得るものではない。だから彼等は何等かの特別な赦免が行われるはずだと信じていた。上海《シャンハイ》事変の俘虜が満洲に集団労働に送られたという噂《うわさ》が一般に信ぜられ、彼等もまた同じ運命を辿《たど》るものと考えていた。そしてそこで二三年の贖《しょく》罪《ざい》をすませた後、自分達もまた社会に容れられるであろうと期待していた。

実際は万事日本が勝つか負けるかに懸っていたのであるが、これが彼等の予想の中に入り得なかったことはいうまでもない。

俘虜は多く偽名を使っていた。偽名は海軍なら搭乗艦《とうじょうかん》の名前、陸軍なら部隊通称名、故郷の地名或いは友人の名前であったりしたが、最も多いのは極くありふれた架空の名前である。こうして、俘虜の名簿は実際以上の小林、田中、鈴木を含むことになったが、これは帰還の時ちょっと気の毒な事態を生じた。

我々がいよいよ輸送編成を組み、船待ちのため他のキャンプへ移ってから、或る種の苗字《みょうじ》を持った者は全部残留の命令が来た。恐らく比島人が苗字によって戦犯を訴えたのに基き、一応の取調を行うためであったろう。誰しも一日も早く帰りたいし、こういう時一度乗船の機会を失すると、次はまたいつ乗れるかわかったものではない。大勢の同姓異人が身の不運を歎《たん》じたが、中でもひとしお気の毒だったのは、名を偽って偶然不幸な名前の仲間入りをした人達であった。彼等は皆自分の要らざる配慮を後悔していた。

私は本名を名乗っていた。私も自分が殺されると信じていたが、殺されるにせよ、自分が何時何処《いつどこ》で死んだかが万一家に伝わる機会を逃《のが》したくはなかった。

私が自分の率直を誇り、虚栄心から不運を招いた人達を嘲笑《ちょうしょう》すると、傍《そば》にいた不幸な偽名を名乗らなかった偽名者が答えた。

「それはどっちともいえないさ。自分の死場所を知らせたいと思う奴《やつ》もいれば、俘虜になった上で殺されたということを知らせたくない奴もいる。家の者が迷惑するからな」

この配慮には留守宅の名誉を思う感情と共に戦死の一時金が貰えないという打算が入っていると思われるが、いずれにしてもそれを貰うのは彼自身ではない。こうした偽名者の咄嗟《とっさ》の思い遣《や》りは、自分の跡を残したいという私の滑稽《こっけい》な自愛心よりは遥かにましなものである。この自己没却は明らかに特攻精神の如《ごと》く教えられたものではない。

すべてこうした日本人が戦争という現実に示した反応は、今日単に「馬鹿だった」と考えられている。しかし自分の過去の真実を否定することほど、今日の自分を愚かにするものはない。

もっとも私が今日本の俘虜の一般的傾向として書いたものはすべて私の解釈である。マッスを捉えるには解釈によるほかはないが、その解釈の正否を決定するのは、マッス自体のその後の運動或いは運動の結果である。動かないマッスを捉える観点はない。強《し》いて立てれば必ず誤る。十九世紀後半のリアリストの失敗がその例である。マッスを捉えるには常に政治的予言的であるほかはない。しかし私は俘虜の反応から何を予言しようとするのだろうか。

私が間違いない事実として報告出来るのは、彼等の顔に例外なく浮んだ虚脱の表情だけであるが、私がその下にあるものを悉《ことごと》く推察し得たと僭称《せんしょう》することは出来ない。これ等新しい俘虜はその共通の意識においては半ば兵士であるが、一方既にその光輝ある地位から顚落乃至《てんらくないし》解放された個人として、各自その個人的な内心の生活を始めていた。そして俘囚の無為にあって、玩具箱《おもちゃばこ》をひっくり返したように現われて来る人間の存在の破片を剰《あま》すところなく捉えるのは、明らかに私一個の印象を超えている。しかも私自身この時やはり俘虜の虚脱の裡《うち》にあったのである。

しかし虚脱という文字は無であるが、虚脱した人間の中にあるものは無ではない。私は私の注意を惹《ひ》いた一人の俘虜の姿を思い出す。それは私のところから斜め向いのベッドにいた若い俘虜で、脚気で足が立たなかった。彼は仰臥したまま動かず、食事から用便まで附近の患者の世話になっていたが、私を驚かせたのは彼が絶えず笑っていたことである。

食器を取って貰う時も、便器を頼む時も、軍医の診断を受ける時も彼はいつもえへらえへらと笑った。それは無論感謝の笑いであったが、何となく甘ったれたような、卑下したような、そして結局人をなめた笑いであった。

　彼は食器を胸に載せ長い時間を掛けてゆっくり食べた。これは跡片附けの関係でひとしお隣人に迷惑をかける遣り方である。しかし彼は長く坐ることが出来ないと称していたので止《や》むを得なかった。彼が実は坐れるのでないかという疑問は、常に他人の怠惰を監視もしくは嫉妬《しっと》している日本軍隊の習慣にあって、一応誰でも考えることであるが、何故《なぜ》か誰もそれをいわなかった。

　或る日回診の時二世通訳は突然彼に起きろと命じた。診察は寝たままでも行われるので、軍医はむしろ不思議そうに二世の顔を振り返った。二世の表情は私のところからは見えなかったが、のろのろと上半身をもたげるその俘虜の顔にそれは映っていた。俘虜はしかしやがてにやっと笑った。

「ずるしちゃいけないよ」と二世はいった。俘虜は以来坐って食事するようになった。

　私は彼の階級も経歴も知らない。彼が米軍の上陸当時この島を防備していた、十六師団の兵士の一人であるということを知るだけである。そして私はそれ以上彼について何の興味も持たなかった。

　今この狡猾《こうかつ》な俘虜の姿を思い出して私を驚かすのは私がこの時彼を嫌悪《けんお》するのを忘れていたことである。私は何も嫌悪しない虚脱の中にいたわけではない。血色のいい勤務員を見て私は直ちに嫌悪したからである。してみれば私の中にはこの時私の不断の好奇心の習慣に反して、この狡猾漢を嫌悪も興味も抱かずにやり過ごせるような何物かが生じたか、或いは変っていたのである。

私は今この俘虜がやはり持っていた虚脱のマスクの下に彼の境遇性格才能を想像することは出来る。私はそれが別に小説を作ることだとは思わない。しかしそこに現われる真実は私がこの時彼を黙ってやり過したという真実には及ばない。だからこの俘虜の話はこれでおしまいであるが、ほかの話は書くのである。

そして今彼の姿を思い出しながら私はやはり何の嫌悪も感じないのである。私はそれが何故であるかを知らない。

私は終日隣の若い俘虜と語り続けた。相手は甚《はなは》だ無口であったが何か神経的に私を唆《そその》かすものが私の中にあり、一瞬も私を黙らせておかないのである。

しかし彼は正確に私が訊《き》く範囲しか答えを返さなかった。そして私についてはひと通り経歴を聞いてしまうと、あとは何の興味も起きないらしかった。私は自分のことを長々と喋《しゃべ》れるたちではない。で、私は彼のことをしつこく訊くことにした。

彼は青森県の農民である。私は彼の家庭から始って北津軽の地勢、植物、動物、または相馬大作に至るまで、凡《およ》そ彼の郷里と関係のある凡《あら》ゆることについて訊く。彼の村の附近に河があるといったとする。私はその深浅、底の土質、沿岸の植物、橋の構造を知る。彼はその河に鮭《さけ》が上るという。しめた。鮭は土地では「サケ」というか「シャケ」というか、どうして獲《と》るか、何時獲るか、どうして食べるかで三十分はすごせる。これは既に質問ではなく訊問《じんもん》であった。彼は別に煩《うる》さがる様子もなく、私の訊くことにいちいち丁寧に答えてくれたが、三日の後我々の間には完全に話題が尽きた。

この三日にわたる奇妙な訊問の教訓は、空虚な心をもって人との交りを求めるのはいかに無駄《むだ》であるかということ、及び人との交りは話し合うことにあるとは限らない、ということである。私がこの俘虜の最初の隣人の謙遜素朴な人柄《ひとがら》を愛したのは間違いないが、私はそれを自分の心の空虚の意識から発した、一方的な好奇心で表現することより知らなかった。私の煩さい質問に答えてくれたのはむしろ彼の寛容である。

我々の愛情は今こうして俘虜病院の一隅《いちぐう》にベッドを並べているという事実から出発すべきであった。で、彼は私のために水を汲《く》み、莨《たばこ》を拾い、髭《ひげ》を剃ってくれたのに、私は彼に対してはただその経歴に興味を持っただけであった。そして贅沢《ぜいたく》にも彼が私に興味を持ってくれないのに苦しんでいた。これがこれまで思い上った好奇心からのみ人に臨んで来た私の受けた罰である。

しかし私の隣人は恐らく私のこれまで知った人間の中でも稀《めず》らしい美質を持っていた。私がこの世に戻って来て初めて隣り合わせた日本人が、彼のような人物であったのは倖《しあわ》せだったのである。

まず私を驚かせたのは彼の裡に日本の下士官特有の傲慢《ごうまん》と狡猾の片鱗《へんりん》だにもないことであった。最初私はこれが我々が恥辱によって平等であったためと思っていたが、後多くの俘虜に接するに及んで、上級者は俘虜となっても何処かその思い上った調子を残していることを知った。この東北の農民には軍隊内の昇進に伴う特権によって少しも毒されない一種の天才があった。

私は彼の所有する林檎園《りんごえん》が戦時中強制されて耕地とされたのを知ったが、それを語る彼の調子には少しも怨嗟《えんさ》の色がなかった。しかもこの処置によってただ彼の僅少《きんしょう》な土地の収益が減ったばかりでなく、彼の出征後留守を守る彼の母と妹は、その土地の耕作を親類に委《ゆだ》ねて、その掛人《かかりうど》となるほかはなかったのである。

すべてこうしたことは彼自身の出征も含めて、その不幸は彼にとって堪え忍び得るという意味で、何等重要性を持たぬものであった。

とはいえ私は彼が無気力な奴隷《どれい》であったとは思わない。彼の裡には謙遜と共に力があった。例えば彼は後に勤務員からボール紙の将棋を借りて来て私に挑《いど》んだが、この指口《さしくち》には彼の大人しい人柄には似合わない力があって、比較的定跡に通じていた私も苦もなく圧倒された。附近に歯が立つ者はなく彼は一人で将棋盤を振り廻《まわ》して退屈していた。

彼はただその力を何処で使っていいかを知らなかったのである。

十日ばかり後彼はびっこを引きながら退院して行った。彼は収容所へ行って米の飯が食え、仕事が与えられるのをひどく喜んでいた。二カ月後私も収容所へ移って彼に会いに行ったが、依然として話がないのに閉口して退散した。彼は既に両足をふんばって重い物を担《かつ》いだりして働いていた。一体に傷兵の傷の恢復《かいふく》する速さには驚くべきものがある。ずっと後で相撲大会が催された時、私は彼が五人抜に出場する姿を見たが、三人目で土俵に膝《ひざ》をついて負けた。その足はやはり傷ついた方の足であった。

話が切れると私は門の外を眺《なが》めた。緑の丘肌《おかはだ》を背景にしただらだら坂を、相変らず様々のなりをした米兵や裸足《はだし》の比島人が往来していた。しかし私は別に退屈したわけではない。この生れて初めて囚人として眺める外界の景色には、いつまでも見倦《みあ》きぬ新鮮さがあった。

眼路《めじ》を限る丘並《おかなみ》の左端に岬《みさき》のように張り出した小高い頂上には、展望哨《てんぼうしょう》の小さなテントが、そこに人がいるかと思われるほど孤独な姿で雨に煙っている。その裾《すそ》を廻って来るらしい坂道は、テントの下で不意に現われ、斜めにこの門に向って降りて来る。米軍の外科病院の白い建物は右から視野の前景を蔽《おお》い、一端をそのだらだら坂の向うに埋めている。建物の後で丘はずっと退き、鞍状《くらじょう》の曲線を描いてまた右にせり出して来る気配である。この殺風景な緑と灰色の書き割りは、写真のようにはっきりと私の眼底に焼きついている。

一台のブルドーザーが雨の中を行ったり来たりして道を拡《ひろ》げ始めた。運転手は人造人間のような機械的な動作で操桿《そうかん》を動かし、首を廻した。大きなローラーの前に石片が小気味よく押しやられ粉砕された。私の心は或る時はそのローラーとなり、或る時は圧《お》し潰《つぶ》される石片となって眺め続けた。ブルドーザーはやがて正面を向き、ずっと進んで来て門前の水溜《みずたま》りを埋めてしまった。

私は便所へ行ってみることにした。足許《あしもと》はまだおぼつかないが、隣の俘虜《ふりょ》が杖《つえ》にしている五尺ばかりのテントの支柱の切れ端を借り、それを両手に持って舟を棹《さお》さすようにして歩いて行った。

通路は日本の農家の土間のように、規則的な波形の凸凹《でこぼこ》を持っていた。湿った土を自然に踏み固めて出来る表面は比島といえども同じらしい。

便所は敷地の後部にある。そこまで私はいくつもテントを通過しなければならなかったが、そこで私の見た光景は、軽症者を集めた私のテントまで聞えて来た呻《うな》り声によって、私が当然予想していなければならないものであったにも拘《かかわ》らず、やはり私の想像力を超えていた。

或るテントには重傷者が充満していた。饐《す》えたような血の匂《にお》いと薬品の匂いが空中に充《み》ち、異様な形にギブスをはめた傷兵が通路の両側に横わっていた。

私は今ここにこれ等毀損《きそん》された人体の状況を記述する筆を持たない。第一私が彼等を見ようとしなかったからでもあるが、たまたま否応《いやおう》なしに私の視野に入った奇怪な姿も描こうとは思わぬ。デュナンの「ソルフェリーノの回想」以来我々はこの種の悲惨の無数の記録を持っているが、しかも国家は依然として戦うのを止めず、いかなる国庫も十分彼等の余生を償うほど潤沢ではない。しかもなお彼等の悲惨を描き続けるとは、取りも直さず彼等を侮辱することにほかならない。

明らかにこの惨状は医者か博愛者の眼をもってせずには近づくべきではないが、しかし医者は彼等に短い死のかわりに長い死を、或いは長い不具の余生を与えることが出来ただけである。

私は血臭に堪えるのがせいぜいであった。やがて私はテントの入口で胸一杯に息を吸い込み、水を潜《くぐ》るように一気に彼等の間を通過することを覚えた。

しかし時として私は息を吸わずにはいられなかった。呼び止められたからである。それは彼等の中では稍々《やや》軽い患者であったが、私に便器の中味を棄《す》てて来てくれと頼んだ。彼等は杖にすがって歩く通行者にも便器の始末を頼まねばならぬほど、無意味に邪険な日本の衛生兵に気兼ねしていたのである。

私は頼まれた溲瓶《しびん》を持ち添えて杖を握り、雨に濡《ぬ》れて、便所に到る泥濘《ぬかるみ》に渡した板を渡った。便所は四個ずつ二列に洋風の穴を持った木製の箱である。それが丁度人の腰掛ける高さに深い穴を覆《おお》い、その上にテントの切れ端で簡単な雨除《あまよ》けが張り渡してある。四方は開け放しであるが、私は無論羞恥心《しゅうちしん》は俘虜となると共に棄てている。

我々を取巻く柵《さく》の最も印象的な眺めが得られるのはここである。高さ一丈さし渡し一尺ほどの椰子《やし》の幹材が、約二間の間隔に並び、その間を八寸ばかりの隙間《すきま》をおいて有刺鉄線が平らに張り渡されてある。私のベッド附近の視野は、隣接するテントに妨げられて門のあたりの五六間に限られ、柵はむしろ鉄線の間から外がよく見えるという有難《ありがた》さを感じさせるだけであるが、ここまで来ると何もない敷地の後部一帯を、それがずっと取り巻き閉じている有様がよく見られる。柵の外は疎《まば》らな雑草の間に湿った土の透いて見える沼沢地が向うの丘まで続いている。

日本軍が比島人に加えた残虐《ざんぎゃく》に照せば、この柵が我々の逃亡を防ぐというよりは、我々の生命を守る役目をしていることは明白であるが、しかし柵は柵である。病人の私にとって柵はどうせ束縛ともなっていないが、今私の感じる悲哀はやはりこの柵の結果である。そしてそれがいつまでも悲哀だけですむであろうか。

柵が右で折れ曲って隣接発電所の後部と接するあたり、沼沢地の正面を限る丘並もそれにつれて迂廻《うかい》して来る。丘裾にはニッパ・ハウス作りや、木造ペンキ塗りの見すぼらしい比島人の家が不規則に並んだ上に、丘の頂上から夢のようにルネサンス風のドームが頭を出している。色褪《いろあ》せた緑の円屋根の下に白い円柱が並び、その間をこれもまた色褪せた桃色の凹《くぼ》んだ壁が繋《つな》いでいる。教会であろう。

私は比島の教会が好きである。その繊弱な白亜の建物が熱帯の雨と陽《ひ》に曝《さら》され、褪《たい》色し剝《しょく》げ落ち、しみにまみれた荒廃の外観は、敗戦と死の予感を抱いて彷徨《ほうこう》する私の眼にはこの上なく快いものであった。

マニラからバタンガスへ行く沿道の町々で、疾駆するトラックの上から見たロマネスク風の前面と鐘楼には、日本のカソリック教会の平凡な擬ゴシック的前面には見られない、物悲しいしかし華やいだ美しさがあった。町屋根を圧して聳《そび》えるバタンガスの教会のドームは、海上から眺めると、遠く背後の高原に突兀《とっこつ》として孤立する噴火山の山容と相俟《あいま》って、一帯の逸楽的な緑に統一された風景に、一種の荒涼たる淋《さび》しさを与えていた。

タクロバン教会の建物は丘の上に現われた上部から判断するとあまりいい出来ではないらしい。ドームのふくらみも、その下に並んだ円柱の太さも、安っぽい議事堂的威厳を衒《てら》っていて、その赤と緑の色調が色褪せていなかったら、これはかなりいやな建物だったに違いない。

しかしこのドームは私の俘虜病院の生活にまぎれ込んだ唯一《ゆいいつ》の「文化」であった。私がよく便所へ行ったのは無論柵を眺めるためであるが、次にはこのドームを眺めるためである。

私は頼まれた溲瓶の中味をあけ、水で洗って干場に懸け、乾いた別の一個を取って帰途につく。息を詰めたまま溲瓶を依頼者に渡し、出来るだけの速さで血の匂いの中を通り抜ける。ベッドに帰ると疲れてぐったりしてしまう。心臓の鼓動が激しい。

雨は毎日降り続いた。ミンドロは乾季であったが、レイテは雨季である。雨は丁度日本の梅雨のように、或《あ》るいは風を伴って枕《まくら》の上から吹き込み、或いは天から突立つように降り、またはしとしとと小雨になって、そうして絶え間なく降り続いた。夕方間違ったように雨があがると、並んだテントの切れ目から見える低い空の黝《くろ》い雲の間に、小さな真紅の夕焼が燠《おき》のように残っていることがあった。それはやがて色褪せ、雲の中へ引き込まれるように消えて行った。それからまた雨が落ちて来た。

夜、狭い一人吊《づ》りの蚊《か》帳《や》の中で私は全く孤独である。しかし私は夜のこうした時間それほど退屈したわけではない。応召して以来、いやでも無為にすごさねばならぬ立哨中とか消燈後の孤独の時間を、私は専《もっぱ》ら考えてすごした。私は生涯《しょうがい》で軍隊におけるほど瞑想《めいそう》的であったことはない。

私には考えることがあった。それは山で我々が米軍に襲撃された時、叢林《そうりん》に一人倒れていた私の前に現われた米兵を何故私が射《う》たなかったか、という問題である。

この時の私の心理については別の章で書いた。私は米兵が現われる前から「射つまい」と決意していたのであるが、私がこの時の自分の気持をよく反省してみれば、そこに果して最初考えていたような「人類愛」があったかどうか疑わしくなる。そして実際米兵が私に向って進んだ時の私の心理にはこの決意の干渉を認め難く、結局様々の動物的反応の連続しか見当らなくなるのである。

しかし一方こうして私の心理を見詰めて発見するものはすべて頗《すこぶ》る不確定であって、それをいくら重ねても、結局私がこの時「敵」という単純な存在を射たなかったという単純な行為を蔽うに足りないと思われた。ここには何か私が内省によっては到達出来ない法則が働いているのではあるまいか。

そして病院の閑暇と衰弱にあって、この空隙《くうげき》を埋めるために私を訪れた観念は甚だ奇怪なものであった。

即《すなわ》ちあの時私が敵を射つまいと思ったのは私が「神の声」を聞いたのであり、米兵が迫って、私がその声に従うことが出来るか出来ないか不明に立ち到った時、別の方面で銃声を起らせ、米兵をその方へ立ち去らせたのは「神の摂理」ではなかったか、という観念である。

こうした「神の声」「摂理」の如《ご》き観念は元来私には馴染《なじみ》のないものではなかった。東京の或《あ》るミッションスクールの中学生であった十三歳の私は聖書の真理に打たれ神を信じた。(或いは信じたと信じていた)私の信仰はその後近代の文学的エゴイズムを知り、教会の大人達の醜行を見て崩れるほど脆《もろ》いものであったが、しかし私がこうして人生の首途《かどで》にあってまず神に惹《ひ》かれたということは、何か私の心の根本的な傾向を決定しているのではないかと、以来ますます神に反して考えながら、常に一種の弱点として気にかかっていた。

この時私を訪れた「神の声」「摂理」の観念は従って、すべて少年の私の頭に宿った（或いは教えられた）ままの素朴《そぼく》なものであり、事件の現実に照らしてあらゆる意味で支持し難いものであったが、少なくともそれまで容赦なく敵を射とうと思っていた私が、その時不意に「敵を射たない」という決意に襲われたことと、人生の入口で神に惹かれた私の心の傾向の間に、何等かの関係があるのはあり得ないことではない。

私はたまたま病院を訪れた従軍牧師の手に数冊の新約聖書があるのを見てその一冊を乞《こ》い、最初の二つの福音書《ふくいんしょ》を読み返した。私はそれに対する私の心の反応をためしつつ読んで行った。

二十年ぶりで読み返すイエスの一代記は無論少年の時とは全く異った感銘を与えた。彼に荒唐無稽《こうとうむけい》な医療的奇蹟《きせき》を仮構するほど無智《むち》な弟子の筆にも、これだけ生々とした生き身の人間の跡を伝えしめたイエスの人格には、たしかに神の子と呼ぶのが最も適《ふさ》わしい力と天才があるのを私は認めたが、と同時に彼の思想が野蛮な「この世の終り」の期待に貫かれているのを見て驚いた。十三歳の私はこういうバーバリズムはどう考えていたのだろうか。何の記憶もない。そしてかつて私の心に滲《し》み通ったらしい愛の教義も、今は単なる最上の天才的な表現として私を感歎《かんたん》せしめるだけなのである。私の心が被《かぶ》った鎧《よろい》は既にかなり厚い。

「心の貧しき者は幸なり」その他彼の力強い教えは私にはすべて逆説と映った。「敵を愛せ」と彼は教えるが、何が敵であるかを示していない。そして私の理解するところでは、逆説とは常に弱者の論理であり、何等かの意味でその反抗する通念への服従を含んでいる。「カイゼルのものはカイゼルに返せ」が彼の唯一の現実的な教訓であるが、彼のいう「神の国」が直ちに来ないならば、これほど意気地のない教訓はない。だからカイゼルは彼の宗教を採用し、カイゼルはますます栄えたのである。

私は憂鬱《ゆううつ》に十三歳の私が既に逆説に惹かれる傾向があったことを確めた。キリスト教は私にとって智慧《ちえ》の目覚めであったが、その時から私が逆説の趣味を持っていたとすると、その後私が常に何かに反して考える習癖があったのは偶然ではない。そして私がいつまでも単に考えるに止《とど》まっているならば、私は遂《つい》に一個の卑怯者《ひきょうもの》にすぎないだろう。

私は考えた。十三歳の私がイエスの神に惹かれた故《ゆえ》に私がヒューマニスチックな性向を持ち、その後二十年それに反して考え続けたにも拘らず、それがあの決定的な瞬間に突如現われたとする如き仮説は成り立たない。これは私が二十世紀流行の伝記的人間解釈から得た思考の癖であり、私の現在の心に照して何等真実なる証拠に基《もと》づいていない。少年時の夢想は少年時と共に死んでしまって少しも差支《さしつか》えないのである。しかし今私が病床にあってあの事件を回想しながら「神の声」の如き観念に襲われていることは真実である。そしてその観念がいかに少年時の観念と似ていようとも、あの瞬間に少年時のヒューマニティの湧出《ゆうしゅつ》を認め難いと同じ理由によって、それを少年時の妄想《もうそう》の回帰と見ることは許されない。その根拠はあくまでもあの瞬間の真実に求められなければならない。

私は繰り返しその瞬間を再現して見ようとした。私の前には比島の柔かい緑の草原がありその向うに暗い繁《しげ》みがある。私は病み疲れ歩行の力を失った孤独な兵士であり、既に自分の生命について希望を持っていない。米兵は間もなく前方の叢《くさむら》から現われるはずである。その時私は米兵を撃たずに自分が撃たれようと思った。

私は空想した。米兵が現われる。進んで私を発見する。我々は銃を擬して向い合う。遂に相手は私がいつまでも撃たないのに痺《しび》れを切らして撃つ。私は倒れる。相手は私の傍《そば》へ駈《か》け寄る。

この荒唐無稽な空想の意味は、私が私の善意を人に知られたいと欲《ほっ》していたということである。比島の山中ではこれは私を殺す相手であるほかはなかった。

米兵は実際その叢から現われた。私はまず撃たなかったが、米兵が私の前一間に迫った時、私が果して撃たずにいられるかどうか危うかった。私の手は無意識に動いて銃の安全装置をはずしていた。

その時他の方面で機銃の音が起った。米兵はわずかに歩行の方向をかえて歩み去り、私は彼を撃たずにすんだ。

私がこの間撃たないという私の決意を保持していたかどうか明瞭《めいりょう》でなかった。そして私がこの時の自分の心理を内省すればするほど、意志を人間の意識の根本形式とする通説にも拘らず、その決意の影は薄くなるのである。しかし最初私が身を殺しても相手を撃つまいと思った時の私の内部の一種の緊張に比べて、それに続く状態についての私の容認しなければならない空虚は堪え難かった。その時神が現われた。

人気《ひとけ》のない林間の空地で私は自分の善意を私を殺す人間に知ってもらうほかはなかった。命を全《まっと》うして病床にある今、私は神を証人に呼ぶことが出来る。

もし神が私の哀れな善意を嘉《よみ》し給《たま》うならば、彼は私が果してそれを貫くかどうかを天から見守っていてくれてもいいのである。そして私が肉体の本能に負けてそれを実現出来るかどうか不明に立ち到った時、全能な彼は他方で銃声を起させて、私の誘惑者を私の前から取り除いてくれても一向に差支えない。

そしてあの時まで敵を殺そうと思っていた私が、突然その意志を放棄した奇蹟は、彼が「撃つな」という無音の声を空間を貫いて私に送ったとすれば最も簡単に説明がつく。そして彼が私にそういう特典を与えたのは、多分彼が私を愛しているからであろう。

無論この自分勝手な考えは現在私の容認し得るところではない。しかし当時病める俘虜の虚脱にあって、この証人としての神の神学は一応私に慰安を与えた。私は危く神を信じるところであったが、私を引き止めたのはこの神学に含まれた自己愛である。この神学は成程米兵を撃たなかった私の場合には都合よく当て嵌《は》まるが、他の戦場で繰り返し行われているところに少しも該当しない。いかに自己において切実な理由があろうとも、自己を主張するのは醜いと思われる。

だから私はその事件を書いた章に、この自己流の神学を取り入れなかった。しかもなお私は私一個にとって運命的であったその事件の記述を、私が秘《ひそ》かに病床で育《はぐく》んだ無稽な観念をもって飾るという誘惑に抗しきれなかった。帰国後私は「歎異抄《たんにしょう》」の中に一層適切な句を見つけた。「わがこころのよくてころさぬにはあらず、また害せじと思ふとも、百人千人をころすこともあるべしと、おほせのさふらひしは、われらがこころのよきをばよしとおもひ、あしきことをばあしとおもひて願の不思議にてたすけたまふといふことを、しらざることをおほせのさふらひしなり」で、私はこれを取ってその作品のエピグラフとした。

私が現在この事件について達している結論はこうである。

日本の資本家が彼等の企業の危機を侵略によって開こうとし、冒険的な日本陸軍がそれに和した結果、私は三八式小銃と手榴弾《しゆりゆうだん》一個を持って比島へ来た。ルーズベルトが世界のデモクラシイを武力によって維持しようと決意した結果、あの無邪気な若者が自動小銃を下げて私の前に現われた。こうして我々の間には個人的に何等殺し合う理由がないにも拘らず、我々は殺し合わねばならぬ。それが国是であるからであるが、しかしこの国是は必ずしも我々が選んだものではない。

比島の淋しい林の中で二人の兵士が向い合った場面は、果して近代戦の「戦場」といえるかどうか怪しい位無意味な場面であるが、しかしどんな壮大な会戦においても、我々歩兵という近代戦で最も軽蔑《けいべつ》された兵科の兵士の遭遇する場面には、必ずこの種の無意味さが現われる。この無意味な兵隊が無意味に撃ち合う必要が何処《どこ》にあるか。撃たなければ撃たれるからである。これは我々が手に兇器《きょうき》を携えている結果である。しかしこの兇器は我々が進んで取ったものではない。

その時私の心にこの兇器の使用を拒む意志が現われた。これは私が孤独な敗兵であり、私の行為を自分で選択することが出来たからである。この時の私の意識は心理的にはヒューマニティによって、肉体の本能によって、或いは神によってすら色づけられるのであるが、実はそれ等の要素が私の行為を決定するに当って問題でないのは、敵を殺す瞬間の兵士の意識にそれが問題でないのと一般である。

実際には私が国家によって強制された「敵」を撃つことを「放棄」したという一瞬の事実しかなかった。そしてその一瞬を決定したものは、私が最初自分でこの敵を選んだのではなかったからである。すべては私が戦場に出発する前から決定されていた。

この時私に向って来たのは敵ではなかった。敵はほかにいる。


私が聖書を読んでいることは米兵の注意を惹かずにはいなかった。彼等は私がクリスチャンであるか、何処で英語を学んだか等々と訊《き》いた。私が彼等の国の宗派のミッションスクールに学んだことは彼等に一種の感銘を与えたらしい。彼等の私を見る眼に特別の親愛が現われた。私が偶然選んだ中学校から俘虜となって利益が生じたのは意外な廻《めぐ》り合せである。

主任軍医は特に私に注意し、回診の後によく話して行った。彼は私と同年の三十七歳で長身小頭のイギリス型の紳士であった。彼は私の政治的意見を求めた。私は率直に軍部に対する憎悪《ぞうお》を表明した。彼は私にグルーの「東京の報告」その他多くの書籍雑誌を与えた。私は比島沖海戦の真相を知り、マニラ失陥を知った。

軍医は私に真実を他の俘虜達に伝えるようにいった。日本人に真実を知らせようという軍医の善意を私は疑わなかったが、しかしこの役目は私の甚《はなは》だ苦痛とするところであった。今の彼等の状態にとって比島沖海戦が勝利ではなく敗北であったと知ったとて何の役に立とう。この戦争が敗戦に終るであろうという予測を強《し》いられることは、彼等の現在の惨《みじ》めな状態を一層惨めにする以外何の効果もない。日本の勝利は取りも直さず彼等の帰還後の生活を絶望的なものにすることを意味したにも拘《かかわ》らず、彼等がなおそれを望んでいることは明白であった。私は隣りの兵士に私の読んだところを聞かせるに止《とど》めた。彼がまたその隣りの兵士にそれを伝えるならば彼の勝手である。

軍医は通訳の二世と共に私のベッドの傍に立ち「これからの日本はこういう奴《やつ》が指導して行かねばならない」といった。私は侮辱を感じた。私は日本の政治家を軽蔑していたが、しかし政治は私の能力と忍耐を超えた複雑な技術であると思っていた。私は現代日本の国家が私のような者によって指導され得るほど安く見られたくはなかったのである。しかし帰国後米国の指導によって行われた政治的改革の跡を見ると、彼等と私の間には政治についてかなり観念の相違があったらしい。彼等はただ私の町会議員に立候補する資格を指摘したにすぎなかったのである。

この軍医が私が俘虜として抑留中に見た最も高級な米人の一人であった。彼の裡《うち》にメイフラワー号の清教徒の後裔《こうえい》を見るように思ったのは多分私の思い過しであろうが、彼はその穏健着実な思想を巧みに表現する術《すべ》を知っており（彼は日本に天皇を存続すべきであるという意見であった）、患者に対する態度にも、医師の職業的ストイシズムを超えた積極的な忍耐と愛情が現われていた。現在この俘虜病院の状態がここまで整ったのはみな彼の尽力によるのだという。しかも彼の動作、帽子の被り方、手の動かし方等にはアメリカ映画の人物の衒《てら》った無雑作があり、彼の荘重な人格との奇妙な対照を示していた。彼はシカゴ人であった。

眼鏡をかけた従軍牧師も時々私を見舞った。彼は私に兵士用の祈禱《きとう》書や聖書を読む日程表等を与え、私の信仰について問いただした。私は彼に私の撃たなかった米兵に関する良心の検討を打ち明けて意見を求めたい誘惑を感じたが、結局私の職業的宗教家に対する偏見が勝を占めた。それに私の話が多分彼等に喜ばれるであろうと思うだけに、一層打ち明けにくかった。私は単に私が病気で弱っているので神に好奇心を感ずるのだ、といっておいた。彼は好奇心も求道の一種だといった。

私が話をしたもう一人の米人は、入口を守る憲兵の一人である。柵《さく》内に設《しつら》えられた、リスター・バッグ（これは飲用水を貯《たくわ》えるゴム引布製の大きな袋で、底部に活栓《かっせん》がある）の水は、勤務員の怠慢によって常に濁っていたので、私はよく門の前におかれた水槽車《すいそうしゃ》まで水を汲《く》みに行った。門を出る時、（門扉《もんぴ》はない）番兵の許可を求める私の英語が彼等の注意を惹き、時々帰りに呼び止められた。

或る晩勤務していた若い憲兵は特に私と話するのに熱心であった。まもなく軍曹《ぐんそう》が廻って来るから一旦《いったん》中へ入って貰うが、軍曹が行ってしまったらまた出て来い、といった。番兵が俘虜と語るのは禁じられているのであろう。後で私が出て行くと彼は私に莨《たばこ》を与え、日本について様々の質問を発した。しかし彼はフジヤマとゲイシャガールについては訊かなかった。

彼は二十歳のニューヨークの市民で、既にカリッジを出て結婚していた。彼はニューヨークの繁華と摩天楼について語った。私は米人の世界一趣味をあまり有難がらない傾向の教養を持つ日本人であるが、しかし彼の摩天楼が斜陽を受けて五色の層に染まる描写を聞いて、成程この人工物が自然を真似《まね》る景観は美しいであろうと思った。

彼は私に米国では出征した兵士の家族は親類で世話をするが日本でもそうかと訊いた。私は少し驚いて、日本は家族制度を誇る国である。米国こそ個人主義の国で家族の結合は弱いと聞いている。君が日本人の出征兵士の家族を庇護《ひご》するかどうかを疑うのはおかしい、と答えた。この時道の方から靴音《くつおと》が近づいた。彼は闇《やみ》をすかして見て小声で「帰ってろ」といった。

夜は晩《おそ》かった。私が蚊帳《かや》を吊って横《よこた》わっていると、やがて人が近づいて蚊帳の中へ手を差し入れた。彼である。(前述のように私のベッドは入口に近い端にある）彼は私に握手を求め、私の名前を訊き、自分の名を名告《なの》った。そして翌晩十時からまたこの門に就くから出て来い、話しようといって帰って行った。

私は微笑を禁じ得なかった。彼がどうしてこれほど私に興味を持つかは不明であるが、とにかくこの二十歳の米兵が俘虜と名乗り合って握手を求めた行為には、彼自身余程自分で満足に思うに違いないと考えて微笑《ほほえ》まれたのである。俘虜収容中米兵は例外なく私に鄭重《ていちょう》であったが、握手を求められたのはこの時唯《ただ》一度である。

しかし翌日約束の時間に彼の姿は門になかった。私は十二時と二時の交替時間まで起きていて外を窺《うかが》ったがやはりいない。そしてその翌日も翌々日も、以来彼の姿は絶えて門前に現われなかった。勤務が変ったのであろう。こうして私はこの善良な若者と日米家族制度の相違を論ずる機会を永久に失った。

後に雑誌で、洞窟《どうくつ》に匿《かく》れたサイパンの邦人に降伏を勧告しに近づいて、中に混っていた日本兵の手榴弾のために死んだ米兵の記事を読んだ時、私は何故《なぜ》かこの米兵のことを思い出した。米人は軽率である。門の前の薄暗がりで見た鉄兜《てつかぶと》の下の彼の顔は頬《ほお》が豊かで鼻がしゃくれていた。彼の名乗った名はファースト・ネームがジャックであったほか憶《おぼ》えていない。

雨は依然として降り続いた。私のマラリアの熱は一週間で去ったが、なお根強い衰弱が残っていた。しかし私は漸《ようや》く杖《つえ》なしで歩けるようになった。歩けるようになると共に、私はそれまでの軍隊式の小刻みの歩き方を止《や》め、歩度一杯に歩く昔の歩き方に変えた。そしてそのリズムは足を引き抜くように歩く米兵の歩度を意識して真似たものであった。こうして私の奴隷《どれい》時代の名残を敵に模して追っ払うことに私は一種の陰惨な喜びを感じた。

一方私は新しい生活の喜びを知りかけていた。即《すなわ》ち軍医のくれた本である。私は前年の三月入隊以来殆《ほと》んど本を読んでいなかった。文字というものはいいものである。たとえそれが半解の外国語であっても。

私は英語は高等学校以来近づいたことがなかったが（捕えられてあたりが米兵ばかりになった時、私は自分が喋《しゃべ》れたのに寧《むし》ろ驚いている。必要は万物の母である）語彙《ごい》は多くフランス語と共通であったからどうやら意味はとれる。辞書がなかったので、多くは周囲の語から判読する必要があったが、これがまたいい時間潰《つぶ》しになった。本の数が少なかったから、私は雑誌の広告欄まで熟読し、絵と比べて意味を推量した。一つのことに対応して、一つの言葉或いは数個の言葉の結合があるということには、何ともいえない美しさがある。外国語の場合には更に珍らしさがある。

私は終日軍医から貰った雑誌や探偵小説を読んで暮した。一年の動物的生活の後に読んで、私はいかに現代のジャーナリストの文章が「惑わし」に満ちているかに驚いたが、正直にいえばそれも当時の私には快かった。こうして私は心では軽蔑しながらも、以来半カ年、一日のうち十時間はこういう通俗的な文字の世界に遊んでいた。そしてそれは何等かの意味で私の意識に影響せずにはおかなかったと思う。以後私の俘虜の記録はこういう朦朧《もうろう》たる濫読《らんどく》者を時たま驚かした印象の報告である。

入院後十日ばかり経《た》った或る日、私は医務室の前に群がっている新入の患者の中にミンドロの僚友の一人を認めた。それは山の中で分哨《ぶんしょう》となって我々と離れたブララカオ小隊の一員であったが、マラリアのため最後まで我々と共に止《とど》まり、一月二十四日米軍の襲撃を受けた日予《あらかじ》め退避した軽病者の一隊に含まれていたはずであった。

私は再びこの病院に着いて初めて同胞を見た時と同じ羞恥《しゅうち》を覚えた。この度はむしろ恐怖に近かった。この私の過去の世界からの不意の侵入者には文字通り幽鬼の様な不気味さがあった。（私は我々が襲撃された時の状況から見て、この退避組も全滅したものと想像していた。私が現に自分が俘虜として助かりながら、僚友が助かる可能性に少しも想到しなかったのは奇妙である）

私は人違いではないかとその大分痩《や》せて髯《ひげ》が伸びた顔を見直したが、やはり間違いなく彼であった。私は咄嗟《とっさ》に声を懸け得ず、身を引くようにしてなおも彼の様子を窺っていたが、テントの内部を物珍らしげに眺《なが》めている、馬鹿なような薄ら笑いを浮べたその顔は、事実不意に呼び醒《さま》すに忍びないような単純な歓喜を現わしていた。

彼は三十四歳の北多摩の農民で竹細工がその召集直前の生業であった。これは当時なかなか収入の多い職業であったという。彼は丈が高く体軀《たいく》は立派であったが、態度が鈍重で、軍隊で上官の気に入られるに必要な機転を欠いていた。彼は最も平凡な兵士として黙々と勤務し、人並にマラリアにかかって、人並に退避組に加入した。その一行の運命を私はまだ知らないのである。

彼は私に気がつかず、茫々《ぼうぼう》と伸びた髭面《ひげづら》の中に相変らず薄笑いを浮べたまま奥のテントへ去った。右手は繃帯《ほうたい》して吊《つ》っていたが、他に別に故障はないらしく割合元気にしっかりした足取りで歩いて行った。その揺れて動いて行く大きな背中は「命が助かった」喜びを臆面《おくめん》もなく発散させていた。

しかしこのまま名乗らずにいるわけには行かない。特に彼と一緒に行った私の分隊長や僚友の運命を訊かねばならない。私は日本の衛生兵に彼のベッドのありかを訊き、彼が落ち着いた頃《ころ》を見はからって訪ねて行った。

彼は既に最後部の勤務員の寝るテントの中に横わっていた。彼は私を認めて首を起し、当り前のことのように「よう」といい、しかし幾分力無く笑った。彼は右の掌《てのひら》を貫通されていた。彼が語った退避組の運命はこうである。

一行は通信隊員十名の他に軽病者非戦闘員五十名合計約六十名となった。整列すると中隊長は訓示を与え、最後に「しかし俺《おれ》と一緒にここで死のうと思う者は前へ出ろ」といった。約五名の若い兵隊が一歩出た。彼は出なかった。

一行は約二粁《キロ》行った山背で突然機銃で掃射された。通信機を載せた水牛が谷へ落ちた。皆ちりぢりになって谷へ降り叢林《そうりん》に潜《もぐ》った。日の暮れるのを待って三々伍々《ごご》と集まって来た兵士約五十名を、私の分隊長が引率してルソン島へ渡るために北上を開始した。毎日約五名が落伍した。数日後、とある流れの傍《そば》で乏しい米を炊《た》いているところをゲリラに襲撃された。一同は銃を取る暇もなく川へ飛び込んで遁《のが》れた。彼は掌を射抜かれ動けなくなっていたところを（と彼はいっていた）捕えられた。そして海岸の村から船でサンホセの病院に運ばれ、傷の手当を受けてから私同様ここへ空輸されて来たのである。

襲撃された時傷《きずつ》いたのは彼一人であった。川を越えて遁れた連中がその後どうしたか彼は無論知らない。私が最も心配していた僚友Sは最初の夜行軍の後にはいなかったそうである。

弾は彼の右手の背から入り掌に大きな破口を作って抜けていた。指二本が神経を切断されて動かなかった。「竹細工ももう出来ねえ」と彼はいったが、それを別に苦にする様子もなかった。彼は既に近隣の俘虜と親しげに口をきき、世話を受けたりしていた。

私は型通り何か不自由なものはないかと訊き、私のベッドの位置を教えて立ち上った。

この兵士とも私は話がなかった。もともと小隊が違って親しく口を利《き》く仲ではなかったが、こうして俘虜になって最初に会う僚友と、物語にあるような再会の感激が起らないのは少し淋しかった。私がそうした感激を感じ得ない理由は自分で知っていたが、彼の喜ばない理由は私にはわからなかったからである。

私は便所の帰途時々彼を見舞い、彼も二三度遥々《はるばる》私のベッドまでやって来たが、これは純然たる儀礼的訪問を出なかった。そしてこの後帰還するまで十カ月、同じ収容所に起居しながら、我々は最も無関心な友であった。もっとも彼は私に限らず、その後収容所へ集った二十人ばかりの僚友の誰とも付合っていなかった。彼は莨を飲まなかったが、それを我々に頒《わ》けてはくれず、近所の俘虜と菓子や石鹸《せっけん》と交換して、菓子を食べ石鹸を貯えていた。

彼の話で私を悲しませたのはSの行方不明であった。これは山の中で私の一番愛していた友人で、私に比島脱出の空想を与えた男であったが、彼もまた当時マラリアを病んでいたから、恐らく山中の孤独には堪えられまい。彼は自分の生還に断乎《だんこ》自信を持ち、その自信を語る様子には事実こういう男には弾は当るまいと思わせるものがあったが、無論これは幻影にすぎなかった。

雨は依然として降り続いた。柵の後の沼沢地に雨の中をブルドーザーが活躍し始めた。一帯は忽《たちま》ち埋め尽され、小屋ほどもある巨大な梱包《こんぽう》が幾つも積まれて行った。オートジャイロがその向うの狭い空地に発着し始めた。

夜時々空襲警報が発せられ電気が消された。しかしテントの上の空には友軍機の特徴あるバタバタという音は聞えず、すぐ解除となった。或る日やはりそうした空襲警報のあった翌日、遠く丘の向うに燃料タンクの火災と覚しく黒煙が高く昇り、二三日燃え続けたことがあった。多数の俘虜は便所の傍に並び、雨に濡《ぬ》れながら煙を眺めて立ちつくした。

隣の発電所が故障で二十四時間停《とま》ったことがある。その静けさを利用して比較的軽病患者の多いテントで演芸会が催された。びっこを曳《ひ》いた者、片腕のない者、肩の肉のそげた者などが替る替る出て、お国自慢のまずい唄《うた》を歌った。演芸会は私にとって軍隊の習慣中勤務より辛《つら》いものであったが、この俘虜病院の薄暗い電燈の下で催された不具者による演芸会は最も堪え難かった。耳馴《な》れた轟音《ごうおん》のない静寂は快いよりはむしろ侘《わび》しさをつのらせるばかりである。私はすぐ自分のベッドに帰った。

パロの陽《ひ》

病院は移動することになった。約二粁《キロ》南のパロという村の奥へ移るのだそうである。こことは違って樹《き》の多い緑地で設備もいいという。ピジャマのほかに緑色の米軍の制服一着、タオル一本が新しく支給された。配属の軍医も衛生兵も全部交替する由《よし》である。

移動の日附ははっきり覚えていないが、二月の中旬であったと思う。幸いその日は雨が止《や》み、曇った空から時々日も洩《も》れた。まずギブスをはめた重病人が病院車で出発した後、我々軽病人はトラックで行くことになった。出発間際《まぎわ》のどさくさに、近所の足の悪い患者のために水を汲《く》んでやったり、肩をかしてやったりした後、私は自分の心臓が異様に高鳴るのを覚えた。不思議な感覚だった。心臓だけが体の他の部分と関係なく、カタカタと音がするように動くのである。私は異様な不安を抱きながらトラックに乗った。

軍医は私に新しく一抱えの本をくれ、門の前に立って一同を見送った。俘虜の或る者は彼の前に立ち敬礼して「サンキュー」といった。この軍医の親切を慕っていた俘虜もいたわけである。曇った空からオートジャイロが降りて来た。軍医は「やあ、奴《やつ》等《ら》にわが秘密兵器を見られたぞ」といって笑った。

トラックは出発した。展望哨《てんぼうしょう》のある丘の鼻を迂《まわ》り、うねった砂礫《されき》道を行って地峡を抜けたところに人家がかたまっていて、道は広い往還と丁字形にぶつかった。各種の自動車がベルトに運ばれるように均一の速度で、引っきりなしに通っている。やがて我々のトラックもその中に割り込んで進んだ。

比島人がばらばらと沿道の家から飛び出して来て何やら罵《のの》り、手を平らに喉《のど》へ当てて左右に動かした。斬首《ざんしゅ》されるぞという意味であろう。これは私には始めての経験であるが彼等の様子には既に習慣と化した弥次馬《やじうま》的無関心があり、さして深刻な怨恨《えんこん》は見られなかった。こっちでも手を首へあてて同じ仕草をして見せた。彼等は一寸《ちょっと》当惑したようにためらっていたが、改めて罵り騒ぎ、拳《こぶし》を振り上げて追って来た。

道は平地を進み、やがて濁った川を渡って、鬱蒼《うっそう》たる森林地帯へ入って行った。バラックが立ち並び、ハイヒールを穿《は》いた看護婦や、臙脂色《えんじいろ》のガウンを着た米兵の患者が逍遥《しょうよう》していた。娯楽場らしい多角形の亭《ちん》もある。米軍の新しい病院地区であるらしい。

事務所で人員の点検を受けてから、トラックはまた出発した。椰子《やし》と喬木《きょうぼく》の間をあちこち廻《まわ》った後、稍々《やや》開けたところに高い鉄条の柵《さく》で囲まれた一郭に着いた。

新しい病院は前よりその柵が高く門扉《もんぴ》が厳重であると同じ程度に、中の設備も整っている。柵からゆったり空地をおいて、ホスピタル式という長方形の規格形のテントがきちんと五個ずつ二列に並び、床も板で張ってある。後部には独立して配膳所《はいぜんしょ》、シャワー、便所があり、水道栓《せん》は各テントに一個ずつ開いている。

一列が外科、一列が内科である。各中央部が医務室となり米人の衛生兵が屯《たむろ》している。

ここは森を拓《ひら》いて作ったと見え柵の外はすぐ森である。亭々《ていてい》たる喬木の間は薄い緑の雑木が埋め、名も知れぬ小鳥が叢《くさむら》から現われて柵に添って飛んで行った。空気は澄み、時々附近の何処《どこ》かで道路工事をするらしい爆破の音がテントを揺がせるほか物音とてもない。終日発電所の響音に馴《な》れた我々には何か物足りない位の静けさである。

患者は割り当てられたテントの中で各自勝手に席を取った。ベッドを拡《ひろ》げ毛布を配り蚊帳《かや》を吊《つ》る針金を張るのに夕方までかかった。やがて配られた夕食はしかし今までの半分に充《み》たない少量のものであった。

食事は中央料理場で人数によって配給して来るもので、これは私がミンドロ島の米軍の野戦病院で受けた量とさして変りはなかったと思われる。しかしその傷と共に栄養不良をも恢復《かいふく》しなければならぬ日本の俘虜にとって食糧はいくらあっても足りないのである。この分量は以来かなり長く改められず、これが新しい病院へ移ってから、我々の唯一《ゆいいつ》にしてしかも最も切実な悩みであった。

この時日本人の衛生兵と配膳係の悪徳がその効果を発揮した。彼等は自分達が患者のために働くのを楯《たて》に、不足の食糧を横領して満腹を買った。そして餓鬼のようになった患者が盛りのいい皿《さら》を争うのを罵り、残飯溜《だめ》をあさりに行く病兵を打った。米人の衛生兵は配膳係が食糧を貯《たくわ》えるのを憤慨して、病人に腹がへるものは申し出ろと触れに廻ったが、無論誰も名乗り出る者はない。その結果どういう目に遇《あ》わされるかわかっていたからである。

私は年齢と生来の胃弱のお蔭《かげ》で人よりは苦しまずにすんだようである。新しく隣り合わせた俘虜が飢えているのを見兼ねて、たまには乏しい食糧を頒《わか》ち与える位の余裕を持っていた。彼はそのかわり私のために種々の雑用を足し、莨《たばこ》を工面してくれたりした。後で収容所へ移ってからも、食糧が十二分になるまで、私はいつもこういう食糧による従卒を一人持っていた。俘虜のデモクラシイの中で私は自然の要求によって支配していた。

しかし私は忍耐なく支配したわけではない。私は食糧を隣人に頒けたのは自然の剰余ではなく、一種の気取りからである。既に私は不断の読書によって俘虜の間で一種「違った」人間になっていた。レイテの傷兵は現役が多く英語を解するものは殆《ほと》んどない。彼等の私を見る眼はまず戦争初期、電車内で横文字の本を読む人を見る衆人の眼附に近かったが、私はそういう眼の間で意識して衒学的《げんがく》孤独の裡《うち》に閉じ籠《こも》っていた。良かれ悪《あ》しかれ、こうした自尊心が私の病める俘虜の虚脱の中から立ち上った最初のものであった。そして私が痩我慢《やせがまん》して人に食物を譲ったのもやはりこうした自尊心のさせたわざである。

新しい病院では夜電燈を消すことが許されず、その上柵の上に取りつけた終夜燈があかあかと枕《まくら》の上から差し込むので、私は夜も好きなだけ本を読み耽《ふけ》ることが出来た。眠くなって初めて毛布を頭から被《かぶ》って寝た。

しかし私はどんな本を読んでいたろう。百頁《ページ》の中で五人も人が殺される探偵《たんてい》小説か十頁の間に純情の乙女が詭計《きけい》によってチャンスを摑《つか》む雑誌小説である。私は秘《ひそ》かに英語に習熟して、帰国してからシェイクスピアを読む基礎を作ることを目的としていたが、事実はオーヴァーシー版叢書《そうしょ》類を走り読みする悪い暇潰《ひまつぶ》し術を憶《おぼ》えたに過ぎぬ。

しかも私は少なからず傲慢《ごうまん》だったのである。

私は移転の時発見した心臓の異常を気に懸けていた。私は新しい病院のテントの列を端から端まで往復してみて、こういう普通の運動でも心臓が異常に動くのを認めた。ベッドの上で二三度上半身を起伏さすだけでも鼓動が激しくなる。

私は回診の時症状を申し出た。新しい軍医は丁寧に聴診して「肥大している。擦音が聞える」といった。二三日して心臓の専門医という別の軍医が来て院長の診断を確認し「血が逆流するんだ」と説明した。弁膜症である。但《ただ》しこの故障は容貌《ようぼう》と同じく生得のもので、ただマラリアで悪化したにすぎないそうである。別に衛生兵が出張して来て血行を電気レコードして行った。私のマラリアは血液検査によって全癒《ぜんゆ》とされたが、新しく発見された心臓の故障によって退院は延期された。

心臓病は不治と宣言されたが、差当り苦痛はなく、腕や足のない人達の間にまじって、身体に何一つ疵《きず》のないのが気が引けていた私にとって、むしろ誇らしい名誉の負傷であった。それに収容所へ行って労働に従事する義務が延期され、病院の閑暇に悠々《ゆうゆう》読書に楽しめるのが何より有難かった。

しかし心臓病は著しく神経を悩ます病気である。私は鼓動に異常を生じる運動の限度を調べて、歩行ベッド五つ、上半身起伏三つの結果を得た。私は水浴用便の回数を減らし、運動は出来るだけ前記限度を超えないことにした。しかし間もなく私はこの戒律を全然無視しなければならないことになった。

新しい病院に移ってから十日ばかり経《た》った或る晩、便所から帰ると丁度四五人の新入患者が着いて、それぞれ割り当てられたベッドに就こうとしていた。私はその中に痩せ衰えたわが分隊長の悄然《しょうぜん》たる姿を認めた。

私が「班長殿」と呼んで近寄ると彼は「大岡、お前もいたのか。すっかりとられちゃったよ」といった。俘虜となって辛《かろ》うじて病院に収容された軍人から聞く第一声としてはこれはかなり変な歎《なげ》きである。私が「何をとられたんですか」と聞き返すと、「鞄《かばん》も時計もみんなとられちゃったよ」と答える。私は吹き出したくなるのをやっと堪《こら》えたが、私のこの衝動を説明するためには少し遡《さかのぼ》って語らねばならぬ。

この分隊長は日華事変の古強者《ふるつわもの》で、十九年六月私達が東京で輸送編成を組んだ時再び召集されて来た伍長《ごちょう》であった。彼は三十歳であったが部下にやさしく教練も巧みで、我々はいい分隊長に当ったと喜んでいた。マニラについてからも我々は輸送編成を解かず、そのままミンドロ島の警備に廻されたため、ずっとこの分隊長を戴《いただ》いていた。分隊長としての彼の統率には一種皮肉な磊落《らいらく》さがあり、兵士に適当な放縦を許したので、彼は中隊で一番人気のある下士官となった。偶々《たまたま》行われた討伐で夜営中ゲリラの奇襲を受けた時、彼が中隊長と共に外へ飛び出した唯一の兵士だった後は、彼は殆んど英雄の位置まで祭り上げられた。

しかし米軍がサンホセに上陸し我々が山へ入ってから、彼の行動はだんだん変になって来た。小隊長を長とする最初の潜伏斥候《せっこう》が組織され、彼がその補佐としてサンホセ附近まで行った時、一人の兵士がへたばってしまった。彼は進んでこの兵士を護送して先に帰る任務を引き受け、五人の兵と共に帰途についたが、彼はその兵士を少しもいたわらず、駈足《かけあし》同様の速度でぐんぐん本隊の露営地まで帰って来た。兵士はすぐ寝つき五日にして死んだ。

この時の彼の行動はへたばった兵士を口実にして、抜目なく危険区域を去ったのだと噂《うわさ》された。間もなくマラリアが蔓延《まんえん》するにつれ、この対ゲリラ戦で勇敢だった伍長が、自分の命を異常に大事にしていることが次第に明らかになって来た。彼は病人と出来るだけ離れて席を取り、自分の隣へは発熱していない者しか寝かさなかった。彼は病人に絶対に手を触れず、死んだ部下の通夜《つや》にも出なかった。これはマラリアが蚊の媒介によって伝染するという、衛生典範の初歩とも牴触《ていしょく》するおかしな配慮であったが、こういう彼の病気に対する恐怖には田舎の婆《ばあ》さんのようなわけのわからないとこ

ろがあった。(事実彼は埼玉の自作農である)

彼の病気に対する恐怖は薬に対する異常な執着となって現われた。彼はサンホセ附近の船着場に分哨派遣中、比島人から大きな黒革の折鞄を買い、山の中まで大事に持っていたが(これは後の彼の自白によれば、折柄《おりから》そこへ出張して来たブラカオ小隊の給与掛伍長と共謀して公金を胡魔《ごま》かして買ったもので、彼が「とられちゃった」といったのはこの鞄である)衛生兵の憤慨していったところによると、その中には繃帯《ほうたい》その他、各種衛生材料がぎっしり詰っているのだそうである。分隊長がこうして衛生材料を保管するのは違法であるが、サンホセから行軍中衛生兵が荷物を持ちきれず、一部を彼に分けたのが間違いのもとで、後で自分の手許《てもと》の材料が不足してからいくら返還を願っても返してくれないのだという。しかも彼はこれを我々部下にも秘し、必要があっても決して出さなかった。私が発熱と共に下痢をして彼にクレオソート丸をねだった時も、「あれは痛み止めだ、下痢止めじゃない」といってくれなかった。こうして彼は山へ入ってからは最も病人に辛《つら》い分隊長になった。山で兵士は大部分病人になったから、これは最も悪い分隊長ということである。

死んだ病人の遺品も彼はこの鞄にしまい込んだ。(とられちゃったという時計もその一つである。それは時針が二回転すると共に日附を示す数字が変る珍らしい時計で、いかにも彼の喜びそうな代物《しろもの》である）彼は自分も病人と称して斥候出張等の任務を免《まぬ》かれ（仮病の証拠も私は知っているがくどいから書かない）最後は退避組に参加したが、出発の時彼はこの鞄を部下の病兵に背負わせ、自分は雑嚢《ざつのう》一つしか持たずに出掛けた。

要するに駐屯《ちゅうとん》中上官によく部下に厚かったこの下士官は敗残兵となると共に急に自分の命しか考えないエゴイストと豹変《ひょうへん》したのである。しかも彼は自分の命と一緒に公金で買った鞄と部下の遺品を持って帰ろうと思っていた。

彼が掌《てのひら》を貫かれた兵士と分れて川を渡ってからの歴史は、彼の語るところによれば特筆すべきものはなかった。彼は数人の兵士と共に一カ月近く山中を彷徨《ほうこう》した後、衰弱と下痢のため動けなくなったところをゲリラに発見され捕えられた。そして下痢のため彼だけこうして病院へ送られて来たのである。

しかしこの病人を嫌《きら》う潔癖家は彼自身は手のつけられぬ我儘《わがまま》な病人であった。彼は「誰かついていてくれなくちゃ、俺《おれ》あ死んじまうな。大岡頼むよ」といったが、私も病気を持っており、それは出来なかった。私は自分の心臓の故障を説明し、彼の病気がよくあるものですぐ癒《なお》ると慰めた。彼は幾分情けなそうな顔をしていたが、その時はたって主張はしなかった。

しかし日本の衛生兵が通りかかると、彼は突然私の隣りに自分のベッドを移すように頼んだ。幸いこれはにべもなく断られた。この時だけ私は日本の衛生兵の不親切に感謝した。私は便器は不寝番が見てくれることを教え、彼の体を毛布で包み蚊帳を吊って自分のベッドに帰った。

私は考えた。彼のベッドは私のベッドからかなり遠くにあり、その間を往復して彼を介抱することは私の摂生の規則に反する。しかしとにかくこれは私の分隊長である。日本の軍隊の上官が部下に投げ与える恩恵を過大に評価する必要はなく、山で病臥《びょうが》中彼から受けたひどい扱いを私は十分根に持つ理由を持っているが、しかし現在の彼の状態ではまさか放ってもおけまい。明日は彼の体を洗い髭《ひげ》を剃《そ》って、とにかく一通りの始末をしてから一般の看護に委《ゆだ》ねることにしよう。

しかしこの病人はその晩から私を放してくれなかった。うとうとすると私はすぐ「大岡、大岡」という声に眼を覚した。彼が私を呼んでいるのである。便器であろうが、動けない私の病気をあれほど説明しておいたのにと腹が立った。聞えない振りをしていると不寝番の足音が聞え、話している。不寝番の「どうした?」という問いに対して「あの辺にいる大岡という兵隊を起してくれ」といっている。「何だ、用なら俺がしてやるぜ」「あの兵隊を起してくれ」

不寝番が近づいて来て私を呼ぶ。止むを得ず起きて行く。果して便器だ。「便器なら俺が持って来てやる」と不寝番は行ってしまう。私は改めて分隊長にいった。「班長殿、大岡が普通の身体ならいくらでも御世話しますが、大岡は動けないんだから勘弁して下さい。ベッド五つばかり歩くと胸が苦しいのですから」「ついてってくれなけりゃ俺あ死んじまう」「大丈夫ですよ。誰でも来たてはそんなもんです」

便器が来る。向うを向いて用を足しながら首だけねじ向けて、私が行きはしないかと気にしている彼を見捨てて「お大事に」といって帰って来る。不寝番を呼んで「また俺を起せっていうかも知れないが、用はあれにきまってるんだからやってくれ。俺の分隊長だからよろしく頼む。無理もないんだがね、俺も知っての通り……」「わかった。もう起さねえから心配するな」

また目を覚ますと彼は不寝番と諍《あらそ》っている。不寝番が怒って、がちゃんと便器をおいて遠ざかる音がする。彼のそれに跨《また》がっている姿を幾分小気味がいいような気持で思い浮べながら私は寝入ってしまう。

翌日蚊帳をはずし毛布をたたんでやる。水浴はまだ無理らしいから水を汲んで来て顔と手足を洗う。肉類は取り上げ野菜を譲る。ベッドに向い合って一緒に飯を食う。

衰えた足にこびりついた垢《あか》を丁寧にはがしながら、さすが動物を愛撫《あいぶ》するような哀れを催して来る。私の心を傷《いた》ましめたのはこの鶏のようにひからびた足の持つ体温であった。私の病中遠い便所まで匐《は》って行けといった人間の足を洗う自分が少しいじらしいような気がする。こうして世話して貰《もら》う病人はこの日本の俘虜の病院には一人もいないのである。それをこの古い軍人は知っていると思うが。

「世話になるなあ」と彼は強《し》いて昨夜のことには触れずにいう。「いえ、大岡はなにも班長殿じゃなくても、ただ行きずりの人間にだってこれ位のことはするんですよ」と私は少し皮肉にいう。「ええ、私も病人ですから今日の使役はこれでおしまいです。明日はその着物を洗濯《せんたく》します。(彼はピジャマの外まだ米軍の制服が当っていない。ゲリラに着せられた汚ないシャツと半ズボンだけである。制服もいずれ支給されるだろうというのだが、軍隊に馴れた彼はその所謂《いわゆる》員数外の衣服を離したくないのである。で、私はそれを洗っておくことにした)それから明後日《あさって》は一つ水浴をしましょう。それで大岡の使役は終りです。後は一人で丈夫になって下さい。大岡も皆そうやって来たんですから」彼は泣き出しそうな顔をして私を見ている。しかし私は何といっても彼が山で私を含めてあらゆる病兵を虐待したことに対して気を悪くしている。このエゴイストの一時的の惨状に心を動かされまい。

私がこの後いかにこの分隊長に悩まされたかはくどくは書くまい。人間が下痢で死ぬものだと思っている元分隊長と、心臓を気に病む元兵士とでは、いずれ劣らぬ好取組であるが、とにかく私も自分の病気をいたわらねばならぬ体であるということを、彼に呑《の》み込ませるのはどうしても不可能であった。遂《つい》に見兼ねて一人の元上等兵の患者が怒鳴った。

「こらいくら初年子《こ》かてあんなに使うたら可哀《かわい》そうやないかい。(この上等兵は十六師団の兵士だから京都弁である) 死んでまうやないかい。いくらもとの分隊長かて俘《ふ》虜《りょ》になったら対等やないか。伍長位でそないにえらそうに兵隊使うもんやないわ」この後彼はやっと私の肩をかりずに便所へ行き一人で毛布をたたむようになった。私はほくほくこの上等兵の啖呵《たんか》に感謝する自分に幾分の自責を感じないわけに行かなかったが、しかし後で収容所へ行って彼と同行した兵士の一人から聞いた彼の逃亡中の行跡を知っていたら、そんな自責を感ぜずにすんだところであった。

「あんなひどい奴はない」とその兵士はいった。「一人でさっさと飛ぶように行きやがって、ついて行こと行くまいとほったらかしや。(彼はサンホセ駐屯中ゲリラに襲撃されて戦死した衛生兵の補充に来た衛生兵で大阪人である) そいで自分が下痢したら銃持ってくれの、雑嚢負うてくれの、勝手なことばかりいやがってな。食べるもんは人一倍喰《くい》やがるし。最後につかまる時かて、あいつが下痢で動けんさかいつかまったんや。あいつ手榴弾《しゅりゅうだん》持ってた癖に出しやがらへん。（もっともこういう時彼の顔はちょっと微妙な表情を浮べた。善かれ悪しかれこの時わが分隊長が手榴弾を投げなかったため、今彼の命が無事なのは明らかである）つかまってからもうるそういやがってな。船室の中で（彼等はピナマラヤンから米海防艦でサンホセに送られた）あいつ首吊りかけやがんねん。夜中にほっと目さましたら、あいつ手拭《てぬぐい》さいて釘《くぎ》いかけて首吊ろとしてやがんね。わいはいうたんや。班長はん！　こんなところでそんな見っともないことしてくれな」

「俘虜になったのを恥じて首をくくるのは別に見っともなくはないと思うがね」と傍《そば》で聞いていた別の俘虜が一寸《ちょっと》むっとした調子で口を挿《はさ》んだ。

「そんな気のきいたこっちゃったらましなんや。ただわれが下痢して、それが辛さに死ぬんやがな。班長はん、そんな見っともないことしてくれな。死ぬなら死ぬで、向うへついてちゃんと一人になってから勝手に死んでくれ。こんなわいの前で死なれたら、わいが、迷惑する……」

この辺から彼の論理は少し怪しくなって来たが、とにかくわが分隊長が首をくくろうとした恰好《かっこう》は、この自分の前で人に死なれるのに狼狽《ろうばい》した大阪人にも、滑稽《こっけい》と映るほど悲愴味《ひそうみ》を欠いたるものであったらしい。

下痢は我々の常識から見れば、頗《すこぶ》る薄弱な自殺の動機であるが、もし彼が自己の肉体の状態について私の知らない感覚を持っていたとすれば、これも可能であろう。或《ある》いは、これまで書いた彼の死と病いに対する異常な恐怖、つまり自己の肉体に対する異常な執着から見て、彼の肉体的苦痛の最高の表現が、逆に肉体の破壊に向ったことも、想像出来ないこともない。それが俘囚の恥から出たのでないことは、彼が最後まで手榴弾を隠していたことでも確かである。

しかし彼の話で最も私を打ったのは、彼が最初部下に構わずどんどん「飛ぶように」歩いたということである。これは彼がわが友Sを遺棄したことを意味した。生死の瀬戸際《せとぎわ》にある兵士のエゴイズム一般を私は非難しはしないが、彼が私の愛した友を棄《す》てたことで彼個人を嫌悪《けんお》するのは私の自由である。

彼は或る時私にいった。「帰ったら山で死んだ兵隊の家を廻《まわ》って歩こうな」「へーえ、あなたの息子さんは私が山へ棄てて来ましたといって歩くんですか」と私はいってやった。

しかも何度もいうようにこのエゴイズムの権化《ごんげ》のような下士官は、サンホセ駐屯中最も部下に敬愛された分隊長であり、中隊長から一番信任されていた下士官だったのである。我々は駐屯中もなお教育中と見做《みな》されていたが、彼が中隊長に提出した教育日程表は、殆《ほと》んど非の打ちどころのないものであったという。

そして彼は駐屯中完璧《かんぺき》な教育者であったのみならず、戦闘においても勇敢であった。私は些《いささ》か彼の名誉を救うために、前にちょっと触れた彼の討伐戦中の武勇伝を語ろうと思う。

前年の十月上旬サンホセ駐屯中、我々は三カ分隊の兵力をもって西岸サビラヤンに討伐に行ったことがある。この附近一帯はゲリラの勢力範囲であり、米潜水艦の補給を受けている徴候歴然たるものがあったが、相手を見縊《みくび》っていた我々は、米と豚を鱈《たら》腹《ふく》食うための遊山《ゆさん》旅行位にしか考えていなかった。その前に東海岸で行なった討伐では、相手が接触を避けて後退したため事実その通りになったからである。そして前回の不便に懲《こ》りて、今度は炊事用の大釜《おおがま》を持って行ったが、どうもこれはあんまりだったようである。こうした油断が結局戦死一名負傷者三名を出す原因となった。（私は勤務が暗号手であったため常に本隊に止《とど》まり、どの討伐にも加わっていない）

サビラヤンの町にはゲリラはいず、一行は予定通り豚を屠《ほふ》り、トバ酒を徴発して大《だい》饗宴《きょうえん》を開いた。小学校に宿営。正面階段の上に灯《ひ》をつけて終夜衛兵が警戒した。朝三時頃《ごろ》炊事の兵が一方の翼舎に据《す》えつけた例の大釜の下に火を入れた。火が燃え上ると同時に、衛兵所の灯とその火の間約十間が一斉《いっせい》に射たれた。

教室の床に寝ていた兵士達は銃声に眼を開くと、曳光弾《えいこうだん》が花火のように天井にささるのを見たそうである。一人が脇腹《わきばら》に、一人が肩に、二人が脚に弾《たま》を受けた。或る者は頭髪の間を弾が通るのを感じたといっている。（脇腹に傷ついた傷兵は三日の後バタンガスの病院で死んだ）

一同床にへばりついたまま銃を取り装具をつけたが、誰一人弾を冒して外へ出る者はない。この時敢然一人窓から飛び出したのがわが分隊長であった。すぐ土に伏せて見ると、（私は彼の伏せた姿が眼に浮ぶ。これは私が見た中で最も伏せの姿勢のいい下士官であった）弾は前方百 米《メートル》ばかりの森から来るらしい。銃声の合間に高い笛の音が聞え、斉射がそれに続いた。

中隊長は既に出ていた。そして敵との間の前庭をゆっくり左右に歩いているのが、衛兵の消し忘れた灯の光で見えたという。（この時灯を放棄して逃げ込んだ衛兵司令の下士官は後で中隊長に叱責《しっせき》された）

「わが分隊長はすぐ応射した。「中《ちゅう》さんがぶらぶらしてるんで邪魔で仕様がなかったよ」と彼はいった。彼の単独の射撃は微力なものであったけれど、この時なお数名の犠牲者を救ったものであったかも知れない。何故《なぜ》ならそれを合図のように長い笛の音が聞え、相手の射撃は止《や》んだからである。ゲリラは極力犠牲を避ける。分隊長の放った一弾は彼等にとってわが応戦の始まりを予告するものだったのである。

兵士は三々伍々《ごご》窓から出て射撃を開始した。何の応答もない。進撃は危険であるから、床下に各自身を埋めるに足る穴を掘って警戒する。やがて雨が降って穴に流れ込み、兵士は泥《どろ》まみれになった。夜が明ければ既に敵影はない。捜索に出掛けた兵士はすべて掠奪者《りゃくだつしゃ》と化した。負傷者をバタンガスの病院へ送り、ゲリラを誘導した嫌疑をもって町長他《ほか》に書記一名を俘虜として一同空《むな》しく引き揚げた。

「よくでもそんな時に出られたもんですね」と私が讃嘆《さんたん》をこめていうと、わが分隊長は笑って、「だって、中にいて突撃されたらみんなやられちまうものな」と答えた。「後の窓から出ちゃどうなんですか」「後へ出るのも前へ出るのも、危いのは似たようなものだ。後へ出たりすりゃ一遍で評判が悪くなっちまう」と彼はまた笑った。

この頃彼は私にとって一個の英雄だった。だから「中にいるとやられる」の如《ごと》きシニックな表現も、単なる勇者の謙遜《けんそん》と考えていた。私は自分の持っていないものについて幻影を抱いていたのである。

しかしその後山へ入ってからの彼の行動を併《あわ》せて考えると、これがなかなか謙遜どころではなく、事実その時彼をして、一人飛び出させた真の動機だったことは、もはや明白であると思われる。中で躊躇《ちゅうちょ》していた他の下士官もいずれ劣らぬ日華事変の古《ふる》強者《つわもの》であるから、状況を判断する力は似たようなものであったろうが、ただ彼のように自己の生命の存続について敏感でなかった、それだけの違いではなかったかと思われる。それは丁度彼等が山へ入ってから、わが分隊長ほど断乎《だんこ》部下を見棄てることが出来なかったのと揆《き》を一にしている。

この伍長が他の下士官のなし得なかったことをしたことについては、彼の機転を認めずばなるまい。例えば彼が弾を冒して飛び出す時、彼は敵の射撃の間合いを量るという微妙な問題を解決していた。ここに彼の教育者としての聡明《そうめい》、部下に対する磊落《らいらく》（これは一種の社会的な機転である）と遥《はる》かに呼応する彼の才能は認めずばなるまい。恐らくこの種の才能は東京近県の農民として彼が戦時中養成したものである。しかし彼が今が適当と判断して飛び出す瞬間、彼を後から押したものはこの判断ではない。

これが生命に対する執着で、愛国心でなかったことは、お互いのために残念である。かかるエゴイズムと勇気との一致これは職業軍人という化物を構成する畸型《きけい》的結合の中でも最も奇妙なものであるが、この結合はやはり一種の危機の状態にあるから訓練を要する。所謂実戦の経験というものがそれである。

（私はこの挿話《そうわ》で偶然もう一つの勇気の例を描いている。即《すなわ》ち相手の前をぶらぶらしていた中隊長である。私は彼の場合、既にほかの章で書いた理由によって一種の自殺と考えているのであるが、表面はやはり訓練された虚栄心を示している。日華事変中多くの日本の将校がこの種の虚栄心によって無意味に死に、或いは傷ついた。虚栄心というのはこれが古代的勇気の単なる模造品にすぎず、彼自身にとっても祖国にとっても、何等真実なる動機に基《もと》づいていないからである）

わが分隊長が下士官を志願したのは必ずしも彼の望みではなく、日華事変中軍の補充の必要から半ば強要されたものらしいが、周知のように日本の軍隊における下士官の生活は、小自作農のそれよりは遥かに快適なものである。少なくとも彼の場合家にあって家長たる老父の下に、屈従的な労働に従事するよりはましであった。彼は家業は弟に委《まか》せ、中支にあって悠然《ゆうぜん》と父の死を待っていた。父は折よく昭和十六年彼が除隊になった年に死に、彼は家を継いで結婚した。（あなたはお父さんの死骸《しがい》には触らなかったでしょうという私の問いを彼は肯定した）ただ太平洋戦争末期となって再び召集され、敗軍の中に未熟な兵士を預ることは彼の予定に入っていなかった。だから彼はその責任をあっさり振り捨てたのである。

病気が快方に向うにつれ、彼の私に対する態度は冷たくなった。彼として私の「忘恩」を憎む理由を持っていたろうが、私ももう昔の上官は沢山であった。後で収容所で隊を異にするにつれ、我々は益々疎遠《ますますそえん》になった。彼もあの掌を射抜かれた兵士と同じく、昔の僚友とは誰とも付き合わず孤独に暮していた。(収容所で一体農民出の俘虜はテントを異にする昔の僚友よりは、近所のベッドの新しい隣人と仲好くしていた。必要と便宜に敏感だからである。遠いテントから遥々昔馴染《なじみ》を訪ね合うのは俸給《ほうきゅう》生活者上りの補充兵の習慣である)

彼は新しい隣人の間では大人しい、いい人という評判を取っていた。我々に道で会うと何故か眼を伏せた。或いはこれが常に病いを怖《おそ》れていた彼の魂の真の状態であったかも知れない。彼を磊落な分隊長にしたのも、戦闘において勇敢たらしめたのも、すべて環境が彼に着せた衣裳《いしょう》だったかも知れない。だから私は彼が現在パン焼窯《がま》かなんか据えつけて、狡猾《こうかつ》な田舎の闇屋《やみや》として、盛大にやっていることを疑わない。(私は彼によって日本の職業軍人の最もありふれた型を書くつもりで出発しながら、どうやらかなり非凡な人物を書いてしまったような気がする。とにかくこれは一個の田舎の変人である。ついでに彼の肉体的特徴を記しておく、丈は五尺二三寸、色黒、あまり雄大ではない体軀《たいく》と比べて頭は稍々《やや》大きく、長頭、額は高く髪はわずかに縮れている。眉《まゆ》太く、奥眼、鼻細く、頰骨《ほおぼね》突出、口は普通、所謂面長《おもなが》であるが、広い額と比べて顔の下半部は小さすぎて美観は呈さない。全体として大人しい印象。駐屯中彼は日夕《にっせき》点呼の時、御勅諭のかわりに「海行かば」を我々に歌わしめたが、その声は細

長く音痴であった）

この伍長と少し遅れて彼と一緒に退避したサンホセ駐屯陸軍航空隊気象観測班の兵士の一人が入院した。これは十九年徴集の現役兵で大分県の小作農の子である。（こう書いて来ると私が軍隊で接触した兵士、少なくとも私に感銘を残した兵士が悉《ことごと》く農民であるのに気が付く。ここには日本軍の構成の統計的原因のほかに、何か彼等と私の間に共感の原理があるに相違ない）彼は西欧風の顔立をした色白の大人しい若者で、まず我々の中で随一の美男子であった。男色に趣味を有する気象班の下士官が、山へ入ってからも彼を口説いているという評判であった。

彼は左胸にまだ弾丸を保持していたが、一見なかなか元気で、つぶさにその捕えられた時の状況を物語った。虚栄心の制約を持つ日本の俘虜は、一体いかにして自分が捕えられたかを精密には語り得ないものである。で、私は彼の語った貴重な詳細をここに書き落したくない。

彼はブララカオ小隊の兵士が掌を貫かれた時、川を越えて遁《のが》れた中に入っていたが、彼を愛していた下士官他に兵一名と共に、そこでわが分隊長の一行とはぐれてしまった。四五日山中を彷徨《さまよ》った後、森林中の小径《こみち》で突然背後から射撃された。先に立った僚友は走り出した。彼は木の根に躓《つまず》き倒れた。僚友の走り去った前方でも銃声がした。右手は林、左手は原である。原の向う三百歩にまた林がある。何故この時右手の繁《しげ》みに駈《か》け込まず原を突切る気になったかはわからない、と彼はいっている。（惟《おも》うに前後から射《う》たれた状況から見て、林中には敵が潜む可能性があったのに反し、原には誰もいないのを確実に見たからではあるまいか）

走りながら彼は弾が耳をかすめて飛ぶのを聞いた。弾は前方からも来るように思われた。しかし躊躇《ためら》うことは出来ない。一散に林に駈け込み繁みを分けて進んだ。池があった。迂廻《うかい》してなおも進むと前方からも人声が来る。草に伏せた。声は四方から迫って来るように思われた。比島人らしい。口笛を吹きながら来る者もある。（彼は既に銃を持っていなかった）足音の近づくのを聞いて立ち上り走った。池が残された唯《ただ》一つの避難所と思われた。頭から飛び込む空中で胸に衝撃を感じた。水底の泥が顔に当った。顔をあげるとすぐ水面に出た。水は肱《ひじ》で支えるほどしかない。立とうとしたが胸が重たくて立てない。もがいていると水を渡る足音が近づき両腕を摑《つか》まれた。

様々の服装をした比島人が取り巻いていた。彼等は罵《ののし》って彼の顔を打ったが、傷を見てやめ、肩にかけて岸へ運んだ。彼は死なねばならぬと思い、胸の傷を悪くするために出来るだけあばれた。比島人は彼を木へ縛った。何かいってるが無論わからない。

やがて担架が来て寝かされ厳重にくくりつけられた。担《かつ》いで運ばれながら彼は残された唯一つの運動、つまり大きく息をすることにした。（しかしこの時彼の呼吸は彼が故意にしなくとも大きくならざるを得なかったろうと私は思う）息をするごとに血が新しく流れ出るように思い、彼は慰められた。

一行は一軒の小屋に入り、担架を床に横《よこた》えた。胸が開けられ臨時手当がほどこされた。「殺せ、殺せ」と彼は叫んだが、その声は思ったより遥かに小さく、彼は自分の耳が遠くなったような気がしたそうである。

一人の四十四歳の比島人が入って来て彼を見詰め、意外にも馴れた日本語で「静かにし給《たま》え」といった。彼は「殺せ」と繰り返した。比島人はほほえんで「殺さない。アメリカ兵に渡す。アメリカ兵は傷を癒《なお》してくれるよ」といった。「癒していらん。殺せ、俺《おれ》は日本人だ」というと、その比島人は急にはらはらと涙をこぼした。

この涙にびっくりして興奮が退《ひ》いた。比島人はとめ度なく出て来る涙を拭《ぬぐ》いながら彼の傍にしゃがんでいった。「君の気持はよくわかる。しかし君にはお父さんやお母さんがあるだろう。お父さんは君が折角助かるのに無理に死んだと聞いたらどう思うだろう。さあ、そうあばれちゃ傷に悪い。静かにしなさい」

聞きながらも彼も泣いた。母のことをいわれたのが一番辛《つら》かった。山の中を歩きながら彼の考えるのは実は母のことばかりだったからである。

涙の中に彼はなるようになるほかはないと諦《あきら》めた。比島人は色模様のハンケチを出して彼の涙を拭い、笑って「わかったね」といった。

彼が海岸の米軍の屯所《とんしょ》に運ばれる途中、この日本語を話す比島人はずっと付き添って来た。彼は途々《みちみち》自分の身の上を語った。彼は若い時横浜で二年ばかり中国人の店で働き、日本の女を妻として帰った。二人の間に今十八になる男の子が一人あるが、彼は米軍がこの島に上り比島人の協力が活潑《かっぱつ》になると、不意に父親に自分は日本人だ、これからルソン島へ渡って日本軍に加わると宣言した。母親共々いくらなだめてもきかない。許可を与えずにおくと、ある晩とうとう家出してしまった。そして翌朝北の方の町でずだ袋一つかついで、徒歩で北上する彼の姿を見た者があるきり消息を絶ってしまった。

「どうして自分を日本人だと思うんだか、父親の俺は比島人なんだから、お前も比島人だといってもきかないんだよ。戦争が始まった頃この町にもいた日本の兵隊に可愛《かわい》がられたもんだから、日本軍が好きになったらしい。今頃どうしているか、死んでいるかも知れない」といって彼は暗い顔をしたそうである。

「その日本人の母親というのを見たかい」と私はきいた。

「そういえば一人女が食事を持って来てくれたことがあったけど、自分は比島人だと思っていました」と彼は答えた。

私は毎朝欠かさず彼を見舞った。しかしこの兵士とも私は話がなかった。私は話しては傷に悪いというのを口実にして、いつも顔を見るだけで帰って来た。四五日経《た》った或る朝、彼は顔を濡《ぬ》れ手拭《てぬぐい》で覆《おお》って寝ていた。傍《そば》の俘虜に聞くと容態が悪いのだという。翌日私は探偵《たんてい》小説か何か読んで午前中彼を見舞うのを怠った。午後行って見ると彼のベッドは空《から》であった。前の晩のうちに彼は死に、死体は既に運び出された後だという。このテントは私のテントとは大分離れていたので私は何の気配も感じなかった。

私は暫《しばら》くぼんやり空のベッドに腰かけていた。そこらはきれいにベッドの下まで清掃され、彼の痕跡《こんせき》は何一つ残っていない。一夜の中《うち》に彼が完全に消え失《う》せてしまったのは確実である。

私は漸《ようや》く私の心を満たし始めていた人間が、再び私から奪いさられたことを知った。彼が死んだのは私のせいではないが、昨日彼の手拭を被《かぶ》った顔を見て、彼のいなくなる可能性に想到しなかったのは私の迂闊《うかつ》である。私は彼の名前さえ知ろうとしなかったのではないか。

しかしあわてるのはよそう。彼と私にはやはり私が好いていた北津軽の兵士同様、何の話もなかったではないか。私が彼等の喜ぶものを喜び、心を開いて語ることはありそうもなかったではないか。私はただ感傷によってしか、彼等に近づくことは出来なかったではないか。

私は再び心臓の故障を意識し、立ち上ってのろのろと自分のテントに帰った。分隊長に「班長殿、気象隊の兵隊は死にました」というと涙が眼から溢《あふ》れて来た。

雨季は漸く去り毎日晴れた日が続いた。頭上のテントは焼け、暑気は照らすように、横わった我々の体に達した。私は初めてテントという文明の利器を呪《のろ》った。

患者は一日中食べものの話をしていた。食べものの話をしない時は大抵「イエス、ノー」という謎々《なぞなぞ》遊びをしていた。二十の扉《とびら》の花形諸賢の機智《きち》を持ち合せない彼等の愚問愚答は私を焦《い》ら立たせた。私は執拗《しつよう》に読書に閉じ籠《こも》っていたが、彼等の大声は耳に蓋《ふた》をしても聞かないわけに行かない。集団生活は何の目的も持たないならば真に堪え難い。

収容所からマラリア等で入院する俘虜によって最近起った脱走事件の噂《うわさ》がもたらされた。それは五人の集団脱走でいずれもパイロットだそうである。彼等は全部タクロバンの飛行場への潜行に成功し、飛行機を奪ってセブ島に逃れたという。「そういえば丁度その日、この病院の上を低空飛行して行った飛行機があったが、それがきっとそうだ」という者が出て来た。しかしこれは米軍の警備状況から見てまず信じられない噂である。

米軍の台湾上陸が伝えられ、やがて硫黄《いおう》島であることが判明した。本土決戦は俘虜の間でも主張された。或いは本土を米軍に委せ新京遷都が論じられた。この方が食べものの話より聞き易《やす》かったのは事実である。

私の心臓は次第に恢復《かいふく》しつつあった。「体力をつけなくてはいけない」という軍医の薦めによって、私は朝晩板敷の床を掃き水を打つのを仕事とすることにした。やがて各テントに幕長《ばくちょう》をおき一種の統率を行わしめることとなった。例によってやたらに責任をきめる日本軍隊の考え方であるが、私のテントでは幾人もいる下士官をさしおいて、年長の故《ゆえ》をもって私が指定されたのは、幾分俘虜らしい自由主義の現われであったかも知れない。

こうして私は病院における特権階級の端くれとなった。二三日おきに打合せ会と称して配膳所《はいぜんしょ》で幕長会議が行われたが、幕長には名目以外大した仕事もないので、従って何の打合せ事項もない。結局会合は配膳係がピンをはねた食糧のお剰《あま》りを我々に饗《きょう》応《おう》して、彼等の外郭団体たらしめることにあったらしいが、私は御馳走《ごちそう》を大部分テントに持ち帰って分配し、これが私の幕長としての人気の主なる原因をなしていた。しかし配膳係はやがて「患者が変に思うといけない」といって私が食糧を持ち帰るのを禁じた。

名目だけでも統率者の眼をもって見れば、俘虜は全く手がつけられない怠け者である。私の受持ったテントは内科の中でも軽病者を集めた病棟で、多く栄養不良から来る脚気《かっけ》か、山中の悪食《あくじき》による下痢であったが、軍医の薦める一日二回の水浴も、十分間の日光浴も、彼等にはすべて面倒臭いのである。彼等は終日熱いテントに寝そべって食べものの話をするのを好む。

この点外科の患者は積極的に恢復しようという意志を持っている。一体彼等は内科の患者に比べて万事病人振らない。既に不具者として生活の工夫を開始しているのである。外傷は内臓の疾患ほど精神を毒さないらしい。

精神そのものを傷《いた》められている患者もいた。一人は二十四五の若い兵士で、食事に当って一種の儀式を行う。毎食皿《さら》の前に端坐《たんざ》し、暫《しば》し瞑想《めいそう》してから深く叩頭《こうとう》しそれから初めて匙《さじ》を取る。山中で飢餓に悩んだ名残であろう。

彼は配膳係の剰した食糧に対して果敢な突撃を敢行した唯一人の患者であった。配膳係もこの無邪気な狂人には手向えなかったらしい。彼は与えられた食糧を勅語を捧《ささ》げる兵士のように両手で持って、テント中央の通路を歩いて帰った。

もう一人は四十を越した水兵である。彼は最初単なる下痢患者として私のテントに入って来たが、やがて典型的な拘禁性精神病の徴候を示すようになった。「射て」と叫んで不意に起き上り、外へ飛び出す。彼は附近海面で単独に沈められた軽巡洋艦の砲手で耳が遠い。

ベッドに縛っておくと糞便《ふんべん》を洩《も》らした。この仕末は彼の発作を抑えるより面倒であったので、以来放置することにした。幸いその後発作はあまり起らなかったが、今度は間断なく用便を訴えるようになった。しかも便器を拒否し、どうしても便所へ行くと主張するのである。これも拘禁性精神病の症状の一つかも知れない。不寝番に忌避されて、偶然隣り合わせた不運な患者と私が半夜交替で彼の要求をきく役目になった。

十分以上便所に坐《すわ》っていてもどうしても出ないので、やっとなだめて連れ帰り、ベッドへ寝かしつけてこっちも横になる。気がつくと彼は既にベッドの傍の床へ這《は》いつくばって立とうともがいている。尋ねると便所へ行きたいという。こういう病人を扱うのはかなりの忍耐を要するが、しかし彼の不断の便意は、或《あ》るいは一度失禁して以来、我々に迷惑を掛けたくないという固定観念から出たものではないかと思われる節があるだけに、腹も立てられないのである。中年の男の固定観念は傷ましい。

或る晩いつものように彼を便所へ送り届けた。彼はじっと眼をつぶって端坐している。私はふとこうして二十分でも三十分でも勝手に便所におく方がいいのではないか、と考えた。そして坐るに疲れるのを待って連れて帰れば、或いは彼ももう便意を訴えず、あわよくば眠ってくれるかも知れない。

私は表でゆっくり待つことにし、テントへ莨《たばこ》を取りに帰った。ベッドで莨を巻いていると、私は何物かが私と柵《さく》の上から照らす反射燈の間を通過した気配を感じた。外へ出て見ると、向うを背を円くして転がるように走って行く人影がある。彼の体力として考えられない状況だが、とがった頭の恰好《かっこう》はたしかに彼である。

彼の目的は推測出来なかったが、深夜柵の近くを走るのは危険である。「射つな、射つな」と叫びながら、私は自分の心臓を意識しながらよたよたと後を追った。門の扉を揺ぶり、それから傍の柵に上ろうとして有刺鉄線に手をかけたところで、私はやっと追いついた。私の位置も危険である。私は外に番兵の姿を探し「射つな、射つな」と叫び続けた。

番兵が近寄って来た。「何だ」「気違いです」「早く中へ入れ」しかしこの狂人をその位置から動かすことは私の手に余った。彼は既に鉄線から手を放していたが、血のついた手を私が引くに委《まか》せながら、執拗《しつよう》に前方の地面を見詰めて立っている。足は衰弱した彼の体に似合わない力で踏みしめられ、一寸も動かすことは出来ない。

日本の衛生兵が出て来た。彼はいきなり狂人の頰を打った。二つ、三つ。狂人は殴られる毎《ごと》に風に吹かれるように頭を左右に動かしたが、眼は依然前方の地面を見詰めたままである。また打った。私は衛生兵と狂人の間に入った。「よせ、殴ったって癒るか」若い肥《ふと》った衛生兵は「何を」と身構えたが、さすがに私を打たなかった。彼は仲間を呼びに駈けて行った。

狂人の手を引いたが、やはり足を踏張って動かない。何が彼を自分の立った位置を守ることを決意させたかは全然不可解である。私も彼を殴りたくなった。

突然彼は私の手を振りほどいてすたすたと歩き出した。とっつきのテントに入り、中央の通路をどんどん我々のテントへ歩いて行く。そして自分のベッドへ戻ると、勝手に蚊帳《かや》をまくってどたりと倒れ込んだ。「射て」これが彼がこの時洩らした呟《つぶや》きである。

その時から彼は不断の便意を訴えなくなった。まこと狂人の心理は我々の理解を超えている。十日の後彼の下痢は止った。彼は絶対に口をきかないという外、他の軽病者と何の変りもない患者となった。

私の心臓はますます好調に向った。米軍の衛生兵の指導で朝晩行う軽い体操にも堪えられ、テント内の掃除にも疲れない。と同時に新しい懸念、むしろ恐怖が私を捉《とら》えた。即《すなわ》ち病気が全癒《ぜんゆ》とされて収容所へ移されはしないかという恐怖である。

収容所は日本人の長によって自治的に管理され、ニッパ編み、所内の設営が日常の仕事だそうである。現在の自由な読書を離れて、そういう空虚な労働に服することを私は無論好まないが、第一にいやなのは再び日本人の統治の下に入ることである。病院も日本人勤務員の横暴の下にあるが、何といっても米兵が常駐しているし、一般に穏和な病院気分を保っている。自由な日本人の自治の下に、また軍隊式の命令と偏見の間に入れられてはかなわない。いっそいつまでも病院にいて、後れてもいいから病院船で送り返されたい位である。

私が病院に残る手段は通訳の助手でも志願するよりないが、これは既に二名の先任者がいて、厳重に既得権を脅《おびや》かされないように警戒している。既に私が英語を解するのが彼等の脅威となりつつあった。新しい病院の医務室には英和和英の辞書が備えられたが、彼等は極度の排他的情熱をもってそれを守り、なかなか私には貸してくれないのである。この道は私には閉されていた。

遂《つい》にその日が来た。或る日軍医は丁寧に私を診察してから、記録を取っている通訳を顧みて「退院」といった。「収容所にも病棟がありますから、すぐ働かされはしませんよ」と通訳が慰めた。

翌日私はピジャマとタオルを洗濯《せんたく》して返納し、かねて支給されていた米軍の制服に着かえた。別に別れを惜しむ人はいない。分隊長は私の後任として幕長になれるのを喜んでいた。日附は三月中頃《なかごろ》というほか正確なことは覚えていない。私は結局約二カ月を病院で過ごしたことになる。

午後数名の退院者と共に病院車に乗り、収容所に向った。収容所はここからタクロバンとは反対の側の、タナワンという村にある由《よし》である。病院車は遮蔽《しゃへい》されているので、沿道比島人の嘲罵《ちょうば》の的となることもない。道は暫く前に移動して来た道を逆行するらしいが、やがて幾つか角を曲り見知らぬ埃道《ほこりみち》を何処《どこ》までも走った。

やがてまた樹《き》のない平坦地《へいたんち》へ鉄線の柵をめぐらした前で止る。病院より大分広い。柵は二重になり、入口の米軍の事務所がある一郭から内部まで、さらに柵で隔てられている。我々はその事務所に隣接した待合所風のニッパ小屋に入れられた。汚い折畳式ベッドが乱雑に並べてある。同行全員の訊問《じんもん》がすむまでここに止《とど》められる由である。既に夕方近く訊問係りの二世は帰ってしまったので、我々はここで一夜を明かさねばならぬ。

食事が支給された。日本人の炊事係が作ったコーンビーフ等を煮込んだ粥《かゆ》が缶詰《かんづめ》の空缶に盛ってある。量は食べきれないほどあるが、米軍の中央料理場で調理された病院の食事とは比較にならぬまずさである。飲物は砂糖を入れない紅茶が石油缶で供された。それに各自喰《た》べ終った空缶を突込んで飲むのである。

ベッドには埃がたまり、毛布は汚れ、蚊帳は穴が開いていた。用便は小屋の隅《すみ》におかれたバケツへ足す。新入者が入れ替わり立ち替わり過ごす仮の宿りながら、すべてが不潔で不仕末で、また日本軍隊の匂《にお》いが濃くなって来た。

夜遅くまで柵の中に並んだニッパ・ハウスから放歌の声が聞えた。燈火は見えない。

翌朝我々は一人ずつ同じ郭内に並んでいる小さな小屋に呼び込まれて訊問を受けた。大きな鉄兜《てつかぶと》をかぶった厳《いか》めしい二世が、訓練を受けた内地部隊の将校の名前を訊《き》いた。幸いなことに私はそれをことごとく忘れていた。訊問がすんで帰る時二世は莨を一本くれた。

全部すむのに午後までかかった。しょうことなしにベッドに横わっていると、突然中の柵から大勢の裸形《らぎょう》の日本人が溢れて来た。或る者は蛮刀を持ち、他の者は長い青竹を担《かつ》いでいた。彼等は我々には見向きもせず、彼等の間できゃっきゃっ騒ぎながら、竹を切り、割り始めた。一寸ほどの幅に割られた竹は蛮刀で切尖《きっさき》をつけられ、我々の寝ている小屋の前面を、柱から柱の間に腰位の高さにどんどん突き立てられて行く。我々は小屋の前面に仕切りを造るのであるとは、出来上るまでわからなかった。

皆よく肥り真黒に日焼していた。褌《ふんどし》は米軍の制服の切れ端、メリケン粉の切れ端等、あらゆる種類の布切れで出来ていた。彼等は皆例外なく裸であった。

罵り騒ぎながら二十分ばかりでまたたく間に垣《かき》を結び終ると「作業止《や》め」の声がかかり、一同またふざけながら、切屑《きりくず》を集め土を掃いて柵内に吸い込まれて行った。或る者は切り残りの青竹を爆弾三勇士のように三人がかりで運び去った。私はこれが俘虜の一つの作業単位の、一日分の割り当であることを後で知った。

私はこの肥った血色のいい同胞達が去った後、暫し笑いが止らなかった。この猿《さる》のように罵り騒ぐ裸形の人種が、かつてレイテの海岸を護《まも》って悲壮な防衛戦を展開した勇士と同じ人間であるとはどうしても信じられない。しかも今や正に祖国存亡の秋《とき》、米軍が日本領硫黄島を占拠し、小笠原を伝って北進するか、或いは西方台湾沖縄を覘《うかが》うか、戦局頗《すこぶ》る重大の時である。私は汚いベッドにひっくり返っていつまでも笑い続けたが、幾月かの後、私もまた彼等と同じ種類の人間になり果てようとは、その時はやはり思っていなかった。

謬《あやま》たぬ記憶で辿《たど》ろう

「地獄篇」第二歌

生きている俘虜《ふりょ》

俘虜は一般に捕えられた兵士であり、ただ祖国へ帰る日を待って暮していると考えられている。しかし私の見たところによれば、俘虜は「兵士」でもなければ「待っている」わけでもない。彼等は既に戦闘力がないという意味で兵士ではなく、俘虜収容所の生活の必要は彼等に「待つ」ことを許さない。彼等は生きねばならぬ。

彼等は Prisoner of war（戦争の囚人）という字句の示す通り、正に囚人であるが、彼等が個人として犯した罪によって幽せられたものではない。ただ彼等の兵士という身分が、敵国にとって有害であるから幽せられたのである。しかし彼等は必ずしも自ら望んで兵士となったのではなかった。

彼等はその兵士としての自由（つまり戦う自由）を捨てた（或《ある》いは捨てさせられた）代償として、個人の自由（つまり生きる自由）を得た。ただ遺憾ながらその個人の理由によらず幽せられている。

俘虜の唯一《ゆいいつ》の希望は無論いつか解放されるということである。しかし俘虜の刑期は不定であり、「待つ」目標がない。それに「待つ」とは生きることではない。

俘虜も毎日を生きねばならぬ。しかしこういう状態で生きることを、真に生きるといえるであろうか。

私がここでいう俘虜とは、終戦の大勅によって矛《ほこ》を捨てた兵士ではない。彼等は単に被抑留者である。俘虜とは日本が戦っていた間に、降服、或いは戦闘力を失うことによって、敵に捕えられた者を指すべきである。

昭和二十年三月中旬私がレイテ島の俘虜収容所に入った時、そこにはルソン島南部以南、レイテ島までの比島群島で捕えられた、約七百の陸海将兵が収容されていた。内四百はレイテ島に注入された総兵力十三万五千から生き残った者である。

収容所は東海岸タクロバンから海岸に沿って六粁《キロ》南に下ったタナワンにある。ここは大本営発表の所謂《いわゆる》「タクロバン平原」の一部をなし、海岸線に平行した自動車道路から西側（つまり山側）に十間ばかり引っこんで、約二千坪の地面が有刺鉄線で囲まれている。

正門は道路から見て敷地の左側に、道路に面して開いている。木の框《わく》に有刺鉄線を張った門扉《もんぴ》を入ると、そこは約三十坪の前庭である。本来の収容所はここと又柵《さく》を隔てて、右側に拡《ひろ》がっている。入口のすぐ左に小さなニッパ小屋があり、米軍の将校一人下士官三人が机に向っている。これが収容所事務所であり、将校は収容所長である。

事務所と通路を隔てて右側に五間ばかり、やはりニッパで葺《ふ》いた細長い小屋が延びて、中にカンバスを張った米軍規格の折畳みベッドが並べてある。我々はここを「待合所」と呼んでいたが、要するに到着した俘虜が種々の手続を済ませて正式に収容されるまで、一日か二日を過ごすところである。内部は掃除が行き届かぬので、あまり清潔ではない。

この待合所の向い側、つまり事務所と並んで、待合所の前面と事務所のそれの差だけの空間には、やはりニッパで葺かれた一間四方のこぢんまりとした小屋が三つ並んでいる。入口は裏側にあり、通路から見える三方は窓がない。中には小さな卓子《テーブル》と二脚の椅子《いす》があり、俘虜は一人ずつここに呼びこまれて、二世から訊問《じんもん》を受ける。彼等は大抵数人まとまって到着するので、訊問だけでも半日かかる。

訊問がすむと俘虜は外の明るいところで、写真を撮られる。警察の手配写真と同じく、正確に正面と正確に横面の二枚である。さらに全指の指紋も取られる。

これだけの手続をすませると、新入者は初めてその先輩達に加わるのを許される。待合所の横に開いた門扉のない門を入ると、幅三間ばかりの道路が真直《まっすぐ》に通り、両側に十軒の掘立小屋が並んでいる。各々《おのおの》幅約四間奥行約六間のニッパ・ハウスである。まずとっつきの左側に炊事場がある。屋根ばかりのがらんとした内部に、米軍規格の三十六ガロン容《い》りの大きな水槽《すいそう》を据《す》えて釜《かま》とし、俘虜の中から選ばれた炊事係が、米軍給与の缶詰《かんづめ》から各種のゴッタ煮を作る。正面の隔壁の全長を蔽《おお》う細長い窓があり、石油の空缶に入れて料理が渡される。

炊事場は入口を除き三方廂《ひさし》まで針金を網状に張り廻《めぐら》してある。飢えた俘虜が食糧を盗みに入るのを防ぐためである。炊事場の前の道路上にはやはりニッパで葺いた小さな井戸屋風の屋根を造り、リスター・バッグと呼ばれる布製ゴム引の円筒形の袋が吊《つ》るされてある。直径二尺高さ四尺ばかり、消毒剤を混じた水を入れて、底の活栓《かっせん》から俘虜が随意に汲《く》むに任せる。

炊事場の向いは道路から三間ばかり退いて空地となり、炊事専用の井戸が掘られてある。その傍《そば》に釜に使うのと同じ容量の水槽が据えられ、ガソリンのヒーターで湯を沸かしている。毎食後俘虜は食器をそこで消毒することになっているが、釜は一つしかなく、湯はすぐ濁るのであまり励行されていない。その空地後部にあるニッパ小屋は、炊事員の寝起きするところである。

炊事場の隣りは所謂「本部」である。俘虜の代表者、自ら称するところによれば「日本人収容所長」（これは「日本人を収容する施設の長」ではなく「収容所の日本人の長」の意である）とそのスタッフ及び各小屋の長が住んでいる。入口は奥行一間ばかりを仕切って、昼間日直当番者及び伝令が詰める。

その次の小屋は「下士官室」と呼ばれ、俘虜の中で各種の役に洩《も》れた下士官が一棟にまとまっている。しかしこの差別待遇は後に俘虜が米軍に倣《なら》って中隊編成に改組され、役の数が増えて彼等の大部分を吸収するに及んで廃された。

下士官室の向いの一棟は医務室である。奥行の三分の一が垣《かき》で仕切られ、それをさらに縦に半分に仕切って、一方が軍医の診察室、他方が外科の治療室になっている。奥の三分の二は重病棟と呼ばれ、病院に送るほどではないが、看護を要する病者が収容されている。病院から到着した私が、まず入ったのはここである。

その隣りの一棟は「軽病棟」である。病気は癒《なお》ったが衰弱の恢復《かいふく》しない者、慢性脚《かっ》気《け》患者等、要するに特に看護の必要はないが、自ら食事を運ぶ力のない者が集められている。日本人衛生兵二、世話係二が付いている。

他の四つの小屋、つまり本部側の奥の二棟及び医務室側の「本部」対面の一棟、及び軽病棟の奥に続く一棟に、一般俘虜が住んでいる。一人用の折畳みベッドが、入口から縦に三列、ぎっしり並んで、一棟約六十人の俘虜がそれぞれ席を占めている。

要するにこの一郭の小屋の配置は、門を入って左に炊事場、本部、下士官室、一般棟二個と並び、右は井戸及び炊事員宿舍、一般棟一個、医務室、軽病棟、一般棟一個と並んでいるわけである。便所は右側の列の端《はず》れに、小さなやはりニッパ小屋が建っている。

しかしこれは収容所の全部ではない。小屋の列の尽きるところにまた有刺鉄線の柵があるが、中央部が道路の幅に取りはらわれて、自由に出入出来る。この先も大体柵のこちら側と同じくらいの広さの一郭になっているが、ただし空地である。

間の柵の存在はこの収容所が次第に拡張されて行った名残である。以前この空地は人員の増加につれ、テントを建てて収容したところであるが、ここも収容しきれなくなったので、さらに向うへ移って行った。この一郭の向うに新しい敷地を設け、そこに増加するに従って収容すればいいようであるが、実はそこには先客がある。

やはり中央を切り開いた柵の向うには台湾人の俘虜が集っている。十数人を入れる小型のテントが約十個並び、日本軍に使われていた台湾人の軍夫が収容されている。米軍は彼等が日本人と接触するのを喜ばず、彼等のために別に外部へ出口を設けている関係上、この位置を動かすことが出来ないのである。

日本人が台湾人区域に立ち入るのは禁じられているが、全然入らないわけにはゆかない。何故《なぜ》ならその向うには、さらに柵で隔てて、前記の空地に入りきれなくなった日本人俘虜が一括収容されているからである。「本部」とこの一郭との連絡には、どうしても台湾人の敷地を通らねばならぬ。だから柵には一貫して門が開いているわけであるが、通るのは原則として役員のみに限られている。しかしこの原則はあまり忠実には遵《まも》られていない。退屈した俘虜の友人が相互に訪問し合うのを、厳密に監視することは出来ない。

台湾人も日本人と交際したがらない。眼を伏せて中央の通路を通る日本人を見ないようにしている。彼等は必ずしも「解放された」喜びを現してはいないが、とにかくその態度には一種の安堵《あんど》と気楽さがあるように見受けられる。彼等の給与は一般に日本人よりはいいと、日本人は信じている。

彼等は音楽を好む。粗末な板を合せて作った胴に、針金を張って胡弓《こきゅう》を作り、日夜歌楽に興じている。また料理に凝り、美味な揚饅頭《あげまんじゅう》を作る。で、日本人は煙草をもって、暮夜ひそかに交換を乞《こ》いに行く。

台湾人敷地の先にある新入者の一郭は広く、中央に空地を囲んで、点々と台湾人と同じ規格のテントが張ってある。ここでこの収容所の敷地は尽きる。

入口に接したニッパ小屋の一群はA組と呼ばれ、この一郭はB組と呼ばれている。B組もまた独立に「本部」と炊事場を持っているが、医務室は持っていない。

収容所全体の代表者は同時にA組の代表者を兼ね、米軍収容所長の命令によってB組に代表者をおかねばならなくなったことを不満に思っている。彼は例えば収容所全体に支給される食糧をAB二組に分ける権限を持っているが、彼は常にA組に厚くB組に薄く分ける。古いA組の俘虜が健康を恢復していて「働く」のに反し、B組の新しい俘虜は多く衰弱していて働けないのがその理由である。しかし事実は現に体を恢復しつつあるB組の俘虜は、飽満したA組の俘虜よりも食糧を欲《ほっ》していた。差別待遇は食糧のみならず、治療娯楽等あらゆる方面に現れていた。B組の「本部」とそのスタッフは歯ぎしりし、一般俘虜は飢えていた。

しかしこういう人事的細目は追って語ることとし、まず地理的細目を片付けてしまおう。

入口から収容所を貫く中央道路の正面に北極星が見えた。つまりこの敷地は正確に南北に長く横《よこた》わり、入口はその南東の角に東面しているわけである。東側つまり自動車道路が敷地と平行に走る側は、前述のように道路まで十間ほどの空地が続き、低い独立テントが並んで、夜米兵が寝に帰って来る。彼等は夜遅くまで、歌を歌い読書する。時々比島人の女が訪ねて来る。

A組の敷地とそれに続く空地の境目の道路側にまた一つ門が開いている。これは南東の正門より大きい両開きの門で、傍に高い木造の監視櫓《やぐら》がある。その下にニッパ作りの倉庫があり、食糧、被服、作業用具等を貯《たくわ》えている。俘虜で外部へ作業に出る者はここから出入する。台湾人敷地とは一種の迷宮的区劃《くかく》によって直接に繫《つな》がれ、彼等は日本人と接触することなく出発帰着出来る仕組になっている。監視櫓の上には機銃があるらしいが、下からは見えない。

倉庫の横から椰子林《やしりん》が始まる。しかしその椰子は概《おおむ》ね丈も低く葉色も悪く、美観を呈さない。土質が発育に適さないのであろう。

この醜い椰子林が、また一つ監視櫓のある敷地東北隅《ぐう》から、北側一帯を蔽って西北隅で尽きるところに、さらにまた一つ監視櫓がある。そしてそこから暫《しばら》く草の繁《しげ》った高みが持ち上った後、西側一帯は沼沢地《しょうたくち》となる。疎《まば》らに生えた挺水《ていすい》植物の間に、濁った水が暗緑色の水草を浮べている。比島人はこういう土地に米を植えたり植えなかったりするが、ここには植えていない。

沼沢地は幅約十間、向い側は雑木林であるが、縁は丈の低いニッパ椰子（これは幹を持たない椰子の一種で、その葉を干して屋根を葺く）が繁って、アンリ・ルソー風の熱帯の下蔭《したかげ》を作っている。

沼沢地は敷地が西南に尽きるところで、山の方から流れて来る一つの小川の流域と直角に合するのは大体見当がついているが、その方はまたその辺に群れている米軍のテントに妨げられて見透《みとお》せない。川は敷地の南側約十間先を通り、自動車道路を欄干のない木橋で高まらせて、その先で稍々《やや》うねりながら、約一粁先にある海に向って行く。

橋の袂《たもと》、収容所の入口と対角をなす対岸には米軍の自動車修理工場があり、開け放された前庭に各種の自動車が雑然と置かれてある。岸に臨んだ工場のブリキの塀《へい》の下で川は澱《よど》み、朝、黎明《れいめい》の光を映して鈍く光った。

道路には絶えずトラック、トレーラー、ジープ等がアメリカ流の驀進《ばくしん》的運転で通る。作業隊らしい比島人を乗せたトラックが通る。彼等は一斉《いっせい》にこちらを向き、各種の嘲笑《ちょうしょう》的動作を示しつつ喚声を挙げ、それは柵が道路から見える限り、つまりA組敷地が終るまで続けられる。

外部に直接接する柵は、二尺ほど間隔をあけて二重になっている。ひと月ばかり前、四人の航空兵が脱走してから二重になったのだそうである。

この本来の収容所にいるのは下士官、兵に限られている。十数人の将校は前庭の訊問所の奥、つまり炊事場と柵を隔てて並んだ小区劃に小さなテントを張って暮し、原則として一般俘虜と接触することは禁じられている。米軍は彼等がミリタリズムによって、俘虜を組織するのを懼《おそ》れているらしかったが、俘虜が元将校に対して抱いている復讐《ふくしゅう》的快感に照らせば、これはまず杞憂《きゆう》であった。

従卒を失った将校達は甚《はなは》だ不細工に日常生活を遂行していた。テントの張り綱には各種の洗濯物《せんたくもの》が乱雑に干してあった。彼等の区劃には便所がなかったので、用便はA組の便所まで行かねばならぬ。幹候上りらしい若い元将校は、彼に対してわざと無関心を示す元兵士の間を、皮肉な薄笑いを浮べながら、殊更《ことさら》に歩度を緩めて通って行った。

米人の収容所長はやがてこの関係に気がついた。そして一般俘虜が彼に抗《さから》う毎《ごと》に、将校を入れて指揮させるぞと脅かした。

「本部」にいる「日本人収容所長」は今本という十六師団の上等兵である。ただし彼は曹長《そうちょう》を詐称《さしょう》していた。彼の中隊は全滅していたので、初めは誰も彼の真の階級を知る者がなかった。たまたま彼の階級を知る可能性のある者が来ると、彼はまずその者を呼びつけ「何々中隊に俺《おれ》に似た上等兵がいたはずだが、あれは俺の弟だ」と宣言した。相手はそんなことでは欺《だま》されはしなかったが、所内における彼の勢力は絶大であったので、蔭口をいうに止《とどま》った。

彼はレイテ島で獲《と》れた最も初期の俘虜に属し、まだ米軍の給与が整備されていなかった頃《ころ》、米兵を彼の聯隊《れんたい》の食糧集積所へ案内して、僚友に食物を与えたという功績があった。こういうことから彼は次第に米軍の信頼を得、今日の地位をかち得たのである。

彼の「地方」（これは周知のように軍隊で一般社会を意味する言葉である）における職業は運送業であり、単純な親分的統率の才を具《そな》えていたようである。彼は要するに俘虜を人夫のように扱うことによって支配していた。

齢《とし》は三十四五、丈は低いが体は頑丈《がんじょう》である。顔の皮膚は厚く、意外なところに意外な皺《しわ》が寄っていた。顔は四角く稍々反歯《そっぱ》、足は短かくガニ股《また》であった。

彼は支配するとは絶えず被支配者を怒鳴りつけること、また常に彼等を監視しているぞ、自分が不機嫌《ふきげん》であるぞということを、彼等に悟らせることにあると信じているらしかった。彼が用事で二三時間外出して帰って来るところはちょっと観物《みもの》であった。

通例彼は東側中央の門から帰り、A組の小屋の列の末端から道路に現れ、不機嫌に稍々俯向《うつむ》いて、本部の前まで帰って来る。彼は絶えず眼を左右に配って来るが、視線は必ずしも小屋の内部に放たれるのではない。丁度小屋の入口の垣や柱の根元のところに投げられるのである。それはつまり「俺は見ているぞ」ということを誇示するための視線にほかならない。本部に帰ると彼はどたりと自分の席に倒れ、駈《か》け寄って靴《くつ》の紐《ひも》を解く世話係の少年の俘虜に怒鳴る。「各棟、表に水を撒《ま》かせろ」これが通常彼が自分の留守中跳梁《ちょうりょう》すべき部下のふしだらから、発見する唯一のものであった。

しかし彼の専制君主の地位はそれほど安易なものではなかった。本部には彼のほかに副長一人、書記一人、及び各小屋の長が七人（これは「棟長」と呼ばれた）がいたが、これが書記を除き全部海軍の下士官であった。

周知のように米軍がタクロバン附近に上陸したのは十九年の十月二十日であるが、二十五日にはレイテ島南北の二つの海峡及びルソン島北東海面で三つの海戦が行われ、日本海軍が壊滅した。収容所に来ていたのは主としてレイテ島の南を限るスリガオ海峡に向った、所謂《いわゆる》「山城扶桑《やましろふそう》組」の生き残りであったが、二十五日から一昼夜海に泳いだ後、米哨戒艇《しょうかいてい》に引き揚げられた彼等が来たのは、一般に永く山中に潜んだ後ゲリラに捕えられた、十六師団の敗兵よりも早かった。

こうして初期収容所の設営は多く海軍の俘虜によって行われ、顔役的地位は大抵彼等によって占められていた。日々の行事もすべて海軍式に行われる。例えば、朝は

「起床」ではなく「総員起し」であり、食事は「めし上げ」ではなく「食事」、炊事場は「炊事」ではなく「烹炊場《ほうすいじょう》」であった。こういう海軍的な環境のなかで、今本がその地位を維持し得たのは、ひたすら米軍が一旦《いったん》きめた代表者を変更する面倒を忌《い》み、海軍の顔役共もそれを了解していたことによる。

あらゆる君主と同じく今本も最初の決定によって存続していた。そしてその性格の単純によって、彼はよく傀儡《かいらい》たる資格を具えていた。彼は殊に英語を解さなかった。

彼の下には副長に織田という兵曹がいた。彼の地方における職業は大阪の或る発条会社の厚生課長であり、軍人の謹厳と共に月給取の慇懃《いんぎん》もかね具えていた。そして彼が収容所で発揮していたのは主としてこの後の方の才能であった。

齢は三十二歳、なかなかの好男子で鼻下にちょび髭《ひげ》を貯えていた。彼は今本のいわば参謀の役を務め、今本と海軍出の棟長達の間の緩衝地帯の役割を果していた。彼が今本の位置を窺《うかが》うのも必しも不可能ではなかったろうが、それを企てなかったのは、その位置の困難を知っているのと、参謀的役割に最も快適を感ずる使用人根性からであろうと思われる。彼の態度は慇懃、言葉は明晰《めいせき》かつ丁寧であり、そのため棟長達の支持を得ていると信じていた。

彼は少し英語を解した。そのため本部には通訳はおかれなかった。文書飜訳《ほんやく》その他彼の能力を超えた通訳事務がある場合は、一般俘虜の間にまじっていた学校出の軍属が用いられた。現役の多いレイテの俘虜にも英語を解する者がないではなかったが、特にシビリヤンが選ばれたのは、シビリヤンは役員になれないという不文律があり、英語を解するという織田の優点が、本部において凌駕《りょうが》されないためであった。

今本と織田の任務は要するに米軍収容所長の指令を一般俘虜に徹底し履行せしめ、不平請願のある場合は代表して申し立てることにあった。しかしこの後の方の任務は殆《ほと》んど実行されることがなかった。命が助けられた上に衣食が支給されるのにひたすら驚いていた日本の俘虜は、概して不平をいわなかったし、いっても今本に握りつぶされることもまた知っていたからである。

米軍の係官は今本と織田に馴《な》れ、訛《なま》って「イマモロ」「オラ」と呼んだ。で以下私の記録でもそう呼ぶことにする。

書記は中川という十六師団野砲の軍曹である。単純な阿諛者《あゆしゃ》であるが、前述によって読者が容易に推察されるように、イマモロは阿諛に弱かった。中川はイマモロのあらゆる気紛《きまぐ》れを忍び、顎《あご》の動き一つで何処《どこ》へでも飛んで行った。棟長達は公然と彼を蔑視《べっし》し、彼は毎日棟長達に関する告げ口を発明していた。時々彼は人事について陰謀を企《たくら》んだが、成功したことはなかった。

彼は英語を解すると称し、米軍の作成する俘虜名簿の処理を手伝ったりしていたが、彼はその所謂「極秘」の名簿には、各人が降伏したか、捕われたかが記載されているといっていた（彼は但《ただ》し capture はキャプター、surrender はソレンデルと発音した）。しかし米軍が俘虜に降服と捕獲の区別をつけるはずはなく、ただ彼がこうして一般俘虜を威嚇《いかく》しようとしているのは明白であった。これは、私の信ずるところでは、彼自身降服したしるしなのである。

彼はまた山中で人肉を喰《く》ったといっていたが、つまらないことを自慢する気になったものだ。これも私は嘘《うそ》だと思っている。

要するにこれは市民社会のどこにでもいる最も平凡な悪党にすぎなかった。私は軽蔑から彼の職業経歴を聞かなかった。

こう書いて来ると、わが俘虜専制政体の頭部が、あまりにも類型的な人物によって占められているのを認める。すべて或る政体はそれを構成する人間を似通った型に刻むものらしい。

イマモロの専制はまず前述のように一旦きめたものを変更したくないという米軍の怠惰によって支えられていたが、第二にはどうせ誰かが代表しなければならない以上、誰でもかまうものかという俘虜の怠惰によっても支えられていた。そしてあらゆる怠惰な人民の上に立つ政府と同じく、甚だ恣意《しい》的に運用されていた。面白いのはその恣意の結果がさして突飛に到《いた》ることなく、おのずから専制者の欲望の一般的限界に落着いたことである。

中川の下に、というよりはむしろ彼の上、オラの下に、七人の棟長がいた。前述のように悉《ことごと》く海軍兵曹である。彼等の任務は無論各棟の統率と監督であるが、彼等はおおむねその棟にいず、本部に起居して従卒的な少年俘虜にかしずかれ、別製の料理を食べていた。彼等の生活は要するにたまに棟に入って親分風を吹かし、本部にあっては互いにその特権を論じて悦に入ることに尽きていた。

これ等収容所の顔役の勢力の源泉は、彼等の軍隊における階級が或る標準に達していること、及び多少の機転と才能等にあったが、まず第一は彼等が他より先に俘虜となったということにあった。考えようによってはこれは随分奇妙な優点である。

彼等の人物にもそれぞれ個人的特徴がないことはなかったが、私は今それを枚挙する煩《はん》に堪えない。私は既に本部の三人のスタッフの性格の素描を試みただけで、読者を退屈させはしなかったかと懼れているのである。さらに各棟六十人を四つに分けた各班の班長、その下にいる一般俘虜に及んでゆけばきりがない。私の記録の最初にあたって、羅列《られつ》によって俘虜名簿と競争するのは、読者にとっても私にとっても、あまりにも退屈であろう。

私は既にわが収容所がどういうところにあり、どういう風に管理されているかを語った。そろそろ語り手たる私自身が、どういう人間であるかを註《ちゅう》してもいい頃である。では私は昭和十九年三月応召、二十年一月二十五日ルソン島西南のミンドロ島の山中で捕えられた三十六歳の補充兵である。捕えられた時罹《かか》っていたマラリアは簡単に癒《い》えたが、心臓に故障を生じ、二カ月をここより北方八キロのパロの俘虜病院で送っていた。

私の応召直前の職業は神戸の或る造船所の事務員であり、戦う日本の建艦状況を見て、祖国の敗北と自己の死を確信して比島へ来た。そして奇妙な偶然によって文明国の俘虜となり、新しい境遇、殊に俘虜という新型の日本人の間に生きる運命に茫然《ぼうぜん》としていた。以下の私の記述が刻明な観察に基づくと思わないで戴《いただ》きたい。私はただ漠《ばく》然《ぜん》たる記憶を刻明に辿《たど》っているだけである。

型通り訊問《じんもん》のため一晩を待合所で明かした後、私は数人の病院からの同行者と共に、本部の前に立たされた。イマモロは私の体を爪先《つまさき》から頭のてっぺんまで睨《にら》み上げて、「重病棟」と怒鳴った。被服は既に病院で暗緑色の米軍の制服を支給されているので、さし当り貰《もら》うものはない。私は教えられるままに、通路を横切って筋向いの「重病棟」に赴いた。

重病棟は既に述べたように、他の棟と同じニッパ小屋である。高さ二米《メートル》ばかりの太い椰子の丸太を、約二間の間隔をおいて両側に立てた上に、竹の垂木《たるき》で組み、乾いたニッパ椰子の葉で葺《ふ》いた切妻形の屋根が載っている。周囲は胸の高さに割竹を連ねた腰張をめぐらす。

午後も遅く、治療も終ったとみえ、前部の医務室はがらんとしている。やはり竹で結った仕切りを越した中には、折畳みベッドが三列並んでいる。屋根は高く日向《ひなた》から入ると快い冷気が領している。

窓際《まどぎわ》に俘虜の手製とおぼしき怪し気な木製の卓子《テーブル》を控えて坐《すわ》っていた一人の若い俘虜が立って来て、私の席を指定した。これがここでは班長と呼ばれて、実質的に棟内を取り締る人であることを後で知った。

私はこの病棟に一人の知己を持っていた。私と同年配の補充兵で、病院でベッドを隣り合わせていた脚気《かっけ》患者で、一週間前に退院してこの収容所に移っていた。

彼は大阪の河内《かわち》郡の青物卸商で、飽食に馴れていたせいか齢に似合わず健啖《けんたん》であった。量の少ない病院の米式料理を一口で食べてしまって、後はぼんやりしている彼の姿を私は見兼ねて時々食事を分けてやった。彼はこれを甚だ徳とし、かわりに煙草《たばこ》を工面してくれたり、種々雑用を足してくれた。

私が表の待合所にいる間から、彼は禁を犯して（訊問が済むまで内部の俘虜との接触は禁ぜられている）ひそかに私を訪れ、早速食器を作ってくれた。食器といっても単に缶詰《かんづめ》の空缶にすぎないが、主食用副食用湯呑《ゆのみ》と、それぞれ大きさの規定があって、やたらの空缶を使うわけには行かないのである。炊事員が蛮刀で乱暴にあける切口を、米軍の携帯口糧に付いている缶切で丁寧に切り直し、さらにその切口を木の棒で叩《たた》いて口を傷つけないようにならすという、根気のいい仕事を彼はやってくれた。また竹をけずって箸《はし》も作ってくれた。

彼は私の姿を見るといそいそと立ち上り、早速自分のベッドを私の隣へ移して来た。私は彼が依然として空腹であることを知った。

彼は私に重病棟内部の事情を説明してくれた。三列のベッドのうち、二列が患者、一列が日本人の衛生兵と患者の世話をする係にあてられているのである。

一方の窓際の一番医務室寄りの端にいるのは前述の「班長」である。彼は十六師団の衛生伍長《ごちょう》で年は二十四五歳であろうか、京都の古い茶問屋の息子であった。色白のいかにも京都風のおっとりしたぼんち型の青年である。

彼は伊達野《だての》忠治と名乗っていた。捕えられた時は国定忠治と名乗ったが、通訳の二世に問い詰められて「伊達の忠治」という意味で、「伊達野」といい替えた。「伊達の」とは京都の市井語《しせい》で「偽の《にせ》」を意味するが、国定忠治を知っていた二世もさすがにそれを知らなかったので通用したのである。偽名は多くの日本の俘虜が採用したところであるが、こういう突飛な名前はちょっと珍らしい。彼は日本軍がやがて比島を恢復《かいふく》して、収容所は解放されるであろうと信じていた。

次に寝ている次席の衛生兵も、やはり十六師団の衛生上等兵で京都の（十六師団は主として京都の兵より成る）或る撮影所の助監督であった。齢はやはり二十四五歳、円顔でよく肥《ふと》り、黙々と働く様子は、我々の持つ映画人の観念からかなり遠かったが、後に彼の仕事がトーキー製作が要求する分業的細目の一つだけ担当するにあると知って漸く《ようや》納得した。彼は感情的に軍隊を嫌悪《けんお》し、彼の名乗った平野という偽名はその上官の名前であった。

次に寝ているのは通訳である。この医務室には米軍の軍医一名衛生兵一名が配属され、毎朝出勤して来る。通訳は軍医の回診の時患者の訴えを取りつぎ、衛生兵と薬品受領等について打ち合せするために欠くことが出来ない。

彼は桜井という二十歳の学徒で、東京の或る都会風の私立大学の予科生である。しかも幼年時代をピッツバーグで過ごしたとかで、特に会話がうまい。しかし彼の顔と動作にはあまり洒落《しゃれ》たところはなかった。丈が低く色が黒く、両手を無雑作に垂らして、少し反身《そりみ》になって歩く。絶えず無精髭《ぶしょうひげ》を生やしているが、その髭はどこか武者絵の武田信玄を思わせる、左右に乱雑に突っぱった髭であった。

彼は我々に対して甚だ突慳貪《つっけんどん》であった。別に語学を誇る風も見えなかったが、結局言語が通じぬばかりに、米人の前でまごまごしている大人が馬鹿に見えて仕方がなかったのであろう。要するにこれは子供であったが、一般に俘虜の間から選ばれた通訳特有の阿諛の調子がないのが私の気に入った。

それに続いて三人の世話係が寝ている（私が常に「寝ている」と書くのは、俘虜の席をきめるのがベッドだからである）。一人は中年の補充兵、他の二人は二十代の現役兵で、いずれも十一月以後この島の西海岸に上った増援部隊の兵士である（増援部隊にも色々あるが、いちいち区別する煩に堪えない。一体に私はこの記録では俘虜の兵歴は詳述しないことにする。そのためにはレイテ戦記をひと通り書かねばならないが、正史が発表されていない今日、俘虜の個人的な経験談を綴《つづ》り合わせてみても無意味であるし、そもそも私の描こうとするのは俘虜であって兵士ではないから、彼等がいかに戦ったかは私の記録ではさして重要ではない）。

この三人は棟内外の掃除及び患者の食事運搬分配を受持っている。頭株は青木という年かさの補充兵で、その主な役目は食事の盛り分けであったが、これがなかなか微妙な問題であった。というのは炊事場から運ぶ石油の空缶には、衛生兵、患者、彼等自身の分まで一緒に入って来るからである。

イマモロが食糧を、「働く」A組に多く、「働けない」B組に少なく割当てたと同じ原理によって、青木は衛生兵に多く、患者に少なく盛らねばならぬ。そして彼等自身にもやはり多く盛らねばならぬ。しかも差別は過度に赴いてはならぬ。隣の軽病棟ではそのため患者が結束してイマモロに上申し、棟長と世話係が更迭《こうてつ》したことがあったからである。

この差別をつけるのが青木にとって甚だ辛《つら》かったのを私は知っている。殊《こと》に炊事係の気紛れにより石油缶の中の食事の量が少なかった場合そうであった。彼は狐疑逡《こぎしゅん》巡《じゅん》、幾度も盛り直して、予《あらかじ》め提出されている十五ばかりの食器に盛り分けるのに、二十分以上もかかっていた。

彼は名古屋の場末の遊廓《ゆうかく》附近に住むブリキ職で、九歳と七歳の子供を抱えた鰥《やもめ》であった。額が狭く口が大きく、いつも煙草の吸いさしを耳に挿《はさ》んで歩いた。まず市井の所謂「よく出来た人」の典型で、彼の関心は常に彼自身を含めて、人間の窮状に同情することにあったらしい。彼は甚だ寡黙《かもく》で人に向うと話題がないのを恥じているようであった。学校は或《ある》いは小学校も出ていなかったかも知れぬ。或る日私は彼がベッドに坐り、赤城の勘太郎の活弁を稽古《けいこ》している傍《そば》を通ったことがあったが、彼の見ていたメモは片仮名で書かれてあった。

他の二人の若い世話係はちょっとけじめをつけるのがむずかしい。肉体的には一方は巨眼角顔に対し、他方は細眼《ほそめ》円顔、一方が衝立《ついたて》のように肩が張って筋肉がしまっているのに対し、他方は撫《な》で肩でぶくぶく肥っていたという対照があったが、二人の動作性格は「検察官」のドブチンスキーとボブチンスキーのようによく似ていた。つまり二人共常に勤勉に任務を果そうという善意に溢《あふ》れ、棟長班長の気に入られようと務めていたが、いつもやり損ってばかりいたのである。彼等は食事運搬用の石油缶の後始末についてよく炊事からだめを出され、彼等が医務室を掃いた後に襤褸《ぼろ》布《ぬの》や脱脂綿の落ちてないことはめったになかった。そして俘虜の先輩や同僚について常に不平を持っていた。

彼等は自ら志願して患者の世話をしているのであり、概して患者に親切であったが、細眼円顔の方は何故《なぜ》かわが飢えたる隣人を憎んでいた。いつも食事の時何か因縁《いんねん》をつけて（例えば分配された食事を取りに来るのが早過ぎるとか、缶の大きさが違うとか）口汚く罵《ののし》った。人間が控え目に欲望を表白するということには、何か自然に醜悪なものがあるらしい。

「あないわいでもよさそなもんや」とわが隣人は悠然《ゆうぜん》と呟《つぶや》いた。中年者の方でもその欲望を遂げるためにあまり他人を気にかけない。丁度私がこの収容所で食べる最初の食事が分配されたところであった。

食事は缶詰の肉を煮込んだ粥《かゆ》である。直径二寸高さ四寸ほどの規定の空缶（これはその缶詰の内容の種類によってきまっている）に三分の二ほど盛られ、別に戦前日本にもよく輸入されていた矩形尻《くけいしり》つぼまり形のコーンビーフが、三人に一個添えられる。米は細長く粘りのある濠洲米《ごうしゅうまい》である。

この量は最近の脱走事件の懲罰の意味で減らされたものの由《よし》であるが、それでも病院で食べ馴れた量の倍はあり、収縮した胃には入りきらない。無論味は米軍の野戦料理場から配給される病院の米式料理よりは著しく落ちる。

わが隣人は喜んで私の食べ残しを食べた。

日本の兵士の間では、残飯を貰った者は施し主の食器を洗う不文律がある。でわが隣人は自分の食器と共に私のも持ち、裏口から出て行った。

棟後は柵《さく》まで約二間ある。その間の空地のほぼ各棟の境目に、二棟に一つの割合で井戸が掘ってある。多分敷地南方を流れる小川の影響で、このあたりは砂地であるから二米も掘れば比較的良い水が獲られる。乾燥野菜などを入れてあった大きな空缶に竿《さお》をつけた釣瓶《つるべ》でその水を汲《く》み上げる。井戸の両側には、割竹を並べた地上二三寸の流し台が一方に、同じ仕掛を腰の高さまで高めた流し台が他方に、それぞれ一棟の背後を蔽《おお》う長さで延びている。低い流し台では水浴をし、高い流し台では食器を洗うのである。

三カ月の後我々はシャワーも食器洗滌《せんじょう》用のヒーター附水槽《すいそう》も、その他すべて米軍兵営と同じ設備を持つ別の収容所に移ったが、ここはレイテ戦のまだ終らない十二月初旬から、俘虜の手で次第に改良されて行ったもので、種々原始的な工夫の跡を残していたのである。被服も一般に渡っているのは、上着が上下一揃《そろい》に靴《くつ》だけで、あとは俘虜が工夫していた。

例えばわが従卒たる隣人は私のために褌《ふんどし》を作ってくれたが、布はメリケン袋の切れはし、糸はそれをほどいたものであった。彼はその糸を炊事場から貰って来た余り湯に浸して癖を取り、針金を鉄板で磨《みが》いて尖先《きっさき》をつけた針に通して縫ってくれた。針の頭は石で平らに潰《つぶ》し、何であけたか、ちゃんと糸穴もあるのを見て、私は感服した。

裁縫具は大体本部に一組備えてあったのだが、使用申込者が多く常に行方不明であったので、俘虜はこうして各自工夫していたわけである。布を裁つにはすべて安全剃刀《かみ》の古刃《そり》が用いられたが、これはその他用途が多く、大抵の俘虜は何処からかそれを見つけて来て大事に持っていた。これが当時我々の所有する唯一《ゆいいつ》の兇器《きょうき》であった。

夕食は四時に配られ、五時が日夕《にっせき》点呼である。本部前面の溜《たま》りに詰めている日直班長（これは各棟の班長の間から交替されて日々の行事を宰領する）の声で、俘虜はぞろぞろ棟を出て五列横隊に中央の通路に並ぶ。点呼は入口を守る憲兵（これは収容所長とは別の命令系統に属するらしい）の将校或いは下士官が取る。

収容所の日本の俘虜を一纏《ひとまと》めに眺《なが》められるのはこの時である。彼等は普通褌一つで暮しているが、点呼の時は制服を着けねばならぬ。方々にPWと捺《お》された大きな米兵の制服の上着の袖《そで》を折り返し、ズボンの裾《すそ》をまくり上げ、十一文以上のだぶだぶの靴を引きずって、ぞろぞろと不服げに列を作る彼等の姿は、要するに他に比べるものもない、単に俘虜である。

彼等は多く自らの意に反して捕えられた人達であるが、既に三カ月を収容所で過ごして、俘虜の生活に馴《な》れていた。彼等は豊かな米軍の給与によってよく肥り、新しい集団的怠惰に安んじて、日々の生活を楽しむ工夫を始めていた。しかし点呼の時は彼等は自分達が囚人であることを思い出さねばならぬ。

点呼を取る米兵がイマモロを伴って入口から入って来ると、オラは全員に「気を付け」をかける。点呼者が最初の一群を数え出すと、他の群の長（つまり棟長）はそれぞれの群を「休め」させ、点呼者が到るに従って「気を付け」をかける。「気を付け」で俘虜は不動の姿勢を取る。これは周知のように「内ニ軍人精神横溢《オウイツ》シ外厳粛端正ナルヲ要ス」と規定されている姿勢である。軍隊にあって、つまり彼等が「軍人」であった頃《ころ》、多数の制服を着た人間がこの姿勢を取る光景には一種の美観があったが、今や彼等は俘虜であり、各人各様に身に合わぬ服を着ている。しかも彼等は「気を付け」の声で、同じ厳粛端正な姿勢を取るのである。

米軍に日本の軍人精神を示すために、俘虜になっても殊更に軍隊の習慣を変えなかった少数の者が彼等の内にいたのを私は知っている。彼等はそのベッドの周囲を整頓《せいとん》し、被服も軍隊流にきちんと折り畳んで、枕元《まくらもと》においていた。或る者は未《いま》だに友軍の再来を信じ、その時の用意に食糧を節してベッドの下の土に隠していた。

しかし大部分はただ習慣によって不動の姿勢を取るだけであった。そしてこの場合、それは単に服従の活人画的演出、即《すなわ》ち阿諛《あゆ》しか示していなかった。そしてこれが意識するとしないとに拘《かかわ》らず、囚人たる彼等の現在の状況の正確な表現であった。

イマモロは米兵に随行して棟長が申告する現在員数を紙に記し、米兵が実際に数えた数を各群毎《ごと》に照合して、最後に到《いた》ってその合計が米軍に既知の公的数字に合致すると「別れ」になる。

米兵は鉛筆の尻で数えて行った。俘虜は五列に並び、甚《はなは》だ数えよかったにも拘らず、点呼者が下士官の場合よく間違えた。掛け算ではなく足し算を行うためであろうか。

これが四列の隊形を素速く数えることに馴れた元日本兵の「別れ」の時の、いつも繰り返される冗談の種であった。支配者の欠陥は常に喜ばれる。

我々患者はベッドに坐って点呼を受ける。重病人は寝たままでよい。米兵が医務室を抜けて重病棟の入口に姿を現すと、班長が「気を付け」を叫び、我々は胸を反らす。米兵はその位置に立ったまま数えて行ってしまう。

点呼は朝七時、夕五時、夜半の二時にある。夜半の点呼は最初はなかったが、例の脱走事件以来実施されている。

脱走の結果は種々の方面に種々の仕方で現れていた。既述のように柵が二重になったこと、他の俘虜がそれを援助した嫌疑、或いは妨害しなかった罪により、食糧の減少、煙草の支給の停止であった。レイテ戦より終戦まで十カ月の間に、脱走は右一件しか起らなかったが、当時の我々の生活にかくも影響のあった事件について、ここで多少の詳細を省くことは出来ない。

事件は二月下旬、脱走したのは東《あずま》という二十四歳の海軍兵曹《へいそう》ほか三名、いずれも航空兵関係であった。彼等は成功の率を慮《おもんぱか》って殊更大勢の同志を誘わず、小人数をもって決行したのであろうと、彼等に誘われなかった友人達はいっている。

彼等の目的はタクロバンの飛行場に潜行し、飛行機を奪ってセブ島に逃れることであった。その頃はまだセブ島には米軍が上陸していず、時々発せられる空襲警報はその航空基地から飛来する日本機のためだと信じられていた。

脱走の主謀者東はわが重病棟の班長伊達野と親しかった。伊達野は夜中急病人の発生に備えて、収容所にある唯一の懐中電燈を所持していたが、決行の前夜東は寝台の下に落した針を探すからといって借りに来た。そして伊達野の留守宅の住所を聞き、暗誦《あんしょう》して帰って行った。

懐中電燈は翌日も返されなかった。午後病棟の衛生兵達に誘われてトランプをしながら、東の顔は蒼白《そうはく》で眼は血走っていた。伊達野はその意を察して懐中電燈の返却を求めなかった。

脱出した個所は敷地の西北隅である。その頃はそこはまだ監視櫓《やぐら》を欠き、東北隅の監視櫓の上に取りつけられた終夜反射燈は直接照らさなかった。脱走者達は昼間予めそこにニッパ椰子《やし》の葉を綴り合せたもの（屋根を葺《ふ》いた残りである）を懸けて蔭《かげ》を作っておいた。柵に水平に張った有刺鉄線の間隔は七八寸あるから、少しひろげれば潜《くぐ》り抜けるにさして困難ではなかったであろう。

決行は割合に早く夜九時か十時頃だったらしい。脱出後夜明けまでの暗闇《くらやみ》の時間を長く持つためであろう。

脱走の事実は翌早朝、脱走者の一人の空のベッドの上に「男一匹、度胸だめし」と鉛筆で書かれた紙片がおかれてあったことによって知られた。事件はすぐイマモロに報告されたが、結局彼はそれを朝七時の点呼の時、米軍に自然に発見させるようにした。イマモロ初め幹部は叱責《しっせき》され、俘虜の全部が一人一人改めて入所の時に撮られた写真と引き合わして検閲された。イマモロは全員を集めて「脱出した者の成功を祈ろう、しかしその成否を確かめるまでは妄動《もうどう》をつつしむように」といった。

その夜から毎晩八時から二時間おきに点呼があったそうであるが、二三日後十時と二時の二回になり、やがて現在のように二時一回になった。入口の憲兵隊長は更迭し、収容所内の航空関係の兵は全部濠洲へ送られた。西北隅に監視櫓が増設され、柵上の終夜燈の数は多くなった。夜間点呼のため、特にA組通路の両端に反射燈が据《す》えられた。食糧は減らされて粥となり、それまで一週間に二十本であった煙草の配給は停止された。

私が入った三月中旬俘虜達は一般に脱出者が無事に飛行場に到着し、セブ島に渡ったと信じていた。二名は捕《つかま》ったが、東ともう一人が成功したと、まことしやかにいう者もあった。

しかし或るパイロットは私にいった。「仮りにあの人達が米軍の警備網を潜って飛行場まで行けたとして、そして偶然準備完了しておいてあった飛行機があったとしても、我々が操法を知らない米軍の飛行機を離陸させることが出来たとは思えませんね。飛行機のスイッチの結合は微妙ですからね」

彼も東からそれとなく誘われたが、故意に了解しない振りをしていたそうである。

彼はその気持を次のように説明した。

「あの人達がこの収容所にじっとしていられない理由があるのはわかります。しかしここにいる大部分の人達の気持はそうではないと思う。私も違うのです」

彼がこの言葉で正確にどういうことをいおうとしたかは明瞭《めいりょう》ではないが、一体収容所では誰もこういう事項について明瞭にいうものはない。そして私もその時たって追求する気にはならなかった。だから今彼の言葉を憶《おぼ》えているままに誌《しる》すに止《とど》める。結局俘虜という状況は曖昧《あいまい》なものである。

このパイロットは三十四五歳、多分将校であったろう。彼は永らく関東の航空基地で教官をしていたが、レイテ戦の始った時には台湾にいた。そして初期神風式の単機雷撃に出動し、十月二十日すぎレイテ島東方海面で、米巡洋艦の吃水線《きっすいせん》に空中魚雷を放つのに成功した瞬間撃墜されて気を失った。彼の身分は何かの手違いで米軍に知られず、彼は帰還までずっと我々と一緒に止っていた。

脱走者の辿《たど》った運命は彼の予言よりさらに悪かった。彼等は飛行場どころか、収容所西方の沼沢地の向うの叢林《そうりん》すら出ることが出来なかった。彼等は逐次発見され、一名射殺、二名が負傷の上捕えられ、一名が降服した(これが東だったという噂《うわさ》である)。彼等は収容所へ帰らず、マニラに送られた。俘虜達は彼等がそこで処刑されたものと信じ、その悲愴《ひそう》な運命を歌った歌を作り、作曲した者もあったが、歌は流行《はや》らなかった(私は無論処刑なぞ行われなかったと信じている)。

夕方の点呼の後は自由な時間である。日中も所内諸施設のほぼ完備したこの頃では、便所掃除塵芥《ごみ》捨て等、日々の小作業のほかさして仕事はなかったが、とにかく日夕点呼後の時間というものは、軍隊からの習慣で、兵士にとって格別にゆったりした気分のものである。

日は六時頃暮れた。灯《ひ》は与えられなかったから、点呼後それまでの時間を、俘虜は遽《あわただ》しくあらゆる遊び事に耽《ふけ》るのである。相撲、縄《なわ》飛び、毬《まり》投げ（砂を布で包んだ手製の毬）等が中央の道路で行われ、室内ではトランプ、麻雀《マージャン》（これも竹を丹念に刻んだ手製である）などが行われる。賭《か》ける物は何もないので、たって賭けたい者は翌日の朝食の一部を賭けたりする。

喧噪《けんそう》の次第に高まって行くこの時間の特徴をなすものは、仕事が終って炊事場から溢れて来る炊事員達である。彼等は収容所中で確実に一日を働いた唯一の人達であり、なすべきことをなし遂げたという満足、他人のためになることをしたという自信は、その顔を輝かせている。彼等は無論その地位によって、喰《く》いたいものを存分に食べているので、最もよく肥り、最も元気潑剌《はつらつ》としている。

彼等は普通炊事場の向い側に建てられた彼等だけの小屋に集って騒いでいるが、やがて方々の棟に持っている友達を歴訪し始める。彼等は無論何処《どこ》でも歓迎される客である。彼等と仲好くすることは、つまり時々食糧の余剰を貰《もら》えるということだからである。イマモロですら時として、うまい特別料理を考案して貰うために、彼等の御機《ごき》嫌《げん》を取る。

病棟の内部は静かである。イマモロの命令によって、病人は遊ぶことを禁じられている。病人といっても病院に送るを要しない軽症者であるから、トランプぐらいしたいところであろうが、働く者に済まぬ、というのがイマモロの提唱する理由であった。私の入った当時重病棟の入室患者は私を入れて六人であった。私の隣りは例の飢えたる大阪人であるが、その向うは軽い肺浸潤で静養している若い一師団の兵士である。彼は山中で帯剣で自殺を試み、その跡が熊《くま》の月の輪のように喉《のど》に残っていた。彼は顔色が悪く甚だ寡黙で陰気であったが、その月の輪のために、なんとなく可愛《かわい》かった。

我々三人は班長達とは反対側の窓際《まどぎわ》を占めていた。

中央の一列の私の向いは四十歳くらいのシビリヤンで、タクロバンの旅館の主人である。彼は兵士と共に山に逃げ、足首を射たれていた。彼は愛知県人、満洲事変後満洲に渡り、新京の小さな旅館の手代を振り出しに、今日の地位をかち得たのだという。顔色は黄色く、眼が小さく口が大きく、顔の下半部が不均衡に発達して、まず河馬《かば》に似ていた。彼の話は要するに過去の様々の瞬間に自分がどれだけ金を使ったか、ということに尽きていた。

四十歳といえば私より四歳しか年長でなく、まず私と同じ世代に属すと見て差支《さしつか》えないが、彼は現代の我々年配の人間よりも、むしろ我々が子供の時見た四十男の型に似ていた。惟《おも》うに彼は一生少年時に見た四十歳の成功者を真似《まね》ようと努め、遂《つい》にそれだけに成功したのではあるまいか。

彼は彼の旅館がいかに日本の将校によって飲み倒されたかをこぼした。日本軍はみな泥棒《どろぼう》だ、軍隊では兵隊に泥棒を教えると罵った。私は或る日一兵士として彼に注意した。「お前だって泥棒みたいな商売をしていたではないか。俺達《おれたち》はお前の不当財産を保護出来なかった責任を感じるから、黙って聞いててやるが、いつまで我慢が続くかわからないから気をつけろ」と。

彼は狼狽《ろうばい》し何か呟きながら、せわしく周囲の俘虜の顔を窺《うかが》ったが、そこに彼を支持する眼付がないのはわかりきっていた。私も別に自分の腕力に自信があったわけではない。多分私を喝采《かっさい》するに違いない僚友の腕を頼りに、こんなことをいったのである。これは若い時から私の悪癖の一つであり、後味は甚だよくなかった。

彼の隣りの一人の若い患者は特に単純な感激を現して私を見た。彼は銃弾に喉笛を横に貫かれ、声が出なかった。世話係達は身振と口の形で彼の意を了解していたが、私のような新しい知合いとは筆談を用いた。

彼は和歌山県の百姓の伜《せがれ》で、少年の頃から和歌山市のやくざの群に入っていた。私の両親は和歌山市の産である。そしてこの男の皺《しわ》の寄ったおでことまん円な眼玉は、私が幼時家で見た郷里の女の一人によく似ていた。彼の家は紀の川の中流にある由《よし》である。私は東京で生れ、めったに郷里に帰ったことのない人間であるが、この紀伊地塊と本土の間を貫く大地裂帯の眺めだけは愛していた。彼がこの雄大な渓谷《けいこく》の一部に住んでいたということは、彼に対し特別の親近の感情を起させた。

彼はやがて私に英語を教えてくれと申し出た。一生声の出ない人間が外国語を習ってどうなるものでもなく、彼の境遇はまず英語の必要はなさそうであった。私がその旨《むね》をいうと彼は書いた。「遊んでいてもつまらない。習っておいて損なものはない」

しかも彼の習いたがったのは英語を読むことではなく、英語で表現することであった。で私は彼に英作文を教えねばならなかったが、小学校より出ていなかった彼に、短時間の間に外国語の構造を呑《の》み込ませるに成功したとは思われない。しかし以来暫《しばら》くこの唖《おし》の学習者に英語を教えるのは、一日の中で最も楽しい時間となった。私もまた遊んでいてはつまらなかったのである。

彼の隣りは船舶工兵の兵長で、三十二歳の東京の月給取りである。彼は或る軍需工場に徴用され、女事務員の一人と温泉に行き、他の一人と結婚した。前者は或る夜彼の当直室へ来て、カルモチンを呑んで蘇生《そせい》した。翌日召集令状が来た時、ほっとしたと彼はいっている。

彼は鼻が薄く中高の、昭和の初期から流行り出した日本映画型の美男である。彼の惚《のろ》けを聞くのは、女との有利な交渉の様々な瞬間において、彼が実はいかに相手に軽《けい》蔑《べつ》されているかが察せられる、という意味で興味があった。

彼等は迫って来る夕方の冷気を防ぐために、暗緑色の米軍の制服をきちんと着て静かに横《よこた》わり、時々思い出したように隣人と小声に話しかけたりしていた。ニッパ小屋の中は、気持のいい暗さが領し、高い天井からは横木の竹の風化した裏側が白い粉となって、音もなく落ち続けた。それは一日の終りには我々の衣服やベッドを斑《まだ》らにした。

周囲に充《み》ちた無意味な騒音は、時々表の道路を通る重量ある車の音と地響に貫かれた。棟後の流し場では、冷い夕方の空気の中で俘虜の水の浴びる音が絶えず聞える。

夜になると共にあたりの噪音《そうおん》はさらに深まり、次第に歌となった。あらゆる歌が歌われていた。物悲しい軍歌から感傷的な古い流行歌、さては喉自慢のお国節に到るまで合唱されていた。それはほぼ各小屋ごとに一つの歌声の塊りとなって、中央道路に溢《あふ》れていた。

蠟燭《ろうそく》は本部のほかに与えられないが、柵《さく》の上に五間おきに取りつけられた大きな終夜反射燈の眩《まぶ》しい光が、棟の後から三分の一にさし込んだ。別の中央道路の両端に取りつけられた反射燈は八時に消された。それをきっかけに本部は「消燈」と怒鳴ったが、消すべき燈火はないから、これは「寝ろ」という合図でしかない。しかし歌声はなかなか低くならなかった。

重病棟へは隣りの軽病棟附の二人の衛生兵と二人の世話係も集まって来て、班長の所有する卓子《テーブル》を囲み、暗がりの中で昼間剰《あま》した食糧で夜食を摂《と》った。そしてやはり歌を歌った。

消燈と共に完全な静寂に返る病院で暮して来た私にとって、これは甚だ異様な光景であった。病人の神経をいたわるべき衛生兵達のこういう行為に私は憤《いきどお》りを感じたが、結局新入者の私にはそれに抗議する勇気がなかった。しかし数日にして私はこの歌に馴れ、後《のち》体が恢復《かいふく》すると共にむしろそういう喧噪を好むようになった。「最初の反応に任せてはならぬ、それは必ず偽りである」と或るフランスの古い政治家がいったが、これは我々の対社会の反応については正しいと思われる。

暗闇の中で彼等の歌声を打ち負かすように「声高に」瞑想《めいそう》しながら、私はいつか眠りに落ちて行った。

「点呼」の声で眼を覚した。声は海に呼ぶ声のように長く余韻を引いて、暗闇の中で繰り返された。舌打ちや呟《つぶや》きがあたりに起り、やがて靴《くつ》を引きずる音が重なって、中央通路に人影が増えた。その人影がさっと照らし出された。道路両端の反射燈がついたのである。

「気を付け」の声で静かになる。不動の姿勢を取る俘虜の鼻は両側から照らされた。滑るように米軍の当直将校が過ぎて行った。患者は寝たまま蚊帳《かや》をまくって頭だけ出せばよい。将校はそれを南瓜《かぼちゃ》のように数えて行く。

「気を付け」「休め」の叫びが繰り返され、待つ間がすぎて、やがて遠く列のはずれで、イマモロが「別れ」と怒鳴る声が聞える。列は静かに崩れ、俘虜は互いにぶつかりながら、思い思いの方向に散って行く。中にぞろぞろ繋《つな》がって行く一脈の流れは、ついでに便所へ行く人達である。その流れの尽きないうちに、反射燈は消され、道路は再び暗くなる。

さて私はここで一つの光景を語ろうと思う。それは今書いたところと必ずしも連結してはいないが、以下だんだん述べる理由によって、やはりここに挿入《そうにゅう》せずにはいられぬ。

それは私がこの時か、また他の時か、或る不定の時に見た一つの光景であって、中央道路の入口と反対側のはずれ、両側の小屋の列が尽きたところが、右側の監視櫓から照らす反射燈の光に、照らし出されているところを舞台としている。

その強い光の束の中を、背中に光を負った一人の俘虜が、光に追われるようにうなだれて、のろのろと右から左へ歩いて消えた。

私がこの光景をこの収容所にいた間の何時《いつ》見たか、夜のどういう時間に見たか、は憶えていない。私がその時中央道路上にいたのは疑いないが、どの地点で、何をしていたか、も明確ではない。さらにこの時私が何を感じ何を考えていたかは、全然思い出せない。

しかしこの平凡な視覚的映像が私の記憶に止《とどま》ったについては、何かその理由があったに相違ない。恐らく私は何か感動していたのであろう。その感動の内容については空白であるが、私が感動していたことについては、今その光景を思い出しながら、私の中でもやもやしているものに照らしてほぼ確実である。それは私が収容所で暮した間の心の営み、特にそれが私の心に蓄積して、今なお抜けないものに関聯《かんれん》がある。

既に私はこの光景を叙しながら二つの比喩《ひゆ》的表現を使っている。私は「光を負って」「光に追われるように」と書いたが、これは前者は「光に照らされて」と書けばいいのだし、後者は全然省くことが出来る。どころか、省く方が正確でさえある。

こういう比喩が自然に私の筆に乗ったところに、既に私がこの映像にどういう意味をつけているかが現れている。私はこの俘虜が後から照らされている状態、何等かの個人的必要によって通行する彼を、反射燈の強い平行光線が押しやるように見えた状態に、何かの意味を感じていたのである。その意味についてはなかなかいい難いが。

さてこの光景についての論議をどうして今ここに挿《さ》しはさむ気になったかというと、私はこれを先きに書いた深夜の点呼に続く情景として語ることも出来たからである。そしてそれが必ずしも事実に反するとは限らない。

まずその舞台面に到る道路は明らかに無人であった。或《ある》いは不明瞭な影絵が道路上に動いていたかも知れないが、少なくともわが人物がのろのろと通りすぎる間、私の眼は何等重要なる障害によって遮《さえぎ》られはしなかった、と私は思っている。これは大体十時以後か、または深夜の点呼後の状況である。

それからこの舞台面と私との距離は十間はあった、これは少なくとも重病棟の前から南である。

で、私がもし小説を作る気ならば、次のように書くことが出来る。

「……反射燈は消え、道路は再び暗くなる。便所から戻る俘虜が方々の棟に入る足音も、次第にひそやかに稀《まれ》になり、やがて完全な静寂に帰る。じっと寝てはいられないような感情に駆られて、私は道路上に出た。その時私は一つの光景を見た。云々《うんぬん》」

そして最後に私は大して誇張することなく、「収容所へ入って初めて過ごす深夜に見たこの象徴的な光景は、以来永く私の記憶に残った」と書き得たであろう。そしてこうして新奇という要素を導き入れることによって、この光景が記憶されたことについて、一つの根拠を附加することが出来たであろう。

しかし事実に照らすとこの叙述には一つの障害がある。それはこの時の私の道路上の位置に関するものである。

今私の記憶に残るその光景は、私がそれを眺《なが》める角度について或る感じを持っている。道路は幅が三間あった。従って私がこの道路の左右の端か、或いは中央にいたかによって、十間しか離れていなかったその光景は少し違うわけである。

光を浴びて横切った俘虜は、最後まで光る背中と濃い影の胸の対照を、はっきり私に印象させつつ通りすぎた。そして彼が左側の最後の小屋の正面の柱の線に、その姿のまま隠れた、と私は思っている。

もし私が右側にあった重病棟から出て、道路の右側、せいぜい中央まで出てこの光景を見たとすれば、私は恐らく最後には、ただ光る彼の背中のみを見たであろう。これは私の記憶に反する。

してみれば私はこの時どうしても道路の左側にいなければならぬ。しかし私は何のために道路を横切ったのであろうか。

この時、またこの後暫く、私は向い側の棟に友人を持ったことはない。従って私が道を横切る必要はただ一つしかない。つまり向い側の炊事場の前に設《しつら》えられたリスター・バッグまで、飲用水を汲《く》みに行くことである。

このバッグは既述のように直径二尺高さ四尺ほどのゴム引布製の円筒形の袋で、消毒した水が貯《たくわ》えてある。俘虜は随時そこに赴いて、底部に二三個開いている活栓《かっせん》から水を取るのである。

バッグの位置は重病棟から見て問題の舞台面とは反対の側にあるから、往路私は舞台面に背を向けて行くわけである。湯呑がわりの空缶《あきかん》に水を受け、或いはその場で飲むか、或いはベッドまで持ち帰るために、立ち上って振り向くとする。その時例の光景を見たとしたらどうであろう。

これは純然たる仮定であるが、しかし前記の角度とあたかも合致する上に、「不意打」を設定することによって一層小説的に問題を解決している。

多分こんな冗漫な論議を重ねて読者を退屈させるよりは、私は最初からこの一線に沿って物語るべきであったろう。それによっても私は別に事実からさして遠くはならなかったかも知れない。しかし私は自分の物語があまりにも小説的になるのを懼《おそ》れる。俘虜の生活など無意味な行為に充ちているものである。そういう行為にいちいち意味をつけて物語るのは、却《かえ》って真実のイリュージョンを破壊する所以《ゆえん》ではあるまいか。或いは私はこんな不確かな記憶などについて全然語り出さぬ方がよかったであろう。しかし私が自分の記憶を検討するのも私にとって必ずしも無駄《むだ》ではなかった。例えばこうして私の道路上の位置を考えることによって、私はリスター・バッグを思い出し、深夜屢々《しばしば》その前にかがんだ時の自分の感覚を思い出さざるを得なかったからである。

毎朝炊事員が満たすバッグの水はこの頃《ころ》は残り少になっていて、布製のその袋は襞《ひだ》を作ってしぼんでいた。その下部を前方に押して傾け（バッグは釣《つる》されている）底の活栓の位置に水が来るように工夫して汲む。消毒剤の澱《よど》んだ水は苦い。

バッグの真下に当る土は、日本人らしい小器用さで、一尺四方ぐらいに切竹で囲って、附近の川から取って来たらしい丸石が丁寧に敷いてある。

深夜こうして私が水を汲みに行くのは必ずしも渇きを感じるからではない。退屈に堪えかねて行くのである。

苦い水は一口含むと後は地上に撒《ま》く。暗い砂地はすぐ水を吸い込んで、殆《ほと》んど跡も残さない。砂はまたこの収容所の支配的な印象を形づくっている物質である。鉄分の勝った黒い砂で、日向《ひなた》は熱いが蔭《かげ》は冷く、裸《あら》わな足裏に快く触れる。

音があったような気がする。バッグの前にかがんだ私の耳は、絶えずキーンという連続した音を聞いていたような気がする。それは私の生涯《しょうがい》のほかの時期にも私の耳にあった音で、夜、地上の静まると共に空に漲《みなぎ》る変電所の音であるべきである。

北極星は道路正面の椰子《やし》の梢《こずえ》に低く、オリオンは天頂にあり、背後は暗い南天がせり上っていたはずである。そしてこの祖国で見馴《みな》れた星々の祖国の空とは違った高さは、祖国と北緯十度のレイテを隔てる地球の球面の反りを思わせたはずである。

郷愁はなかった。祖国は我々にとって、そこへ到る手段が我々の空想を超えているという意味で、月の世界と同じであった。今同胞は或いは爆弾によって斃死《へいし》し、或いは家を焼かれて逃げ惑っているかも知れない。しかしそれは我々にとって、考えてみても仕方がないという理由によって、関心とはなり得なかったものである。

ここにある生活はすべて水を飲むとか、水を撒くとか、砂を踏んで歩くとか、ベッドに横わるとか起きるとか、そういう些細《ささい》な出来事に尽きていた。そして普通の生活においては我々の意識に上らないこんな細目が、いちいち意味を持って記憶されるのは、多分そこに一種の、やはり意識に上らない感情が支配していたからであろう。それは要するに囚人の悲哀というものであったろう。

朝五時半、本部で怒鳴る「総員起し」の声に俘虜の一日は始まる。夜が明けるのは六時である。暗闇《くらやみ》の中で俘虜は蚊帳をはずし、毛布を畳み、顔を洗って、食事を待つ。三十分の後「食事」の声がかかる。各班（これは既述のように、一棟六十人をさらに四つに分けたものであるが、主として食事割当のための単位である）毎《ごと》に二人の食事当番が駈《か》け出して来て、炊事場の窓口から食糧を入れた石油缶を提げて行く。飲物は砂糖を混ぜない紅茶が別の石油缶に入れて渡される。この頃、あたりは明るくなっている。

食器の触れ合う音、食事を分配しながら食事当番の発する無意味な言葉、待ちながらその時の料理の種類を論ずる俘虜の声で、暫く収容所全体がざわめいた後静かになる。今俘虜は食べているのである。

外に欲望を遂げる手段を持たない俘虜にとって食事は最大の楽しみである。この頃は脱走事件のため量が減らされ、俘虜は常に空腹を訴えていたが、カロリーは十分であったと思う。その証拠に俘虜はどんどん肥《ふと》って来る。

空腹感は無論米食に馴れた日本人の胃の膨脹《ぼうちょう》によるものであろうが、もう一つの原因は、俘虜にはほかに考えることがないため、常に食事を思っているためである。欲望はそれに注意することによって増大する。

食事が終ると食事当番は二つの石油缶を洗い、炊事場の前に設《しつら》えられた熱湯入の缶に漬《つ》けて消毒した後、炊事場の窓口へ返す。七時点呼。この状景については既に何度も書いた。

点呼がすむと俘虜の一日の作業が始まる。しかし当時我々には殆んど仕事がなかった。

米軍の俘虜使役の計画はこの頃まだ立てられていなかった（恐らく比島人から仕事を奪わないためであろう）。我々の作業は専《もっぱ》ら収容所内部の設営で、外へ出るのもその作業のために竹を切ったり、木材を運んだりすることに限られていた。しかも既述のようにこの頃内部の諸施設は殆んど完備していたから、時々強《し》いて行われるあまり意味のない改良のほか、作業らしい作業はなかった。

それでも多少の日々の仕事はある。まず便所掃除は各班廻り持ちで、数人の俘虜が便所（これは八個の洋風の席を持った大きな木製の箱で、それが地下に深く掘った穴を蔽《おお》っている）を水洗し、附近を掃き清め、内部に石油を注ぐ。塵芥《ごみ》運びも同じく各班当番、炊事場から生ずる缶詰の空缶等を、収容所の裏手にある、米軍の塵芥焼場に運ぶのである。米軍は毎日それら塵芥にガソリンをかけて焼き、その焔《ほのお》は毎朝小さな火事ほどに椰子の梢まで上る。

その次の毎日の行事は要具受領である。これはスコップ、鶴嘴《つるはし》、蛮刀等、兇器《きょうき》となり得る性質の道具類を、毎朝東側中央の門の傍《そば》にある倉庫から受領して来ることである。要具は一括本部の前まで運ばれ、そこから前日の申込によって使用棟に渡される。この出入を記帳し、夕方数を揃《そろ》えて返納するのが、日直班長の最も重要な任務である。各棟溝浚《どぶさら》えその他棟内外の修理等、それでも何か日常の営繕作業があったわけである。殊《こと》に蛮刀は竹を主とするニッパ小屋にあっては用途に富む。俘虜はとかく蛮刀を隠したがるので、夕方要具返納にあたって、蛮刀が揃うことは滅多にない。で、日直班長は丹念に各棟を廻って蛮刀を探さねばならぬ。

俘虜の次の仕事は洗濯《せんたく》である。日本人は洗濯を好む国民である。太平洋のジャングル戦を通じて、日本兵が樹間に干した洗濯物はいつも被爆の端緒となったということである。A組の物干場は炊事員宿舎の裏と、左側の小屋の列の端、便所と向い合った空地と二カ所あったが、毎日朝の九時には一杯となった。石鹸《せっけん》はほぼ無限に供給される。

俘虜はこの頃下着が支給されていなかったから、洗われるのは上衣とズボンに限られていた。これは日中の点呼の時を除いて殆んど着ることがないが、夜は寝衣《ねまき》とするからやはり汗じみて来る。しかし俘虜の中には、さっぱりした寝衣を肌《はだ》にあてる快感のほかに、もう一つ目的をもって洗濯を励行する者がある。

それはそこに押されたＰＷの字を薄くすることである。ＰＷは上衣の背中に大きく、両袖《りょうそで》前面に稍々《やや》小さく、ズボンの尻《しり》に大きく、膝《ひざ》の上二寸に稍々小さく、都合六カ所に押される。本部に備えられた型紙をあてて、黒或いは白のペンキで刷る。俘虜は出来るだけこれをサボるが、イマモロに見付かって止《や》むを得ず押した者は、洗って薄くしようというわけである。

しかしペンキはなかなか石鹸では落ちず、殊に白ペンキの場合は、地色の褪《さ》めるに従って逆に際立《きわだ》って来る。

物干場にはまた毛布も干される。これは濠洲《ごうしゅう》製のなかなか上質のもので、日本製の綿毛布に馴れた我々には、柔かい感触は一段と悪くない。或る若い俘虜は女の肌に触れるような気がするといったが、いかがなものであろうか。

毛布のことを書いたついでに、この収容所には虱《しらみ》は一匹もいなかったことを指摘しておこう。入所するとまずそれまで着ていたものを全部脱いで水浴し、全部新しい衣服と着換えて、古い衣服は焼いてしまうのであるから、虱の侵入する余地はない。またベッドはカンバスで張られ周囲の地面には時々石油を撒くから、蚤《のみ》や南京虫《ナンキンむし》も棲息《せいそく》出来ない。これはなんといっても米軍の俘虜収容所のソヴィエトのそれに対する著しい優点である。金があるということは恐ろしいものだ。

俘虜《ふりょ》の朝の最後の行事は治療を受けることである。銃創、熱帯潰瘍《かいよう》等山から持ち越した患部、或いは収容所へ来てから作業中に得た創《きず》等の手当であるが、一番多いのは皮膚病である。日本軍名物の頑癬《がんせん》のほか、殊にB組の新しい俘虜の大部分は疥癬《かいせん》を持っていた。山中でどうして皮膚病が蔓延《まんえん》するのか私は知らないが、栄養不良となって身体の活力が衰えるにつれて、寄生虫が勢力を得るに違いないと、或る経験者はいっていた。

米軍から支給される塗薬ではこの大量の皮膚病患者はどうせ賄《まかな》いきれなかった。で日々の治療の外に、薬が到着するに従い、衛生兵はB組へ出張し、患者に臨時呼集をかけて薬を塗った。患者の列は二列で十間以上も続いた。

日々の治療は八時から重病棟前面の治療室で始められる。椰子の丸材が腰掛の高さに数個地に植えられた上に、患者は或いは腰掛け或いは足を載せて治療を受ける。

この時は本部にいる棟長（彼は海軍の衛生下士官である）も、軽病棟の二人の衛生兵も全部出動して治療に従事する。彼等の働く態度はとにかく慎重かつ真面目《まじめ》である。明らかにこれは炊事兵と共にこの収容所で最も働いている人達である。軍隊において炊事と衛生兵は一種の特権を享受《きょうじゅ》していた兵科であり、敗軍の混乱にあっては屢々濫《らん》用《よう》に赴いたが、俘虜という戦闘力を失い、ただ個体の要求のみ残した兵士の間にあって、最も他のため役立ちつつあるのは彼等であった。軍隊という合理的組織において、人間の自然の必要によって、ひそかに威を輝かしていたのは彼等の欠点であったが、俘虜という自然の必要のみの状態にあって、彼等は却って有用かつ親切であった。

表に治療を待つ患者の列は折れ曲って、棟の横手の路地に入って棟後まで続き、垣《かき》にもたれて重病棟の内部を眺めていた。垣の方を枕《まくら》に横《よこた》わった私は、頭の上からのぞきこまれた。

俘虜の同僚というものは変なものである。我々は無論見ず知らずの他人であるが、かつて同じ目的を持つ軍隊に属して戦い、今また俘虜という身分によって共通である。そこには原則的に近親の感情があるはずであるが、それは我々を互いに近づけるというよりはむしろてれさせるのである。彼等の表情は何か含むところがあるようでもあり、人の気をはかるようでもあり、おずおずと慎重で、要するにひどく間が抜けていた。こういう種類の表情は私はこれまで同胞に見たことがないし、今後も見ることはまずないであろう。

というのは、当時の日本人の如《ごと》く、恥じつつ文明国の俘虜の特権を享受するという状況は、多分もう繰り返され得ないからである。一度俘虜の味を覚えた日本人は、戦いが不利になれば猶予《ゆうよ》なく武器を捨てるであろう。彼等はかつてその真の意味を反省せずに身命を抛《なげう》った如く、俘虜の身分が彼等に何を課しつつあるかを知らず、ただその甘味に酔ってしまった。今後彼等は相手を選ばないであろう。日本人を傭兵《ようへい》として使うことは誰にも薦められない。

やがて俘虜の中に混っていた日本の軍医が出勤する。四十五六の貧相な徴用軍医で、胡麻《ごま》塩《しお》の髪を伸ばしていた。PWの制服という消極的衣服の上に、ただ一つ聴診器という積極的な道具をかけた彼の姿は、随分妙なものであった。

米軍軍医のために予《あらかじ》め診断するのが彼の役目である。彼は私の心臓の弁膜症を「大したことなし」と宣言した。しかし私は入棟患者であるから、まもなく現れた米軍軍医にも診断して貰《もら》う権利がある。

それはシルバーマンというユダヤ人で中尉である。彼は一人の米軍の衛生兵と通訳の桜井を連れて重病棟軽病棟の患者を回診する。通訳に「今日はどうか」と訊《き》かせ「よりよい」の場合素通りし、「より悪い」の場合診察する。彼も私の心臓病を否定し、かわりに黄疸《おうだん》を宣し肉類を食べることを禁じた。炊事場で作るのは大抵コーンビーフを煮込んだ粥《かゆ》であったから、以来私のみ特に米軍の携帯口糧のビスケットを給されることになった。

米軍の衛生兵はメルキヤーというイタリア人である。イタリア人の陽気と精力について行きわたっている伝説を、何処《どこ》まで信ずべきか知らないが、とにかくこれは私の見た異国人の中で最も活潑《かっぱつ》な人物であった。

彼は赤毛、赭《あか》ら顔で、褐色《かっしょく》の小さな眼は休みなく動いていた。丈はあまり高くなく、両足を外角に踏み開いて、肩を大きく振って歩く。彼は始終俘虜に冗談をいいかけ、通訳を通して「日本兵は世界一勇敢だ。ただ飯がない」などとお世辞をいった。彼は私が本を読んでいるのを見て、「モービー・ディック」を持って来てくれた。彼は船乗りである。

彼は俘虜には親切であったが、同僚たる米兵とはいつも喧嘩《けんか》していた。収容所の入口の訊問所《じんもんじょ》の裏の柵外には、米軍の医務室があり、薬品の配給か何かで彼がよくそこに入る姿が見られたが、彼は殆んど喧嘩しに入って行くようなものであった。半ば真面目半ば面白がっているようで、駄々《だだ》っ子のようにわめき散らしている。そういう彼を取り巻き、眉《まゆ》をしかめてなだめにかかる、長身金髪のポーランド人と、暗色の髪をしたスエーデン人の顔はなかなか観物《みもの》であった（雑多な人種から成る米兵を一人一人、人種的起源を推測するのも私の時間潰《つぶ》しの一つであった。私はメルキヤーについて私の推測を確かめ、次第に進歩した）。

軍医のユダヤ人は、偏見に囚《とら》われずに見ても、病院で見た少佐や大尉の軍医より、その階級の劣る程度に品も劣るようである。或いは彼もまた収容所の気楽さに馴れて、医師の職業的仮面をはずした結果、その人間的諸特質が露呈したためかも知れない。彼はヒトラーに追われたウイン人で歌を好んだ。

回診を終る十時頃は治療も済んでいる。軍医達はそれから十二時までを、恐らくは義務によって診察室に坐《すわ》り、暇になった日本の衛生兵に取り巻かれて歌を歌った。軍医はシューベルトを愛し、歌の好きな衛生兵に「セレナーデ」を繰り返させ、自分でもかなり美しいバリトンで「冬の旅」の中のむずかしい歌を歌って聞かせた。

彼は「セレナーデ」を斉唱《せいしょう》する衛生兵達を見ながらメルキヤーを顧みていった。

「こういう朗らか連中があんなひどいことをしたとは思えないな」「飯がない」と相手は答えた。通訳はその言葉をみなに伝え、みなはますます嬉《うれ》しそうに歌を歌った。

私は外へ出た。本部の前には掲示板があり、最近改正された俘虜守則が原文訳文共に貼《は》り出されてある。私は暇つぶしにその英文を全部暗記したが、今はやはり一部しか憶《おぼ》えていない。

「請願はすべてスポークスマンを通じてなさるべきこと」

スポークスマンとはイマモロのことである。並べて掲げた訳文はこれを忠実に代弁者と訳していたが、多分イマモロの注意によるのであろう「日本人収容所長」と訂正されてあった。

「屋内に食糧を貯うべからず」

食糧は一般に貯えるほど与えられていなかったが、中に友軍の再来を信じて缶詰《かんづめ》をベッドの下に埋めていた者がいたことは前に書いた。

「柵の三歩以近に漫歩することを禁ず」

空襲警報が発せられた時が特に煩《うる》さかった。不要慎から傷を負った者も馴れないうちはあったそうである。

「柵を越し、或いは通じて、出んと試みる者は二度『止れ』と呼ばれ、なおその行為を継続する場合は射《う》たる」

脱走の計画はさきの航空兵の場合を除き、一度狂人が有刺鉄線を二三段攀《よ》じただけである。彼は手足を傷《きず》つけて引き下され、病院へ送られた。

我々がたとえここを出ることが出来ても周囲に海があった。そして今ここにいる者はみな山中に籠《こも》って、いかに海に達するのが難しいか、達しても渡ることが難しいかを知っている者のみであった。柵が実質的に我々の逃亡を防ぐよりは、比島人から我々を守る役目を果していることもわかっていた。米軍の銃剣を除いても、外には危険と困難のみあるのに反し、中には安全とコーンビーフがあるのを知っていた。

この頃は所内の日々の作業各棟の営繕作業もすべて終って、収容所全体が昼飯待ちの休息気分になる。俘虜の一部は道路上に遊び、一部は小屋の中に寝ている。病棟と違って所定の人員を詰める棟内は、ベッドが三列にぎっしり横木を重ね合せて詰まり、俘虜は褌《ふんどし》一つの裸で、思い思いの恰好《かっこう》で寝たり坐ったりしている。

まばらのニッパの葉で葺《ふ》いた屋根をすかしてさす日光、砂地、裸形《らぎょう》の人間、この組合せから来る印象は、まず海水浴場の葭簾《よしず》張りの脱衣場のそれである。人間共が無為に転《ころ》がっているところが特に似ている。

トランプをする者、花を引く者、歌を歌うもの、歌を教わる者、話をする者（話題は無論食物のことである。特に昼食の料理の種類の予想である）など、様々であるが、中には正確に何もしないで寝そべっている者もいる。人は何もしないでどうして時が過ごせるかと問うかも知れない。しかし俘虜は何もしないで時を過ごすことに馴《な》れた人種である。「人間は何にでも馴れることが出来る存在である。これがその最上の定義だ」とドストエフスキーはいっている。

無為の中でも活気のある者等は道路で遊んでいる。遊びは相撲、棒押し、毬《まり》投げである。熱帯の日の下でこうして遊び戯《たわむ》れている、いが栗頭《ぐりあたま》の元日本兵の眺めはかなり異様なものであった。

その第一の印象はまずこれ等よく発達した裸形の男性の肉体の集団の効果であった。我々は一般社会にあって色々露出した男性の肉体を見る機会を持っている。即《すなわ》ち角力取《すもうとり》の肥満した巨人の肉体、拳闘家《けんとうか》の鋼鉄の筋肉、フィールド選手の節度をもって鍛錬した肉体、さらに海水浴場の若人のコケティシュな肉体等である。虚弱な中年男の肉体を持つ私にとって、それ等はいずれも或る種の動物的圧迫を私の肉体に及ぼさずにはおかなかったが、万物の霊長として、肉体ばかり発達するのは一種の畸形《きけい》だと思っているからさして驚かない。

今私が収容所で見る肉体の集団はこういう過度による醜さは持っていない。それは機械力の不足を補うために日本陸軍の指導者が発明した方針に基づき、耐久力を主として鍛錬された肉体であって、有用であるという意味で少しも畸形ではない。いかにもそれは幾分敵の人員資材の消耗を高めたというだけで、戦局を左右するに到《いた》らなかったが、敗戦にあって兵士個人の生命を守る役割は立派に果した。例えば或るレイテの敗兵は一キロ匍匐《ほふく》後退して危険を離脱した。

この平均して発達した肉体が制服を着て整列するところは壮観であり、軍隊の風呂場《ふろば》の乱雑においてさえなお美しかった。しかし今彼等の肉体は戦闘の義務を解放されて無用となった。この時彼等の鍛錬された肉体も、スポーツ的肉体と同じ無償な畸形しか示していないのである。

しかも今その肉体は米軍の缶詰によって、稍々不自然に肥りかけていた。俘虜の中に混っていた一歌人が歌った。「あめりかの恵み尊しかくばかり肥りしことはいまだあらなく」皮下の脂肪蓄積は特に腹と頰《ほお》に目立っていた。口角に小さな瘤《こぶ》のように突出した贅肉《ぜいにく》は、不具者のような、不安な怯《おび》えた外観を与えていた。

彼等の教えられた軍人精神が、今彼等が戦闘力を失い、周囲に柵があるという事実によって、ここでは使い途《みち》がなかったように、彼等の軍人的肉体もここでは不具の外観を呈するほかはなかった。

彼等は相撲を好んだ。この肉体的力と戦闘意識の結合を生命とする遊戯は、なお残存する彼等の軍人の意識を快く擽《くすぐ》るのであろう。

体軀《たいく》と膂力《りょりょく》に自信を持つ巨人は傲慢《ごうまん》で喜ばしげであった。小柄の業師《わざし》は冷笑的で自信満々であった。中庸の体力を持った俘虜は緊張した注意力と計算を示して立ち向った。負かされながら阿諛《あゆ》的猪突《ちょとつ》を誇示してかかって行く道化者がやはり人気者であった。その他ただ一般的陶酔に加わりたいという弱点から、負けに出る弱い闘士もいた。

彼等は熱帯の陽《ひ》の下に汗と砂にまみれて闘っていた。この陽は収容所を取り巻く自由な原野にも、西太平洋のあらゆる残された戦場にも、爆撃の惨禍に会いつつある祖国にも、さらにこの島の西北部の半島に今なお籠っているという、一万の敗残兵の上にも照っているはずであった。

収容所長が入って来た。二十四五歳の丈の高い中尉である。彼の顔はアメリカ映画の少年物に出て来る敵役《かたきやく》の金持の息子の顔を、そのまま大人にしたような無邪気な無関心を示していた。ただ声は太かった。

彼の管理は要するに合理的で規則的で、規則の許す範囲ではすべてを許し、他はきかないということに尽きていた。彼はルーマニア人だということである。

彼は俘虜を不必要に刺戟《しげき》しないように努めていたが、彼自身も礼儀的に刺戟されないことを欲《ほっ》していた。わが重病棟の同僚たる四十歳の旅館主は、或る時道路上で彼を見て笑って咎《とが》められたことがある。「何故《なぜ》笑うか」と彼はオラを呼んで問わしめた。旅館主はただその職業的習慣により、愛想笑いをしただけなのであるが、彼の生得の反歯《そっぱ》の自然的効果によって、嘲笑《ちょうしょう》ととられたのである。オラは苦心して笑う男の善意を説明した。収容所長はいずれにしても俘虜が自分を見て笑うことを禁じた。

彼は構内へ入る時は大抵は事務主任を連れていた。これは眼鏡をかけた三十歳ぐらいの褐色の髪をした軍曹《ぐんそう》で、顔には無数の深い皺《しわ》が走り、口角は常に事務家の自足した緊張を示していた。彼も丈が高かった。

これ等我々の庇護者《ひごしゃ》たる外国人の体の最も印象的な部分はその腰であった。それは我々のよりは重い胴を支えるために、我々のよりは発達し、ゆったりとした上質の布によって蔽われていた。

これは身長の関係で、我々が眼を相手の胸を見る程度に下げる場合、自然にその腰を見るためであるらしい。しかし同じく長身の黒人の米兵を見る場合はこの印象がないところをみると、ここには何か別の原因が働いているのかも知れない。

彼等は道路で戯れる俘虜の間を身をかわしながらゆっくりと通り抜けて行った。収容所長は胸を正し、肩と腕を軽く律動的に前後に振り、事務主任は口を結んで、正確に正面を向いて歩いていった。彼等は一日に一度は必ずこういう風に何気なく我々の間に入って来た。一種の巡視であることは疑いない。

俘虜はただ眼を伏せて彼等をよけて通した。そしてその時自分達のなしつつある動作を続けた。米兵達は過ぎて行った。

彼等は支配し監督し、我々は生きていた。しかし生きている俘虜は真に生きているということが出来るであろうか。彼等は人間であろうか。

戦　友

　この収容所には既に数名のミンドロの僚友がいるはずであった。彼等はみな私よりかなり後で捕えられたが、私が病院で二カ月を暮すうちに、だんだんここに集って来ていたのである。

　一月二十四日ミンドロ島南部山中で米軍に掃蕩《そうとう》された時、我々は二隊に分れていた。即《すなわ》ち私の属する一個小隊は中隊本部、通信隊、海軍部隊、在留邦人と共に、東海岸ブララカオ背後の五一七高地に、ブララカオに駐屯《ちゅうとん》していた他の一個小隊は、そこから十五粁《キロ》西方の五一三高地に移動して、遥《はる》かに西南方、かつて中隊本部が駐屯し、今は米軍の占拠するところとなっている、サンホセ方面を監視していた。

　一月二十四日米軍はまず私達のいた高地を襲い、総員約九十名中約五十名が脱出した。私は当時マラリアで歩行不能、附近叢林《そうりん》中に倒れていて、翌朝米軍に発見された。この地で捕われた唯一《ゆいいつ》の俘虜であった。

右のほかその日の朝軽病者及び通信隊員計六十一名が予《あらかじ》め五一三高地方面へ退避を開始していた。しかし一行は二粁と行かぬうちに米軍に襲われ、一カ月山中を彷徨《ほうこう》した後六名がゲリラに捕えられた。内五名は私のいた病院へ来、一名はこの収容所へ来ていたが、彼等については既に別に書いたから、繰り返さない。

五一三高地も翌二十五日夕刻米軍に襲われた。しかしその時小隊は既に前日来わが高地方面を偵察《ていさつ》の結果、危険を感じて陣地を離れていた。総員約五十名、ルソン島に渡る目的で北上の途中、約十日の後わが高地より脱出せる兵約二十名と遭遇した。二月八日比島人の家で休憩中をゲリラに襲われ四散。そのうち小隊長以下七名が、単独或《ある》いは二三人ずつゲリラに捕えられ、この収容所に来ている、と私は病院で聞いていた。

私が収容所で最初に顔を合わせたのは小隊長の山田少尉である。炊事場の前の食器消毒釜《がま》の前に、数個の空の食器を携えて列に加わっているところであった。彼はこの時将校テントの食事当番に当っていたのである。

彼は大正の志願兵上り（つまり一二百円で入営期間の短縮と早い昇進を買った学校出）の少尉で、東京の下町の洋品店主であった。髯《ひげ》が濃く山中では典型的な隊長面《づら》となって、豪放をてらっていたが、内心頗《すこぶ》る怖《おそ》れていたのは、兵士達によって見抜かれていた。彼は逃亡中拳銃《けんじゅう》の弾を節するために、落伍《らくご》する部下を刺殺して進みながら、ゲリラに包囲されるとそれを用うることなく捕えられたというので、非難されていた。拳銃は錆《さ》びて用をなさなかったのではないか、と私は弁護したが、「脅《おど》かしぐらい利《き》いたろうよ。それがただやみくもに逃げ廻《まわ》って、ぐさと後髪だからな」と、最後まで彼に同行した一兵士が答えた。

しかし私はたって彼を責める気がしない。人間は弱いものである。病兵を刺殺する時彼は実際拳銃で戦うつもりだったかもしれない。その時の彼と、拳銃を所持したまま捕えられた時の彼とが、全然別人であっても、それは彼の責任ではない。

彼は私を見ると力なく笑い（私が病院にいることを彼は無論知っていた）それから稍々《やや》衒学《げんがく》的調子で、私の捕えられた経緯、襲撃を受けた時の状況等を訊《き》いた。彼は最初伍長と偽っていたが、一緒に捕えられた兵の陳述によって露顕した。「一体兵隊が余計なことを喋《しゃべ》りすぎるよ」と彼はこぼしたが、兵隊には別に彼の虚栄心、或いは責任回避の下心をカバーする義務はないわけである。しかし彼は帰国後死んだ部下の家を克明に歴訪して、わが中隊から還《かえ》った唯一の将校としての務めは十分果していたようである。彼は帰国の後二年で急病で死んだ。

この少尉を特に怨《うら》んでいたのは、前に引いた、彼の「後髪」を指摘した吉田という兵士である。逃亡中足首が化膿《かのう》して歩行困難となって以来、怒鳴られ通しだったのを、特に根に持っていた。彼はこのことから、日本の軍隊について甚《はなは》だ悪意ある意見を抱き、帰国後到るところ吹聴《ふいちょう》して廻っている。しかし卑見によれば、こういう自己の狭い経験の怨みつらみに基づいて、大きな組織全体を批判するのは浅はかであるばかりか、間違ってさえいる。自分を棚《たな》にあげて、他の欠点のみ論ずるという意味で浅はかであり、組織の現実のみ見てその目的を忘却しているという意味で間違っている。旧日本軍はその様々な封建的悪弊が兵士に忍苦を強《し》いたから悪いのではなく、悪弊の結果負けたから悪いのである。

吉田は三十四歳の補充兵で、下谷の麻雀屋《マージャンや》の主人であった。店は戦争中に閉鎖され彼は徴用されたが、無論徴用先の工場に対する不平が駐屯中の彼の不断の話題であった。彼の足首の化膿は熱帯潰瘍《かいよう》と自分でもいい、他人もそう思っていたが、やがて花柳病の結果であることが判明した。彼は米軍軍医によって定期的に注射され、俘虜になったついでに、無料で治して貰《もら》えるのをひどく喜んでいた。

もう一人小隊長と同行したのは神楽という若い兵士である。我々の中隊は三分の二が昭和七、八年徴集の中年の補充兵、残りが十八年徴集の二十二歳のやはり補充兵であった。若い兵士は多く忠実で勤勉で怠惰な中年の兵士より「おおむね良好」であったが、中に混っていた怠け者は中年の怠け者より始末が悪かった。彼等は怠惰と狡猾《こうかつ》においても若く精力的だったわけである。

彼は中学を出ており、或る軍需会社の事務員であった。戦時的完全雇傭下《こようか》の彼の先輩達の勤務振りを見て、彼は或る種の人生観に達していたらしい。中年の月給取りの兵士が「ずるするな」とたしなめると彼はいった。「だっておっさん達は十年どう机の前を誤魔かすかって勉強して来たんでしょう。今更若い者を叱《しか》れませんよ」軍隊における彼の要領は、要するに上官に阿諛《あゆ》し同僚を無視することにあった。中年の補充兵も上官に阿諛する巧みな点ではひけを取らなかったが、世間にもまれて気が弱くなっている彼等には、彼ほど無残に同僚を押しのけることは出来なかったのである。

彼は収容所で私に会っても珍らしげにもしなかった。我々はひと通り捉《つか》まるまでの身上話を交さねばならなかったが、彼はいかにも面倒臭そうに言葉少なく語り、私の話なぞ聞いていなかった。そして絶えず首を廻してあたりに眼を配っていた。

やがて何か見出《みいだ》したらしく奇声を発すると、不意に駈《か》け出して行ってしまった。彼の属する俘虜の班の古株が道路で相撲をはじめたところであった。彼はおどけた動作で勝負に割り込み転がった。今や俘虜の先輩に阿諛することが彼の重大事であった。

この二人が二月八日一隊が最後にゲリラに襲撃されて四散した時、小隊長に随行した八人の中から残った全部であった。その時の総員は六十七名、東海岸のボンガボンという町から六粁入った山中の、川に臨んだ崖上《がけうえ》の部落の一軒に雨に降り込められていた。夕食の準備中を不意に背後の山から射たれ、みな川へ降りた。或る者は川上、或る者は川下へ遁《のが》れ、或る者は対面の山に取りついた。小隊長達は山へ取りついた組であった。川下へ遁れたうちからは別に四人が来ていた。

その一人は宮田という芝浦の或る凸版《とっぱん》印刷所の事務主任で、他は金井という尾久《おぐ》の鉄工所の倅《せがれ》であった。二人はブラカオ駐屯中からおとなしい仲良しの一対《いっつい》を形づくっていたが、襲撃を受けた時も一緒に遁れ、一緒に捕えられた。ゲリラの扱いから彼等は殺されるものと判断し、むごい目に合うよりは、互に首をしめ合って死のうと決心した。

両腕に自由を与えるために一方が仰臥《ぎょうが》した他方の上に重《かさな》って、軍袴《ぐんこ》の紐《ひも》でしめ合った（紐は歯でも食い切れなかったので、軍袴ぐるみ脱いで、片側にその全体の重みを引きずりながら、しめ合ったそうである）。気が遠くなるように思いながら、力を失って相手を殺さずに死んではすまぬと思い、懸命に力を入れたが力が入ったかどうかわからぬ、と下になっていた宮田はいっている。我に返ると相手の頭が耳の傍《そば》につっ伏して、大きく息をしている。「生きてるのかい」と訊くと「うん」と案外はっきりした返事であった。二人はこの方法を断念した。すると何もない町役場の留置場では、他《ほか》に死ぬ手段は見当らなかった。

以来二人は一種特別な感傷的な友情のうちに暮していた。

宮田は月給取りであるが、群馬県の地主の婿《むこ》養子で、東京都内に家作も持っていて、勤めはただ体裁だけのものであった。丈が高く肥《ふと》った立派な体格に似合わず、女のように内股《うちまた》で歩いた。後で収容所が米軍の中隊組織に準じて改組された時、私は彼と共に同じ中隊の事務係となって一緒に仕事をしたが、その臆病《おくびょう》と細心には稍々業《ごう》を煮やした。帰還が迫った頃《ころ》、彼は苦心して日附を遡《さかのぼ》った日記を作っていたが、それによれば彼は戦争中捕えられた俘虜ではなく、終戦の大勅によって投降した兵の中に入るはずであった。

金井は駐屯中真面目《まじめ》に軍務に服して上官の評判がよかったが、俘虜になってからもその態度は少しも変らず、黙々と作業に従事していた。二人共ひどい近視であったが、宮田がゲリラに眼鏡を取られて戸惑いしたような顔をしていたのに対し、金井は奇妙な偶然によって眼鏡を保持し、それが彼の様子に何となく確固たるものを与えていた。

彼は現在食糧品加工所を経営している。

やはり川下へ遁れたもう一人の補充兵は池谷という指圧師兼按摩《あんま》である。彼は駐屯中民家へ入って饗応《きょうおう》を受けるのを好み、比島人から嫌《きら》われ僚友から疎《うと》んじられていた。彼は独り僚友とはぐれて彷徨《ほうこう》するうち、二度樹枝で首を縊《くく》ろうとしたが、紐が切れて成功しなかった後（我々はこの話を信じていなかった）ゲリラに発見され捕えられた。彼はゲリラの将校の肩を揉《も》んであずかった特別待遇を自慢した。「芸は身を助けるだ。俺《おれ》が按摩を習おうと思い立ったのは、持病もちのお袋に楽をさすためだったが、情けは人のためならずさ」と彼は私にいったが、見知らぬ俘虜の隣人には肥料会社の課長だといっていた。彼は体軀《たいく》は貧弱であったが、色が浅黒く、髯が濃く、妙に落着き払っていて、一語一語考えて、ゆっくり話した。要するにこれは一個の詐欺師《さぎし》であった。

こう書いて来ると、遺憾ながらわがミンドロの将校や補充兵がただ軍人として劣るばかりでなく、人間としても甚だ愛すべき存在でなかったことを認めざるを得ない。そしてもしこうした世に掏《す》れた中年男の醜さが、戦場という異常の舞台に氾濫《はんらん》するに到ったのが、専《もっぱ》ら彼等に戦意が足りなかったという事実に拠《よ》るとすると、国家が彼等を戦場へ送ったのは、国家にとっても、彼等自身にとっても、遺憾なことであった。

無論機械を送るのが最上であったが、機械を持たない日本は、そのかわり訓練によって戦意を持たされた人間を送った。しかし教えられた戦意が事実の前に脆《もろ》いのは、補充兵でも現役兵でも似たようなものである。

川下に遁れたもう一人の兵士は増田という現役の伍長であった。彼は既に日華戦争を二度勤めて来た古兵で、事実山田隊の最も老練な下士官であった。一月二十四日中隊本部の位置が攻撃される砲撃を聞き、逡巡《しゅんじゅん》する小隊長を駆って援兵を派遣させたのも彼なら、翌朝斥候《せっこう》となって既に米軍の占拠する附近まで潜入したのも彼であった。本隊はおびえて、彼の帰るのを待たずに移動を開始したが、その径路も彼が予め指定してあったものだったので、彼は難なく追いつくことが出来た。

しかしその時こういう冷静と勇気を示した彼が、最後にゲリラに襲われた時選んだ逃路《にげみち》は甚だ軍人らしからぬものである。一同が降りた崖下の川は海岸の町へ向って流れていた。彼等は川上の山から出て来たところであり、逃げるなら普通その方へ逆行すべきであり、事実大多数が川を遡ったにも拘《かかわ》らず、彼は単独で川下を選んだ。そして道路上でゲリラに発見され捕えられたという。この話は今考えて見ると少し変である。

名誉心の制約を持つ日本の俘虜は、無論収容所で投降を自白した者はいない。が、帰還後俘虜というものに対する日本人の考えの変化を見て、投降の心境を打ち明けた俘虜もいる。その時彼の語る真実と、収容所で彼が捏造《ねつぞう》していた嘘《うそ》とを比べてみると、彼がその嘘に甚だ危険な真実を交えていたことに気がつく。

例えば或るレイテの俘虜が収容所で語ったところによれば、彼は「えい、どうとでもなれと思って、国道へ上ってぽかぽか歩いているとゲリラが馬車でやって来て捕えられた」のであった、帰還後彼の語った真実は、「前から投降の決意を固めていて、そのためにわざと落伍し、森に隠れて、国道を戦闘部隊でない米軍が通るのを待っていた。そしてジープの前へ手を挙げて現れた」のであった。この二つの話に共通しているのは「国道」である。

周知のように米国は自動車によって比島の交通をまかなう方針で、群島のあらゆる島に国道が発達していた。敗兵にとってこの大道路に現れることは確実に敵に発見されることであり、「えい、どうとでもなれ」どころの騒ぎではないはずである。この嘘は聴き手がぼんやりした俘虜でなければ露顕に及んだところであった。

増田伍長における「川下」はこのレイテの俘虜における「国道」と同じく彼の嘘に交った危険な真実ではなかったか、と私は疑っている。老練なる軍人たる彼にとって川下即ち比島人或いは米軍を意味したのは明瞭《めいりょう》であり、事実彼より遥《はる》かに戦いに馴れない兵士さえ、川上を選んでいる。

しかし、私は彼の名誉のために急いで付け加えるが、これは彼の降服の蓋然《がいぜん》性を示すだけであって、事実については別問題である。降服とは行為である。多くの太平洋の敗兵が密林中の飢餓にあって降服を考えたであろうが、事実降服する勇気を出し得たものは少なかった。一方それまで降服について夢想だにしなかった者が、優勢な敵をその眼で見て、不意に手が挙がったとしても、これも少しも不自然ではない。

今日多くの俘虜の記録が降服の心理について書き、「人間性」「生きたい欲望」の如《ごと》き観念をもってそれを飾っているが、卑見によればかかる行為には、必ずしも心理的連続性を求めなくてもいいのである。

或るレイテの俘虜は肉薄攻撃に出されて家ほどある米戦車を見、俘虜になってもいいから家へ帰りたいと思ったそうである。しかもこの時まで彼は一度も降服しようとも、家へ帰りたいとも思ったことはなかったのだ。訓練とは既知の状況による習慣の蓄積であるから、未知の事実の前では一挙に崩れることがある。こういう心理の断層を時間的に表わす方法はない。

一月二十四日に勇敢であった増田伍長が二月八日までの行軍中、投降の底意を抱くに到ったと仮定しなければならないことはない。彼が川原へ降りた地点では偶然川下へ地勢が開けていた。その時、この方へ行けば生命があるという霊感を得たとしても少しも差支えはない。しかもその霊感が、以来幾日かの彷徨の間彼を支配し続け、遂にゲリラの前に手を挙げしめたかどうかについて、決定的なことは誰もいえないのである。と同時に事実がその通りでなかったという根拠も一つもない。人間に関する限り戦場には行為と事実があるだけである。あとは作戦とか物語とかである。

戦場の事実に関する限り、増田伍長は徹底した虚言者であった。彼の地方における職業はブローカー、つまり常に嘘を必要とする職業であるが、彼がその所謂《いわゆる》目撃した事実を語る調子で商品について語っては、いくらブローカーでも商談は成立しないであろう。

彼は人の知る惧《おそ》れのない事実については、常に自分が当事者か目撃者でないと気がすまないらしかった。

彼の分隊には私は一人の友人を持っていた。それは亘《わたり》という東京の或る醸造会社の高級社員で、私の召集前の勤務先であった関西の造船所の同僚の親類であった。それまで我々は知り合っていなかったが、同時に召集され同じ中隊に編入されたという偶然によって友人となった。小隊を異にしミンドロ島における駐屯地も違ったが、輸送船の中で我々は屢々《しばしば》共通の知人について語り、任地へ着いてからも、連絡に往復する兵士に短い手紙を託したりした。

増田伍長の話によると彼は死んだらしかった。川の傍の家でゲリラに射《う》たれた時、伍長は偶然亘の隣に坐《すわ》っていたが、弾が二人の間を通ったので、彼は身を翻《ひるが》えして傍におかれてあった材木の蔭《かげ》に隠れ、さらに崖を転がり落ちた。最初弾が来た時の感じでは、亘のいた方は一面に射たれたから、多分助かるまい、と彼はいった。

ところが一カ月後死んだはずの亘は七名の僚友と共に収容所へ来たばかりか、よく聞いてみると彼は射たれた時、増田伍長と並んでなどいなかったのである。

一方亘の方には私が死んだことになっていた。前述のように私の隊が襲撃された翌日、増田伍長が附近まで斥候に来たのであるが、たしかに私の死体を見た、と帰って亘に告げたそうである。亘と私は手を握って「よかった。よかった」といったが、再会の感激が双方の側で倍加していたのは、一重に増田伍長の嘘の賜物《たまもの》であった。

亘の一行は襲撃された時川上に遁れた二十人ばかりの兵士から残った全部であった。彼等はなお一月以上を彷徨した後、三月二十六日カラパン背後の山中で捕えられた。彼等が収容所へ着いたのは四月八日であったが、これがわが中隊から生還した最後の者となった。

一行は下士官三兵五であった。うち下士官一兵一が附近海面で遭難して我々の隊に収容されていた船舶工兵、下士官二兵四がわが中隊の兵士であった。下士官は二人共私のいた五一七高地から脱出した者で、私の上官である。

私が彼等の姿を見て駈け寄ると、黒川という軍曹《ぐんそう》は横を向いて「大岡、この戦争は負けだな」といった。「俺が俘虜になるぐらいだから」という意味らしい。もう一人の佐藤という伍長は、「おい、ここにゃ酒保が開いてるって、ほんとか」といった。

わが上官で俘虜になった者は三名であるが、その再会の第一声は悉《ことごと》く私の気にいらなかった。私が病院で会ったわが分隊長はいった。「みんな取られちゃったよ」。取られたというのは、彼が大事にしていた黒革の手提鞄《てさげかばん》のことで、そこに彼は時計等死んだ部下の遺品を収めてあったのである。

二月八日から三月二十六日まで一行の経た道は、太平洋の敗兵が誰でも経験した所謂木の実を喰《た》べ、草の根をかじっての難行軍で、幾度か食物を求めて海岸地方に出ては、比島人に追われて山中に逃げ込み、遂《つい》にカラパン背後の山中にかかった頃（無論地図も磁石も持たない一行はどの辺か知らなかった）、黒川軍曹が、今度比島人を見つけ次第殺して食おう、といい出した。最初冗談かと思って聞き流していたが、しつこく繰り返すので、顔を見ると眼の色が変っているのでぞっとした、と亘はいっている。

小さな流れを伝って山を下りると、岸は垣《かき》を連ねて玉蜀黍《とうもろこし》畑になっていた。その畑の向う側に、大きな日除《ひよけ》帽を被《かぶ》った比島人が歩いているのが見えた。一行の中で銃を持っているのは一人しかいなかった。その兵士がこの時不意に、こっちの所在を示す危険を冒して、その比島人に発砲する気になったのが、軍曹の言葉の影響であったかどうかは不明である。彼自身はやけになって、一発射ってやれ、という気になったといっている。とにかく彼は誰にも相談せず、いきなり発砲した。弾はあたらなかった。比島人は何か叫びながら逃げ出した。一同は踵《きびす》を返して山の方へ逃げた。発砲した兵士は銃を捨てて逃げた。ブリキ缶《かん》を叩《たた》く警報の音が四方で起り、山際《やまぎわ》の狭い谷間で、一同は三十人ばかりの武装した比島人に取り巻かれた。

各自僚友達がくるくるでくのように廻《まわ》されながら、縛られて行くところを見ている。一同は全部荷車でカラパンに送られ、そこで米軍に引き渡された。そして一週間の後哨戒艇《しょうかいてい》でレイテ島に送られて来たわけである。

黒川軍曹は中隊本部の給与係で、私の直接の上官ではないが、サンホセに駐屯中私の任務が暗号手であった関係で、中隊事務室で机を並べていた。彼は日華戦争で七十数度の戦闘に従い、肩の負傷のため右腕は肩の線までしか上らなかった。彼が給与係に廻されたのは恐らくその不自由な体のせいであろうが、彼はこの初めて取る事務に怯《おび》えて、慎重規則的にすぎ、報告を誤魔かして中隊の給与を潤おすことを知らなかったので、中隊中の下士官に毛嫌いされていた。私はそのため幾分彼に同情していたといってもよい。

しかしこの人肉喰《ぐ》いの提唱の事実を知って以来、私は彼を見るのがいやになった。人肉喰いは人類創造以来、人肉と共に人間の精気を摂取するという信仰に基づく未開人のカーニバリズムから(現代の日本でも田舎で焼場の設備がなく、村人が墓場に薪を積んで死体を焼く場合、焼け残りの肉を万病の薬と称して喰べるところがある)漂流船上における最後の必要から来るそれに到るまで、幾多の要するに飽食した我々には、何もいう権利のない事例を残している。しかし私が黒川軍曹に嫌悪《けんお》を感じたのは、他に冗談だと思う者がいたほど切迫していなかった事態において、彼だけそれをいい出したことにある。

メデューズ号の筏《いかだ》上の悲劇は非難し得ないが、俘虜の肉を会食した日本の将校は非難されねばならぬ。単に俘虜取扱に関する国際協定に反するばかりでなく、贅沢《ぜいたく》から人肉を食うという行為が非人間的だからである。それは彼等の陣中美食の習慣と陰惨な対敵意識に発した狂行である。同様にわが黒川軍曹が同じ条件の下に飢えていた部下より先に、比島人を食うという観念を得たのは、明らかに彼が日華戦争中に得た「手段を選ばず」流の暴兵の論理と、占領地の人民を人間と思わない圧制者の習慣の結果であった。こういう戦場の習慣が彼の裡《うち》の人間を抹殺《まっさつ》するところまで進んでいたとすれば、これはもう一個の怪物である。

以後私は彼に会っても口を利《き》かなかった。彼は不可解な私の態度に幾分当惑したようであったが、やがて収容所でよくある「忘恩」の場合と諦《あきら》めたのであろう。彼の方でも顔をそむけるようになった。しかし大分経《た》って、彼がその昔の階級のために俘虜の中の顔役の位置に押し上った時、或る晩私を物蔭に呼んで、何故《なぜ》挨拶《あいさつ》しないかと詰問《きつもん》した。私が彼の鉄拳《てっけん》を免《まぬ》かれたのは専ら弁舌の賜物であったが、私は遂に私の真の理由を告げなかった。その真実を本人に告げるということには、何か残酷なものがあるのを、感じたからである。

事実黒川軍曹の性格には真剣に気の毒なものがあった。彼は給与係の事務において拙劣であったのは、彼が優柔不断だったからである。彼は何事についても、決断を下すことが出来なかった。彼の兵士の中から算盤《そろばん》の巧みな若い兵士を助手として起用していたが、その二十二歳の若造が算盤を弾《はじ》きながら、次の購入物資の決定について、狐疑《こぎ》する彼を導いて行くのはちょっと観物《みもの》であった。

(この若い兵士も戦時下日本が生んだ青年の型の一つであった。彼は小学校しか出ていなかったが、戦時中事務員の需要が増えるのを見て算盤によって身を立てることに決め、十八歳で教師の免状を得た。彼の処世方針は要するに面従後言の一言に尽きていたが、これは軍隊でも成功して、黒川軍曹を操って仕入物資について住民からコンミッションを取り、更に炊事の兵と組んでその食糧を持ち出して売っていた。彼は小《こ》柄《がら》の才子風の美男子で、始終僚友の告げ口をしていた。黒川軍曹は無論彼の裏切りには気がつかなかった)。

山中を行軍中も黒川軍曹の優柔不断は亘の注意を引いた。例えば道が二つに分れているところでは、彼はきまってまず休息し、十五分以上の狐疑逡巡《しゅんじゅん》があった。次第に兵士達もいや気がさし、遂に別行動をとろうということになったが、道は先で一緒になっていた。

こういうあまり軍人らしからぬ不決断がある一方、彼は甚だ癇癪持《かんしゃくもち》でよく部下を殴った。彼は眼が大きく鼻が高く喉笛《のどぶえ》が突出して、全体として頗《すこぶ》る彫刻的な首をしていた。彼は北海道の産であるが、何故かその出身地の名の訊《き》かれるのをいやがった。

しかし彼は我々が米軍の艦砲射撃を受けてサンホセを退去する時、中隊長よりも沈着を示したのを私は知っている。砲撃は約三十分続いたが、海岸から四粁《キロ》あった我々の兵舎には辛《かろ》うじて届かなかった。砲撃が止《や》んだ後、兵士達がおきざりにした朝食を、彼一人悠然《ゆうぜん》と食べているのを私は見た。彼は最後まで兵舎に止《とど》まり、完全に後始末をしてから、先発した部隊を追った。

私はその時マラリアで発熱していたので、暗号書等をこういう時のために予《あらかじ》め教育しておいた僚友の一人に預け病人達と共にゆっくり部隊を追って行った。

翌朝サンホセ北方十キロの山中で、我々がバタンガスの大隊本部との通信を頼んでいた陸軍航空隊の気象班では、山路運搬困難な通信機を焼いた。中隊長はこの時部隊今後の行動につき最後の電報を大隊本部に送ったが、私は正規の暗号手としてその電文は自分で組立てたく、熱を冒して作業した。「全員志気極メテ旺盛《おうせい》誓ッテ撃滅ヲ期ス」というような意味の数字を助手の僚友に口述しながら、私は不覚の涙を禁じ得なかった。通りかかった黒川軍曹がいった。

「馬鹿野郎、泣く奴《やつ》があるか、自分の任務を遂行していれば、涙なんか出る暇はないんだよ」

私が任務を遂行していないというのは苛《か》酷《こく》であった。私は教練はうまくなかったが、僻地《へきち》に孤立した独立守備隊の唯一《ゆいいつ》の暗号手として、常々我々と友軍との唯一の連絡の手段たる電報の組立と解読に、全力を尽していたつもりである。この重大な時に私が病んでいたのは遺憾であるが、私が敢《あ》えて暗号書を他に託したのは、病人の私は落伍《らくご》するかも知れず、かつ前途にはゲリラの危険があったからである。私はただ部隊の通信手段の安全を考えて身を引いたのだ。

それにも拘らず、私の涙に関する彼の判断は、この瞬間における私の心理的真実を突いていた。この時もし私が前日から暗号書を保持し、病者の虚脱でなく、義務の感情をもって行動し続けていたら、そして最後の電報という感傷的動機からでなく、その重大な電報に近づいていたとしたら、泣きなどはしなかったであろう。

彼の普段の優柔不断を見馴《みな》れていた私はこの時の透徹に驚いた。恐らく彼のいった文句は屢々軍隊で繰り返される常套句《じょうとうく》であり、彼が知らず識《し》らずに憶《おぼ》えたものにすぎなかったのであろうが、教えられたにせよ、人がこういう智慧《ちえ》を身につけるのは悪いことではない。ここに私は旧日本の軍隊が、その幾多の欠陥にも拘らず、組織である限り、人に教えるものがあったのを認めざるを得ない。

以来私は彼を多少尊敬の眼をもって見たが、彼の人肉喰い提唱の話を聞いて二度驚いた。しかし前に書いたように、彼の智慧が彼が無意識に組織から授かったものにすぎないという立場からすれば、こういう彼の怪物的貪欲《どんよく》も、日本陸軍の悪い対華戦争方針の犠牲と見做《みな》さねばならないであろう。そしてこの点を押し進めて行けば、戦争に振り廻される人間に対する人間的な観点というものはなくなって来る。ただ事実があるのみである。

しかし収容所においては私はこれほど鷹揚《おうよう》であることは出来なかった。私は反省することなく彼を嫌悪し、多少その嫌悪を誇っていた。

人肉喰いの心理の研究を進めれば、私は軍曹の暗示によって比島人に発砲した兵士にも及ぶべきであろう。しかしこの場合にも、私は先に降服の心理について書いた時と同じく、突発的行為に心理的連続性を求めるのを避ける。彼は普段は我々の中でも最も温和謙遜《けんそん》な兵士であった。彼は北多摩の農民である。

私がさらに心理的であろうとすれば、軍曹の提唱を「冗談か」と思ったという亘の心理に「そう思いながら、その軍曹の言葉によって、何か私の中で掻《か》き立たされるものがあるのを感じた」の如きまずい心理描写も行うことも可能であろう。が、行動に到らない不確定な人間心理については心理小説家に任せる。

わが上官たるもう一人の下士官について書いてしまおう。

佐藤伍長は深川の小さな鉄工所の工員である。体は小柄で瘠《や》せていたが、眼が鋭く、常に顎《あご》を稍々《やや》前に攻撃的に突出しているところは、どこか古風な街のごろつきといった感じを与えた。彼は事実そういう種類の勇ましいあんちゃんに属していたかも知れない。彼の江戸弁はなかなか歯切れがよかった。

彼が私に会って最初にいった言葉が「酒保が開いてるって、ほんとか」であったことは前に書いた。ここへ来る前一週間カラパンに留置されていた間に、レイテへ行けば完備した収容所があるとでも聞かされていたであろう。我々はまだ作業に就いていないから、俸給《ほうきゅう》もPXもない、と聞いて彼はがっかりしていた。

俘虜になって清潔なベッドと十分な食糧が与えられるのに満足していた私には、彼の言葉は異様に響いた。こういう現実主義が、国家が人民の利害と関係なく始めた戦争に対する人民の反応の一種として、頗る自然なものであることは理解しているが、祖国が亡《ほろ》びんとしている現在、捕えられて一週間経つか経たぬかに、まずPXを気にしている帝国軍人を見るのは、少し悲しかった。

彼はサンホセ警備隊に属した分隊長であり、分隊こそ異なれ、やはり私の上官であるが、私は病院で私の分隊長にうっかり元通りの奉仕をして、つけ上がられてひどい目に遇《あ》った経験があるので、一種の示威運動として彼等に殊更《ことさら》冷たく当ることにした。彼等は一緒に来た兵士達と共に、一つのテントに収容され、私はまだ病棟にいたから、病気を楯《たて》に彼等との接触を避けることが出来た。

一同は栄養不良のほか別に故障はなく、まもなく元気になった。殊に佐藤はすぐカブ博奕《ばくち》に凝って、負けて支払う煙草を借りに来たりした。私はこれも断った。

一カ月後、私の病いは癒《い》え、英語の知識のために俘虜の中の役員になった。或る日重病棟の前に診察を受けるため並んでいる列の中に彼の姿を見た。やつれて顔色が悪かった。私はさし当り私が役得によって貯《たくわ》えていた飴《あめ》を進呈し、病状をたずねた。脇《わき》腹《ばら》に鈍痛があるという。何か複雑な内臓の病いらしかったが、俘虜の日本軍医の診断の結果は「異状なし」で、彼は病棟に入れて貰《もら》えなかった。

私は二三日彼のことを忘れていたが、思い出して彼のテントへ行って見ると、ベッドに寝て横腹を手拭《てぬぐい》で冷やしていた。大分悪そうであった。私はもう一度診断を受けることを薦めたが、彼は首を振って「いや駄目《だめ》だ、あいつ等は碌々《ろくろく》診てくれやしねえ」といった。日本の軍隊の習癖をよく知っている彼は諦めがよかった。

始終供される肉類を煮込んだ粥《かゆ》が喉を通らないと聞いて、私は早速炊事からパンとミルクを分けて貰い、持って行った。彼は私の顔を見ていった。

「すまねえな。別にこれということもしてやった憶えもねえのに、もとの上官だと思えばこそ、こうやって自分の食べるものも喰べねえで持って来てくれるんだろうなあ」

私は赤面した。私は別に自分の欲望を節してまで、彼に尽しているわけではない。ただ私の不当の所得の一部で幾分の気前を見せているにすぎない。

私はこの下士官に感謝したことがあったのを思い出した。私はサンホセ駐屯中最も熱帯潰瘍《かいよう》に悩む兵士であったが、暗号手という任務から一部の下士官から生意気と思われていたため、使役にも殊更その故障を無視した仕事を与えられた。彼が週番下士官であった時、彼は私の足を見てすぐ楽な農園の草取りに廻してくれた。そしてこの時彼が私の足を見た時の眼には、たしかに上官でもなければ軍人でもない、ただの人間的同情だけが表れていた。こういう眼は初年兵にはなかなか忘れられないものである。

私がその思い出を彼に告げると「そうかなあ、憶えてねえな、そうかね」と感心していたが、「まったく病気になって初めて、人の情けの有難さを知るよ」といった。

こういう月並な人情的科白《せりふ》を私は発明しているわけではない。事実彼のいった通りを写しているのである。一体に彼はいつも甚だ口調のいい科白をいう男であった。

山中で最初に襲撃されて、遁路《にげみち》を探していた時、彼はいった。

「えい、どっちへ行っても駄目だったら、銃座へ立てこもって、最後の一戦を交えるまでだ」

ブラカオへ出張した時、十日前そこでゲリラに射たれた海軍兵士の糜爛体《びらんたい》を見たことがある。一つの屍体《したい》の頭の傍《そば》には大きな薪割《まきわ》りが投げ出されてあった。帰途彼はいった。

「おたげえにしっかりしようぜ、ええ。ああなっちゃおしまいだからな。薪割りなんかで、もろにでっち上げられてよ」

　こういう文句は、我々が今見て来たものとはあまり関係がなかった。あそこには屍体という物体があったが、ここにはただの皮肉な表現があるだけであった。明らかに彼は戦場の現実も、彼自身の感情も、こういう言葉のヴェールで蔽《おお》っていた。

　彼はまた「大方山で兵隊を棄《す》てて来た罰で、こうやって苦しむんだろうよ」ともいったが、私はこの言葉を聞いて棄てられたとかいう僚友のために憤慨も感じなかった。彼の言葉が因果応報という出来合いの観念を表現しているにすぎないことも明瞭《めいりょう》なら、彼が実際に兵隊を棄てたり出来るような確固たる人物でないことも明瞭だったからである。

　そして熱帯潰瘍で膨れ上った私の足を見た時、彼の眼が表現していたものも、こういう通念としての憐憫《れんびん》だったに違いない。だから私はすぐそれを認めたのである。もっともこれは彼がその時真の憐憫を感じていたことを妨げない。ただ都会人たる彼の生活は二重であった。

　多分彼は軍隊にあっても街のあんちゃんの生活を延長していただけであった。双方とも勇ましく、表面を飾る点でも同じである。そして彼が颯爽《さっそう》として「最後の一線」的棄鉢《すてばち》に突入出来たと同じ理由によって、彼は俘虜となっても諦《あきら》めがよかったし、すぐＰＸを楽しみにすることも出来たのである。

私は親しい俘虜の衛生兵に彼の再診察を頼んだ。翌日彼は病棟に収容され、三日後、病院へ送られて行った。彼は病院で日本人の役員の受けがよく、患者の食事などを運ぶ所謂《いわゆる》「勤務員」となって、帰還まで病院に止《とど》っていた。私は彼がその特権の濫用《らんよう》に陥らなかったことを希望せずにはいられないが、どうも私の希望は実現していたとは思われない。

亘と私はよく話をした。彼は一行の中で最も衰弱が甚だしく、やがて私と同じ病棟に入って来たので、ずっとベッドを並べて寝ていた。前述のように彼と私とは特別の縁故があって、輸送船以来友であったが、ゆっくり話しをしたのは俘虜になってからである。二人は現役の多いレイテの収容所で数少ないインテリに属していた。

彼は私より三歳年少の三十三歳であったが、万事私より落着いていた。バシー海峡で僚船が沈んで以来、寝所を甲板《かんぱん》に求めて彷徨《ほうこう》する私を尻目《しりめ》に、悠然と狭い船室に坐《すわ》り続ける彼の姿を私は羨《うらや》んだ。

彼が召集という災難を何とか切り抜け、生きて帰ることしか考えていないのは明白であった。しかし彼は少しも悪あがきをせず、悠然と清潔に身を処しながら、その難関を突破しようとしていた。

彼は富裕な退職官吏の息子で、東京の都会風な私立大学の経済部を卒業、或る醸造会社の社長秘書を務め、既に五人の子の父であるが、容貌《ようぼう》は端正瀟洒《しょうしゃ》で若々しかった。俘虜の閑暇の中で並んで寝そべって無駄話をしながら、私は遂《つい》に彼の沈着の秘密を見抜いた。彼は八卦《はっけ》を信じていたのである。

彼の父は多少漢学の素質があり、易を修めていた。そして彼が内地を出発するとき、彼にいったそうである。

「お前は生きて帰れるから心配するな。日本は敗《ま》ける。お前も随分苦労するだろうが、これから天皇陛下のなされる苦労と比べてはなんでもない」

父の卦はよく当り、知合のために卦を立ててやることがあり、深夜株屋から電話で問合せがあったりした。彼は幼時から、父の予言の当るのを見て育った。そして彼の受けた教育はあらゆる意味で、そういう予言の可能性を否定するものであったにも拘《かかわ》らず、彼が父の卦に対する信頼を棄てかねているのは明白であった。少なくとも私の嘲笑《ちょうしょう》に彼は露骨にいやな顔をした。

人生の最大の不幸として死しか考え出せない易の現世主義は確かに浅薄なものであ

るが、戦場にあっては誰しも浅薄たらざるを得ない。その低級な不幸があまり近すぎるからである。

私の分隊には日蓮宗の坊主がいて手相を観《み》た。小隊全員の手相を見て、災難の相は出てるが、死相が現れてないから、わが隊は安全だと予言した。私の嘲笑に憤慨して彼は「お前だけ死相が出てるぞ」といった。私は無論彼の予言なぞ信じはしなかったが、死相という言葉だけは、始終思い出されて困却した。私がこの自分の信じていない予言に悩まされた程度には、亘は父の卦を信じ、安心していてもよいわけである。

一方彼は学生時代マルクス主義を知り、同盟休校を指導し、映画を愛していた。たまに「一体赤の思想ってどんなものですか」などと訊《き》きに来る好学的な若い俘虜に、余剰価値説の初歩を巧みに説明して聞かせていた。しかし一般に彼の言葉は何となく思想の抜け殻《がら》の感じを与えた。「愛国心も利己主義の一種ですからね」の如《ごと》き成句を彼はふんだんに知っていたが、そういう思想の連結について、彼があまり頭を労していないのは明白であった。彼が父の八卦を信じると同じ程度に、コンミュニスムの輝かしき未来を信じていることは疑いない。

彼はトランプの或る高級な遊戯法を知っており、附近の俘虜にそれを教え、私も一緒にやったことがあるが、こういう時彼はいつもの謙遜な態度に似合わずむきになり傲慢《ごうまん》になった。そして自分の打った手の効果を享受《きょうじゅ》するだけで満足せず、それがいかに合理的な巧みな手であるかを説明しないと気がすまないらしかった。

要するにこの容姿端正な高級社員の与える全体的な印象は一個の退化した知性のそれであった。やがて彼も私同様通訳となった。

残りの二人の兵士については簡単に書こう。一人は映画館の映写係で、召集直前は或る軍需工場の徴用宿舎のコックであった。彼はやがて収容所の炊事員となり傲慢になった。他の一人は宮内省の役人で、今も坂下門の守衛をしている。彼の無害な人柄は幹部の気に入り、やがて十五人の俘虜の班長になった。大体わがミンドロの補充兵は俘虜になるとみな出世した。

ミンドロ島の半分を警備したわが中隊百八十人のうち十七人がレイテの俘虜収容所へ来た。我々は悉く《ことごと》十九年初三カ月の教育を経て前線に送られた所謂「おっさん部隊」であり、まず兵士とはいえなかった。米軍がレイテの次に上陸したこの島で我々の辿《たど》った運命は惨《みじ》めであったけれど、それは戦闘とはいえなかった。それは我々の市民的エゴイズムを粉砕するに到らなかった。我々は戦友ではなかった。

我々は兵士ではなかったが、後にはたしかに俘虜であった。しかも清潔な住居と被服と二千七百カロリーの給与とＰＸを享受する一流の俘虜であった。或る者は今なおあの頃《ころ》を「天国」と呼び「わが生涯《しょうがい》の最良の年」といっている。我々にとって戦場には別に新しいものはなかったが、収容所にはたしかに新しいものがあった。第一周囲には柵《さく》があり中にはPXがあった。戦場から我々には何も残らなかったが、俘虜生活からは確かに残ったものがある。そのものは時々私に囁《ささや》く。「お前は今でも俘虜ではないか」と。

季節

俘虜《ふりょ》の最も怠惰な分類は、かつての軍隊における階級によるものであろう。しかしこれはその日々の生活の実状に照らせばあまり適切ではない。少なくとも我々のように祖国が負け目になってから、戦場で捕えられた俘虜については、そうである。

ソロモン周辺の押合いの頃《ころ》までは、数少ない日本の俘虜も気が強く、日本精神を掲げて、ほぼ軍隊内と同じ規律と統制が行われていたらしい。しかし私の入ったレイテの収容所のように、決定的な敗軍から生き残った兵士のみより成った収容所では、既に日本精神は存在し得なかった。俘虜の指導者達も敗軍の混乱の経験から、もはやそういうものが通用しないことを知っていた。「お互いに俘虜ではないか」表面なお礼儀として残存していた旧軍隊の階級制度のうちにも、あらゆる俘虜の顔はこういっていた。

俘虜の生活から見れば、分類は所内の新しい階級によって行わるべきである。彼等は二大別される。即《すなわ》ち何かの役についている者とそうでない者とである。

役員とは日本人代表者（「日本人収容所長」と自称す）とその事務的スタッフ、約六十人の俘虜を収めた小屋の長（又は棟長）及び衛生兵、炊事員である。しかしこれ等が、特殊の技能を要する最後の二者を除き、悉《ことごと》く下士官によって占められていたのは、やはり旧軍隊の残骸《ざんがい》といえようか。

しかし収容所の下士官の悉くが役についたわけではない。それはまず俘虜になった日附の古さ、多少の才能と機転、「出しゃばり」「世話好き」等の個人的性格、阿諛《あゆ》の才、或《ある》いは全くの偶然によった。そして役についていない下士官の俘虜は、兵の俘虜と全然見分けがつかなかった。ここにも俘虜の階級的分類が、その過去ではなく現在によって行わるべき根拠がある。

将校の階級を隠して一般俘虜の中にいる者もいたが、これも見分けられなかった。因《ちな》みに我々の収容所では将校は別に柵《さく》によって隔離され、一般俘虜との接触を禁ぜられていた。

役についていない俘虜はさらに次のように分け得た。

第一、病人。これは病棟と呼ばれる別棟に集められて、俘虜の衛生兵によって看護される。重病棟、軽病棟の二があり、前者には実際に看護を要する者、後者には脚気《かっけ》、栄養不良等によって、食事の運搬をすることが出来ない者が収容される。食事の運搬が何故《なぜ》これほど大事かというと、それが十数人分ずつ石油缶《かん》に入れて配給され、当番が炊事場から小屋まで運ばねばならぬからである。

第二、これは要するに前記の石油缶を運ぶ力だけはある者である。彼等は一般の強健な俘虜と同じ小屋にいるが、各種作業に従事出来ないため、周囲に気兼ねしながら暮している。彼等は常に食事当番を受け持つ。

体が弱いとは即ち俘虜になって日が浅いということである。我々はAB二組に分れ、A組は入口に近く自ら建てたニッパ小屋に住み、B組は敷地の他の端に米軍支給のテントを張って住んでいた。A組は古く、B組は新しく、新入者はA組に欠員を生じない限りB組に編入された、従ってこの種類の俘虜は大抵B組にいた。

日本人代表者イマモロ（つまり今本であるが、米軍は訛《なま》ってこう呼んだ。我々は半ば愛情半ば軽蔑《けいべつ》を籠《こ》めて、この訛《なまり》を踏襲していたので、この記録でも別様に呼ぶ気がしない）はA組長を兼ね、B組の創設によって彼の権力が分割されたことを不満に思っていた。で彼はその日本人代表者の資格で分配する日々の食糧をA組に多く、B組に少なく割当てた。A組員が作業し、B組員の大半が作業出来ないのがその理由であったが、事実は恢復《かいふく》期にあるB組員の体は、飽食したA組員の体よりもカロリーを欲《ほっ》していた。B組幹部は深くイマモロを怨《うら》み、飢えた新来者はひそかにA組を訪れて、煙草を残飯と交換した。

新しい俘虜の特徴は、かがんだ背中、平らな胸、光のない眼、細い手足等、ほぼ一般の栄養失調者と共通しているが、特異なのはその皮膚病であった。日本軍隊名物の頑癬《がんせん》が地図のように鮮やかに紅紋を画いた間を、疥癬《かいせん》が無数の掻《か》きむしった傷痕《きずあと》と共に丘疹《きゅうしん》で埋めていた。米軍の医薬もかかる大量の皮膚を蔽《おお》うには足りなかったので、これ等皮膚病が消滅するには二三カ月かかった。

俘虜には米軍制服が一着当っていたが、彼等は一日の大部分を褌《ふんどし》一つの裸ですごすから、これ等皮膚病に蔽われた衰弱した肉体が露出していた。彼等がその細い足に十一文以上の米軍のドタ靴《ぐつ》を引き摺《ず》り、顔を歪《ゆが》めて、食糧運搬用の石油缶をさげて行くところは、所内の最も傷《いた》ましい眺《なが》めであった。

私は彼等の外観から大体捕えられてから何カ月目であることかを推察することが出来た。

これに反し第三の種類、つまり主としてA組にいる体の恢復した俘虜は、或る程度肥《ふと》ってしまうと区別がつかない。彼等の間で相違が現れて来るのは、むしろ各人の人柄《ひとがら》の相違、及び職業の相違である。下士官と兵の相違が認められないことは前に書いた。兵のうち現役、補充の相違が辛《かろ》うじて認められるが、これも日華戦争以来の長い召集期間の間に殆《ほと》んど消滅していた。さらにこれはほぼ先の職業上の差別と重なっていた。つまり農民は多く現役であり、俸給《ほうきゅう》生活者は多く補充兵だったのである。その他労働者、中小商工業者、官吏、宗教家、博奕打《ばくちうち》もいたが、最も圧倒的であったのは農民である。レイテの敗兵が多く現役だったからである。

私は若い現役の兵が好きである。私の中隊は私のような中年の補充兵が多かったが、私は十カ月彼等と起居を共にして、その小市民的エゴイズムがつくづくいやになった。彼等が今度の戦争を好まない理由はわかる。彼等を日常生活の安穏から忍苦と死の危険の中に追い立てるからであるが、彼等が常々彼等の平穏な生活自身、彼等に何を課するかに想到しなかったのは迂闊《うかつ》である。そして前線にあって彼等はただ日常的狡智《こうち》を働かせて、この災厄《さいやく》を「日常的」に切り抜けることしか考えていなかった。国家の暴力が衝突する戦場にあってこれほど無意味なことはない。

これに比べて内地で教育された部隊、及び俘虜収容所で会った現役の若い兵隊は、無論甚《はなは》だ無智であったが、国民の生活に義務というものが存在し、それに今自分が機械のように従っているということを自覚していた。従って彼等は多く朗らかで屈託がなく、兵務に関しない限り鷹揚《おうよう》であった。事実は彼等が腐敗したミリタリストによって欺《だま》されていたことは遺憾であったが、彼等がそれを知らない限り、それは彼等の心と行為に何の影響も及ぼさなかったのである。

無論中には遅れた昇進、その他によって意地悪となった古兵もいたが、要するにこれは例外であって、これらの悪い畸形児《きけいじ》によって受けた被害を誇張して、旧日本軍隊の兵士が悉く悪漢であったかの如《ごと》く想像するのは、丁度前線で一部の者の犯した惨虐《ざんぎゃく》を見て、日本兵を悉く人でなしと空想するのと同じく事実と符合しない。

もっとも私がここで兵士というのは、文字通りに兵を指すのであって、下士官は含まない。これは既に軍隊内のその位置に快適を感じ、自己の個人的幸福のためにも、この組織を支持する意識を持ったエゴイストである。彼等は特権によって誘惑された者共であり、特権ある者は常に堕落するのである。

俘虜収容所で役につかなかった下士官が、多く現役兵と同じ快活と淡泊を示していたのが、彼等の腐敗が彼等の性格よりも、階級の結果であった証拠であると思われる。「兵」の中でも私は兵長は除外したい。私の見た限りこの兵の中の優等生は多く阿諛者であった。

現役兵の鍛錬した若い肉体は、負傷衰弱から素速く恢復して、収容所の退屈では精力を持て余し、力を用うる遊戯を愛した。彼等は熱帯の陽《ひ》の下でも相撲を取った。

話を好むのは商人、俸給生活者等であるが、数少ない宗教家も商売柄話がうまく、その周囲に常に数人の聴き手を集めていた。また一人離れていてベッドに横《よこた》わった者もいる。この種類があらゆる職業にわたって存在するのは沈黙を愛するということが境遇の結果ではなく、その人の生得の性質によるためと思われる。そしてこの種の性格が収容所で特に目立ったのは、一般に俘虜の社会性というものが、他と話すことに尽きていた結果と思われる。

俘虜は次第にこの第三の種類に達し、終戦が近づき、戦況が比島を去って、新入者が減るに従って、役につかない俘虜は、不具者を除き全部この種類だけになった。これが収容所の「人民」或いは「平均人」であった。

昭和二十年三月中旬、私がこの収容所に入った時は第一の種類、つまり病人であった。五月には第二の種類に移り、食事を運搬した。しかし私は第三の段階を経ず、十分に恢復しない体のまま六月には役員となった。英語の知識によって通訳となったのである。

通訳は最初本部附一名、及び病棟に一名が俘虜の中から選ばれていた。本部附は米軍との折衝に当り、病棟附は軍医と患者を仲介した。当時はこれで十分であったが、私のような新入者が動員されたのは、やがて米軍の兵制に従って中隊編成とし、中隊毎《ごと》に米軍下士官が配属されることになって、それだけ通訳の需要が増えたためである。従来の本部は大隊本部となった。

編成替の理由は人員増加のほかに、米軍の俘虜使役計画の整備のためと思われる。それまで俘虜の作業は殆んど所内の設営に限られ、外部に出るのもその材料運搬ぐらいなものであった。これは当初日本人の俘虜が、多く負傷しているか衰弱していたためと、恐らく比島人から仕事を奪わないためであったろうが、俘虜の体位向上と共に、国際協定通り一日八時間労働させて、俸給を支払う計画が米軍側に進んだのである。

収容所の人員が私が入った時約七百であったが、その後ミンダナオ島からの大量の注入により、六月には千を超えていた。これが一個中隊約二百人ずつ五個中隊に分けられるはずであった。

そして私が初め病人としての扱いを中止されたのもまた、この米軍の俘虜使役の計画のためであった。

四月中旬、収容所附の軍医とは別に外部から一人軍医が来て、重病棟、軽病棟の患者計約四十人を改めて診察し、作業不能者と、作業可能者或いは可能となる見込ある者とに分けた。既に軽病棟に移っていた私の心臓の故障は否定され、後者の中に加えられた。

同時に軽病棟は解散され、我々が三十人でゆったりと占居していたそのニッパ小屋は、六十人の一般俘虜を収容することになった。我々はA組敷地に隣接した空地にテントを建てて移り、食事も自分等で運搬することになった。屋根が高く涼しいニッパ小屋に比べて、低く垂れ下ったテントの天井は灼《や》けて、暑気が堪え難《がた》かった。

米軍の処置に対する私の反応は不満であった。新しい住居が暑いことも気に入らなかったが、殊《こと》に私の心臓の病気が作業に差支《さしつか》えなしとされたことが不満であった。

この収容所へ入る前に二カ月暮した俘虜病院では、私の弁膜症は器質的なものと診断され、一生過激な運動をしてはいけないと注意された。病院の軍医は少佐であり、収容所へ来た軍医は中尉であった程度に、私は前者の言葉を信用していた。

もっとも事実は中尉の方が正しかったかも知れない。帰還後一年目には私の心臓はまだ肥大していたが、擦音はなかった。そして現在はほぼ正常な大きさに返っている。日本の医師はマラリアに伴った機能的なものであったろうといっている。

しかし当時の私はなお歩行に困難を覚え、簡単な運動でも鼓動が高まった。心臓の病気は著しく神経を悩ます。鼓動はそれに注意を向けることだけでも高まるものである。

私の望みはただ収容中を無事にすごし、折角拾った命をそっくり故郷へ持って帰ることだけであった。私の戦う国家の一員としての生活は、私が俘虜になったという事によって既に過ぎ去っていた。俘虜という状態は、戦陣訓に教えられなくとも、たしかにあまり香《かん》ばしいものではないが、しかし私の兵士という身分がそれを惹起《じゃっき》したのだから止《や》むを得ない。この不本意な生活の義務を病気の理由で脱《の》がれ、安逸に日を送るのは悪くないと考えていた。中尉の診断は私をこの安逸から引き摺り出すものであった。

作業中心臓麻痺《まひ》を起して斃死《へいし》する自分を私は誇張して考えた。もしこの想像が単に作業に従事したくないという私の怠惰から出たものでなかったら、私は真剣に抗議したであろう。

しかし俘虜という身分にあっては、不満は何等重大な結果に到《いた》らないものである。殊に米軍における如く、我々に対する取扱いが良好の程度に達し、我々として感謝すべき諸点が多々ある場合は、そうである。私は徒《いたず》らに自分の不安を反芻《はんすう》していた。これが俘虜の身分の必然である。といって始終不安でいるわけでもない。別に一日の時間を埋めねばならぬ。これが人間の必然である。

その一日が実に退屈極まるものであった。病院では私は米軍の軍医や衛生兵に親しんで、書籍雑誌をほぼ不自由なく手に入れることが出来たが、収容所では中へ入って来る米兵も少なく、恐らく多数の俘虜に対し公平が保てないからであろう、我々が雑誌類をねだる気になるような隙《すき》を見せなかった。病院から持って来た本は忽《たちま》ち読んでしまった。聖書だけが未読の頁《ページ》を沢山残していたが、私は既にそれまでの探偵《たんてい》小説等の濫読《らんどく》によって、そういう固苦しいものを読む習慣を失っていた。

この空隙《くうげき》を埋めるために自然に生れて来た欲望は「書く」ことであった。

書くという行為は人間にそれほど自然ではないように思われる。言葉はまず人間相互の意志疎通《そつう》のために生れたのであろうが、それを文字に定着することは、その意志を恒久化し、時空的にその人間の声音の届かない範囲にいる、多数の他者にまで伝えるためであったろう。この段階から退屈した個人に「筆のすさび」的意志を生ぜしめるには、幾多の文化の蓄積が必要であったが、最も重大なのは、自己を読者として設定するという要素である。かつて自分が抱いた意志或いは観念、或いは見聞した事実を、後日読み返すという予想は、例えば近代市民社会に流行する日記の根柢《こんてい》にある。そしてそれは小学校で作文実習として奨励され、出版屋が様々の便宜的意匠を凝《こら》して「当用日記」類を売ることによって、社会的習慣と化している。私が前線で見た事実の中で、私を驚かせたことの一つは、兵士が日記を書くのを好むということであった。

酒保の数少ない品目中にも手帳と鉛筆があった。暗い椰子《やし》油の燈火の下で、熱心にその日の出来事や感想を綴《つづ》り続けた。駐屯《ちゅうとん》中多くの兵士が日夕《にっせき》点呼後の短い時間に、

私の職業は俸給生活者であるが、一方古い文学青年として、この種のナルシシスムを意識して嫌悪《けんお》していた。私の考えでは、俸給生活者としての私の生活も、兵士としてのそれも、すべて過ぎ去るに任すべきであり、文字に残して読み返すなどという性質のものではないのであった。

駐屯地で敵の上陸を待ってぼんやり日を過しながら、私の夢みたのは昔ながらの小説であった。それは私の勤めていた工業会社の製品たる或る元素を題名とし、その会社に加えられた戦争の政治的社会的圧力、及びそれに因《よ》って起る使用人の間の葛藤《かっとう》を主題とするはずであった。私は上官の眼を盗んで、ノートに鉛筆で書き始めたが、結局暇が少なく私の頭は文字を工夫する状態にはなかった。小説はその舞台たる関西の一都市の十頁ばかりのエスキスを留《とど》めただけで放棄された。

そのかわりこの書くという習慣から、自分の過去を振り返って見るという思い付きが生れた。間近い死を控えて、私は自分が果して何者であったかを調べて見る理由があったのである。私は消燈後の暗闇《くらやみ》で反省したことを翌日簡単に書き誌《しる》した。少年時

から召集前までの生涯《しょうがい》の各瞬間を検討して、私は遂《つい》に自分が何者でもない、こうして南海の人知れぬ孤島で無意味に死んでも、少しも惜しくはない人間だという確信に達した。そして私は死を怖《おそ》れなくなった。私はスタンダールに倣《なら》って自分の墓碑銘を選び、ノートの終りに書きつけた。「孤影悄然《しょうぜん》」というのである。

私の大小説が墓碑銘に終ったのをみて、私は兵士達の日記をつける習慣を理解した。彼等とてもそれを後日読み返す希望を持ち得ないのは私と同じである。彼等はただ毎日反省して自分をいたわる習慣を持ったにすぎぬ。現代の市民社会は戦場と同じく、それほど我々に辛《つら》いのである。

私はそのノートを米軍が上陸して山へ入ってからも持って歩いた。さらに米軍が近づいた報告を得た時、病臥《びょうが》していた私はそれを破り、さらに僚友に頼んで、竈《かまど》の火で燃やして貰《もら》った。比島の山中で誰も理解するはずのない文字で書かれているとはいえ、私の生命より私の書いたものが生き延びるのは、何となくいやであった。

俘虜の退屈にあっても私の気持は日記をつけることとは遠かった。まして収容所の出来事の記録を取り、帰還後ルポルタージュを物するよすがとするなどという考えは浮かばなかった。現在こうして収容中の自分を検討してみなければならぬことになろうとは、夢にも思っていなかった。

私に浮んだのはやはり例の大小説を継続するという考えである。しかし私はやはり虚脱のうちにいたのである。言語の連結を創《つく》るということは駐屯中と同じく著しく困難であった。その時私の思いついたのはかなり突飛なものであった。つまりシナリオに書くということである。観念を連結せず、映像だけを連結しておくということである。

私がこれを思いついたのには機縁があった。この頃《ころ》私は収容所において孤独ではなかった。駐屯地ミンドロの僚友が十七人同じ収容所に入って来ていたが、そのなかに亘《わたり》という東京の或る醸造会社の高級社員がいた。彼は映画を愛し、学生時代から同人雑誌なぞやっていて、この芸術の歴史や理論に通じていた。彼も体が衰弱しており、軽病棟からずっとベッドを並べていた関係で、私は彼から随分映画の知識を吸収した。

私は彼と話し合っているうちに、私は改めて自分の生活が、いかに映画に滲透《しんとう》されているかに気がつき、驚いた。私は元来この芸術をあまり尊敬していなかった。その生産機構の必要から主題は多く低級であり、かつ観客にあまり受身の鑑賞を強《し》いる点で、甚だ知的でない芸術だと思っていた。しかし精神は反撥《はんぱつ》しつつも、映画館の暗闇にいる時間、私の精神が眼前に浮動する実物に酷似した映像によって、完全に占められることは変りなかったが。

私の世代は映画館へ行くのが都会人の習慣となった恐らく最初の世代であるが、七歳年長の人々と我々とを分つ軽佻《けいちょう》浮薄の風は、一部はたしかにこういう映像の受動的鑑賞による精神の怠惰から来るものと思われる。我々の観念はアメリカ映画的でなくとも、感情と行為はいつかアメリカ的となっている。例えばたまにゲリー・クーパーを見て外へ出ると、いつか彼の歩き振りがうつっている。無論彼ほどのっぽでも美男でもない私に、彼と同じ歩き振りが出来るわけはないが、彼の映像から移入された感じによって、気持ではそう歩いているのである。そしてこうして我々の感情と行為に影響した映像の氾濫《はんらん》は、結局我々の思考まで彩《いろど》らずにはおかなかったであろう。映画濫観の習慣を持たない我々の前の世代の人士が、あれほど重厚であるのは、彼等の思考が余計な映像に煩《わずら》わされないからである。

為政者が映画が人民に与える効果を重要視するのはもっともである。

亘から得た知識に基づいて、私は私の大小説をシナリオにしてみることにきめた。これは映像実現の困難は製作実行者に任せ、場面の概略を指定すれば足りる文学形式で、俘虜の虚脱した頭脳にはまことに手頃である。場面は空想されれば書き下ろせる。

私は英語を教えることなどによって親しくなっていた病棟の衛生兵の一人から事務用紙を貰い、薬品の空箱のボール紙で表紙をつけ、繃帯《ほうたい》で綴《と》じて、鉛筆で書いて行った。主題はまず手馴《てな》らしに、病院で読んだオッペンハイムのスパイ小説を選び、アメリカ映画流の豪奢《ごうしゃ》とスリルを盛り込んだメロドラマとした。次はやはりペンギン叢書《そうしょ》のアメリカ現代小説集の中の失名氏作「静かなる雪、秘密の雪」という少年の異常心理を扱ったものを試みた。その他ショパンの「別れの曲」を主題とした音楽映画。木々高太郎の或る探偵小説を飜案《ほんあん》したもの等々。やり始めると私は自分の最初の目的を忘れて、人物を人形のように操って、安易な感情とサスペンスを創る楽しみに耽《ふけ》った。

かつて私はこの時ほど創造的であったことはない。多くのものが一晩か二晩で連続して書かれ、大小説のシナリオ化にも遂に成功して、十二月に帰還するまでに結局私は十一編のシナリオを書いた。

さらに私のシナリオは人に読まれた。当時これが収容所内にある唯一《ゆいいつ》の日本語の本で書かれたものであったから、読むものに飢えていた俘虜は争って借りに来た。私は読み賃煙草《たばこ》一本を請求した。やがて、私の本を写し取り、同じ商売をする者が現れたので、私は早速著作権侵害を訴え、以来本の肩に「禁転写」と記すことにした。こうして私は収容所の中で立派に文士商売をしていた。

私がこんなことを書くのは別に自分の才を誇るためではない。現代の多少の教養ある男の頽廃《たいはい》の一例として、私の場合を提供しているだけである。これ等のシナリオは現在私の手許《てもと》にあるが、その愚劣は全く読むに堪えない。それは結局我々が映像の氾濫に溺《おぼ》れる時に身を任せるならば、いかに陳腐なシチュエーションしか案出来ないかを示している。要するにこの創作活動は私の中の映画に滲透された部分を、排泄《はいせつ》によって除去するという効用しかなかった。

　私の文士的堕落はさらに昂《こう》じて、後には求めに応じて春本を書くまでになる。しかしこれはずっと先、戦争が終ってからのことである。それはまたいずれその場所で語ろう。

　シナリオはしかし収容所で誌した唯一の記録的文字を含んでいた。内容は収容所と何の関係もないが、表紙に書始めと書終りの日附を入れておいたので、そのシナリオがどの場所で書かれたかを想起することによって、私の所内の移動の日附がほぼ明らかになるのである。

　私の処女作たるスパイ物は二十年五月二日——十日の日附を持っている。つまり軽病棟が解散され、私がテントに移ったのはその短い前ということになる。米軍が上陸してから私が俘虜になるまでの経緯を、私は「俘虜物語」と題して記録映画風に仕組んでおいたが、これは各中隊の役員を集めたニッパ小屋で書き継いだ記憶がある。このシナリオは六月三日—六日と指定されているから、私が通訳になったのはその間である。

前に書いたように、私が通訳に就職したのは、米軍の俘虜使役の計画に基づき、収容所が編成替になった結果である。亘もまた通訳になった。五個中隊の中《うち》二個中隊の通訳がミンドロの補充兵で占められるほど、レイテの敗兵には英語を解する者が少なかったのである。

しかし我々が掘り出されるについては、軽病棟から引き続き、我々の所謂《いわゆる》棟長であった或る陸軍のパイロットの推薦があった。彼は既に三十歳を超えた教官であったが、初期神風特攻隊の一員として、十九年十月下旬比島東方海上で撃墜され、失神して海上を漂ううちに救助された。彼の温厚な人柄《ひとがら》は貪欲《どんよく》な本部の顔役連とそりが合わず、よく我々のところへ鬱憤《うっぷん》を洩《も》らしに来たが、改組と共に役を退くにあたって我々を推薦して行ったのである。

彼が以後一切の役を辞して、単なる一俘虜として一般作業に従事していたのに反し、我々の地位は次第に重大となり、所謂「株を上げて」行った。我々は時々一般俘虜の間にこの恩人を見舞ったが、次第に何となくぎごちないものが我々の間に流れるようになった。彼が自ら進んで平の俘虜の位置を選んだ以上、彼は十分昂然としている理由を持ち、我々もそれを期待していたが、だんだん彼の眼から光が消え、我々に対する態度に何か卑屈なものが窺《うかが》えるようになった。俘虜にあっても「地位」というものの結果は同じであった。恐らく我々の側にも知らず識《し》らず彼を傷つけるような態度があったのであろう。

新しい俘虜一個中隊 Company は左の編成であった。

中隊長	Leader		一
中隊本部	Overhead		二〇
小隊(四)	Platoon	長を含み各	五三×四
		計	二三三

小隊は更に各一三より成る四個分隊 detachment に分れる。
中隊本部はさらに左の職より成る。

書記	Clerk	一
補助	C. Q. (Charge of Quarter)	三
炊事員	Cook (長 Mess-Sergeant 一を含む)	八
衛生兵	Medic	二

清掃係　Sanitation　二
理髪師　Barber　二
給仕　Boy　二
計　二〇

書記は中隊の人事、公的書類の作成を担当し、補助（この訳名は正確ではなかった。「配給係」とでも訳すべきか。この職名だけＣＱという音が呼び易《やす》かったため、特に原語のまま使用されたから、以下もそれを用いる。）は、被服の配給その他隊員の日々の生活に関する事務、営舎の営繕等を扱うはずであった。他はほぼ字句の示す通りであるが、清掃係は他に衛生兵の名があるため、この呼称を得たもので、事実は衛生係で、営内より生じる塵芥《じんかい》の焼却及び溝便所の清掃、消毒薬撒布《さんぷ》等を受け持つ。なお俘虜にあっては、書記、ＣＱの中に一人英語を解するものを入れて、通訳とすることにきめられていた。私がついたのは第二中隊のＣＱの職である。

Ａ組が第一、第二中隊を構成し、Ｂ組が第三、第四、第五を構成した。編成は五月中に終り、六月から中隊別に事務を取ったが、Ａ組では宿舎は六十人入りのニッパ小屋であったから、各小隊の分隊が入れ交って混雑した。小隊長は大体前の棟長がそのまま就任したが、彼等はやはり従前通り本部に起居して、小隊とは離れていた。ただ一二中隊の本部員はそれまで「下士官室」と呼ばれて、役につかない下士官のみ集めた本部隣接のニッパ小屋に集った。衛生兵はやはり病棟に泊っていた。

しかしすべてこれ等は一時的の処置であり、俘虜病院のあるパロという村に目下建造中の新しい収容所へ近く移り、中隊別に宿舎を営むのだそうである。米軍の下士官もそれから配属されるはずである。

ただ作業だけは既に五月から始まっていた。収容所長よりの所命人員により、各中隊から選抜された屈強な俘虜が、毎朝八時前に出て行き、四時半頃帰って来た。所内で退屈していた彼等は喜んでこの作業隊に志願したが、不幸にして米軍作業場の要求はそれほど多くはなく、毎日全員の四分の一が選抜されるのがせいぜいであった。作業は米軍倉庫の整理、新設建造物の地均《じなら》し等の簡単な仕事である。

彼等は屢々《しばしば》出先の米兵からエキストラの食糧、チョコレート等を貰い、作業場附近の野から、野生の芋の葉を持って帰った。これは缶詰《かんづめ》ばかり支給されていた我々の口にする、久し振りの新鮮な野菜であった。

編成替、外部作業（我々は略して「外業」と呼んでいた。これに対し所内設営等の内部作業を「内業」という。以下この略称を用いる）開始と共に、被服が当り出した。米軍兵士と同じく、制服上下二揃《そろい》、シャツ、猿股《さるまた》、靴下《くつした》、各四。靴、帽子、食器、コップ各一が逐次与えられた。別に歯刷子《はブラシ》、安全剃刀《かみそり》も支給されたが、後者が前者より先に全員に行き渡ったのは、必要の順序からみると少し妙であった。巡視の将校が俘虜が髭《ひげ》を延ばしているのを忌《い》むからだそうである。

巡視が強化された。従来の週に一度の収容所長の中尉の巡視のほかに、不定期に週二度は外部からの佐官級の巡視があった。これは大体我々に諸物品が出庫通り支給されているかを検査する、経理部関係の巡視であると見て差支《さしつか》えない。その都度我々は支給品をベッド前方に陳列せねばならぬ。

食糧も増やされた。米軍は俘虜に自国の兵士と同じ給与を与えたのを誇っている。即《すなわ》ち二千七百カロリーであるが、これは体軀《たいく》の小なる我々日本人には稍々《やや》過多であり、もし役員や炊事員の横領がなかったら、残飯を出したであろう。

俘虜収容所の日本人役員の食糧横領と不正美食については、方々で報告されているからここでは書かない。要するにこれは軍隊の習慣に馴れた我々がそれを当然として見すごした罪である。しかし軍隊内にあって我々が種々その不当を目撃しつつ、抗議することなど夢にも思えなかったように、俘虜の幹部の不当についても、収容所内にいるうちは、なかなか抗議する気にはならないものである。

もっとも私自身は既に抗議する必要はなかった。特権階級の端くれだったからである。

書記やCQの地位は正確にいって中隊長や小隊長等の階級と同等ではない。大隊本部の書記でさえ小隊長より下である。しかし人事や被服の配給を担当することは、労働しないですむというほかに、色々と利益が多かった。

殊《こと》にCQの職は一種の名誉職と考えられ、中隊によっては必ずしも事務の才ある者を任ぜず、小隊長の選に洩れた旧《ふる》い俘虜に与えられた。第一中隊の如《ごと》きは、候補者の多数に悩んだ結果、長い悶着《もんちゃく》の後に遂に通訳も入れることも出来ず、これは後になって重大な故障を生じた。

心臓の故障を気にかけている私にとって、この任命がどんな意味を持っていたかは容易に想像出来よう。私はこの幸運を天与の自衛手段と考える権利ありとし、自分の喜悦は体を損う危険から脱《のが》れたことによると思っていたが、よく考えてみるとこれは少し怪しい。労働の習慣を持たない怠惰な私が、ただ働かずにすむ特権を喜んだとする方が事実に近いであろう。

前述のように一二中隊の中隊本部は衛生兵を除き一棟に集っていた。書記、CQは仕事の性質上特に机を与えられ、入口に陣取った。しかし実際は中隊別の設営がないままに、事務は至って閑散であった。

書記はひと通り人名簿を作ってしまうと別に仕事はなかった。通訳の仕事は無論米軍の下士官が未配属のため全く暇であり、結局CQ三人が共同して、逐次支給される被服類を分配し、毎夜中隊から翌日の外業に出る者のリストを、ローマ字で綴《つづ》って大隊書記に届ければ、ことは足りた。

夜、蠟燭《ろうそく》の光の下で、この外業者の名簿を作っているところは、一ぱし仕事をしているように見えたらしい。「書記さん、御苦労ですね」と窓から声をかけて通る俘虜もいた。我々としては身が縮む思いであるが、こんなことまで仕事と見えるほど、俘虜にはすることがなかったのである。

わが中隊の書記は宮田という私と同じミンドロの三十代の補充兵であった。彼の「地方」における職業は印刷所の事務員で、編成替の始まったころ、進んで大隊本部の事務を手伝った関係で、この職についた。CQの一人は藤本という大阪の皮革問屋の息子で船舶工兵の兵長であった。彼が被服係となったのは、軍隊でも同じ事務を取っていたからである。もう一人のCQは両角《もろずみ》という東京のネオン会社の外交員で、これも十九年に初めて召集された三十代の補充兵である。彼が何故《なぜ》選ばれたかは聞き洩らした。

こうしてわが中隊の事務スタッフが悉《ことごと》く元事務員であったのは珍らしいことであっ

た。前述のように、他の中隊ではいずれも顔役的人物を入れないわけには行かなかったからである。そして実際例えば外業リストをローマ字で綴れるのが書記一人という中隊が多かった。古い俘虜の多い一中隊は書記すらそれが怪しく、よく我々のところへ訊《き》きに来たりした。

事務スタッフに補充兵の事務屋を揃えたのは、わが中隊長の樋渡《ひわたし》の英断であったらしい。彼はレイテ湾で沈められた或る駆逐艦の兵曹《へいそう》で、職業は横須賀の電気器具商で機才があった。彼はイマモロとよくなく、殊に大隊書記の中川と対立していた。彼がその中隊の事務を充実したのは、秘《ひそ》かに中川を圧迫する下心があったのではないかと思われる節がある。

我々は補充兵の事務屋という点で対外的に一致団結していたが、内部ではやはり多少の軋轢《あつれき》があった。例えば書記はCQを統率すると考えられ、中隊長が何でも彼を通じて連絡するのが、我々にとってちょっと気になるところであった。で我々はつまらぬ細目でわざと書記を無視して仕事を進め、彼が中隊長に返答出来ないような破目にしたりした。

それに宮田は人にいじめられるに適した性格を持っていた。前記のように彼は印刷所の事務員であるが、東京近県の地主の婿《むこ》養子であり、事務において慎重正確であると同じ程度に、性格は臆病《おくびょう》であった。それに彼は大食であった。これは食物のことが重大事である収容所では、最も人に軽蔑《けいべつ》される性質である。

我々は外業者が出てしまうと大抵トランプをして遊んだ。それは「トウ、テン、ジャック」という簡単な遊戯法で、周知のようにマイナス点たるスペイドを、ほぼ自分の好む者につけることが出来る。宮田はいつも一杯スペイドを背負い込まされた。勝負は煙草がかかっているので、これは物質的にも損失である。

彼は私のミンドロの僚友であり、私は彼を庇《かば》うべき立場にあったが、そうする気にはならなかった。彼のような性格に苛立《いらだ》つのが常々私の弱点である。

彼は亀吉《かめきち》という名を持ち、「亀さん」と呼ばれた。これはあまり聞きよい呼び名ではない。藤本は兵長らしく気取り屋で、帽子にFという字を白布でアップリケしていた。で彼は「Fさん」と綽名《あだな》された。両角は我々の中で最も若く稍々軽薄であった。

或る夜煙草をくわえて歩いていると、誰かに「おい、あんちゃん。ちょっと火を貸してくんな」と呼び止められた。以来彼は「あんちゃん」となった。私は「甚《じん》さん」であった。これは何かの話のついでに私が長男であることを告げると、皆は一斉《いっせい》に「こんな呑気《のんき》な人が総領とは思えない」といった。つまり「甚六」というわけである。

こうして各々滑稽《おのおのこっけい》な綽名を荷《にな》った我々は自分達の位置に満足し、呑気な月日を送っていた。我々の手を通る被服の中から新しいものを自分の古と入れ替え、いつもパリッとした服を着ていた。下着は一般は米軍規格の緑色のアンダー・シャツと猿股であったが、時たま混って来る純白のものを、我々は抜目なく自分のものとした。昼間着て出るのは気がさしたが、全然着ないのでは、何のために着服したかわからないわけであるから、夜になってから、そっと着て出た。しかし白は暗闇《くらやみ》でも目立って「ようシーキューの旦那《だんな》、いいお召物ですね」とひやかされたりした。

我々が昼間から喚声をあげて愉快にトランプをする様子は少し目立ったと見え、或る時イマモロから「こら、シーキュー、なんぼ夜の仕事があるちゅうかて、少しは遠慮せんかい」と呶鳴《どな》られた。

我々の利益のもう一つは我々が炊事員と同じ棟にいるということであった。炊事員が自分達のために美食を作ることに対する弁解は定《きま》っている。即ち自分達が大量に作るものには食欲は感じない。どんなまずいものでも自分達だけは変ったものをちょっと作りたい、というのである。しかし彼等が決して自分達のために一般よりまずいものは作らないのは明白であった。一般に雑炊を給する時は、彼等は自分達のためにバタや砂糖を交ぜたパンを作り、一般にパンを配る時は、飯を焚《た》き珍らしい缶詰を開けた。

我々の住む小屋の後部は炊事員によって占められ、裏手の棚《たな》には常に石油缶にコーヒーやココアが入れてあった。我々は同棟のよしみでそれを随時汲《く》むことを許され、たまには彼等の作る美食も分配された。その他乾葡萄《ほしぶどう》をパン焼用のイーストで発酵《はっこう》させた葡萄酒の相伴にもあずかった。

私がかつて新入者として特権を持つ者を見ていた眼を考えて、私は自分の態度を反省したが、この反省からは自分の取るべき行為の規準は出て来なかった。反省と行為の間を繋《つな》ぐ何者かが、ここでは欠けていたのである。白い猿股を緑の猿股と替えるのを抑制するほどの根拠を、私は俘虜の生活のどこにも見出《みいだ》さなかった。

しかし私がそれを見出さなかったのは、或《あ》るいは祖国における日常生活においてもそれを見出さなかったからかも知れない。我々は社会において、常に自分より下に誰かを見出すものである。この事実について深刻に反省すれば、我々は聖者か革命家になるほかはないが、我々がなかなかそこに到らないのは、我々が幼時より特権の享受《きょうじゅ》に馴れているからである。

私として一般俘虜に対する唯一《ゆいいつ》の防衛法は、彼等のことを考えないことであった。恐らくあらゆる階級を通じ、その原因に眼をつぶって、階級の与える恩恵だけを享受する者の、無意識に採用する政策であろう。

一般俘虜はしかし我々にない楽しみを持っていた。それは米軍の食糧置場に外業に行った時、盗んで来ることである。そこには収容所に配給されない珍らしい缶詰や煙草があることがあった。そして彼等はそれを我々には頒《わ》けてくれなかった。

ただ一人例外がいた。それは尾高という一師団の上等兵で、自分の盗品の一部を必ず炊事へ持って来た。これを受け取ったが最後だといわれた。その報償にいつまでも、彼の食糧に対する要求に応じなければならないからである。彼はその体が大きいのに応じて大食で、普通に支給される食糧では足りなかった。そして以前からおおっぴらに炊事の食糧をねだりに来る、唯一の一般俘虜であった。

この一風変った人物は今後も私の記録に出て来るはずであるから、ここで稍々詳しい肖像を画《か》いておこう。

尾高は年は四十二歳の予備兵で、応召直前の職業は浅草のブリキ職であったが、色々と経歴を変えていた。若い時は北海道の炭坑夫であり、その後永らく土工として東京近県を流れ歩いた。彼の肉体は既に衰えを示し始めていたが、胸から上がコブラのように発達して、なお大なる膂力《りょりょく》を蔵しているのが窺われた。彼は軍隊で屢々上官を殴って営倉に入った由《よし》であるが、俘虜になってからも最初はやはり暴力を振い、米軍によって懲戒されて辛《かろ》うじて改まった。

しかし彼はあらゆる乱暴者の例に洩《も》れず、自分の力が怖《おそ》れられているのをよくわきまえていて、人をなめきっていた。炊事員も屈強な若者が揃い、多数寄れば彼を懲《こ》らすことも出来たろうが、勢がそこに到ると、彼は笑《わらい》に転じてはぐらかすことを知っていた。年齢のせいもあり、若い炊事員ではあらゆる点で彼に太刀打出来なかった。

彼の頭は所謂《いわゆる》ビリケン頭で、眼と口が大きく、太い首が稍々胴にめり込んでいるように見えた。彼の言動はあまりにも突飛果敢であったから、幹部連も結局彼に一目おく振りをしていた。彼はますますつけ上った。

彼はよく自分の乱暴の歴史を語った。北海道の炭坑から逃げ出して、青森から東京まで強盗を働きながら徒歩旅行をした話が彼の最も得意とするところであり、白河辺の山中で夫の眼前で妻を強姦《ごうかん》した時の詳細がその話のやまであった。また那須の高原では、父と娘の経営する牧場に辿《たど》りつき、娘の婿として一年を暮した後、有金を浚《さら》って逃げて来たと、得意になって話した。

我々が苦りきって聞いていると、彼はせせら笑い、「へっ、つまんなそうな面《つら》してるが、ほんとは面白《おもしろ》いんだろう」といって去った。

今時こんな古風な悪党が実在するのに私は少し驚いた。現代の悪党はもっと複雑なはずである。もっとも彼を見て私の感じたのは、この収容所で黙っている人達の間に、彼より十倍も悪い悪党が随分といるであろう、ということであった。

外業開始と共に俸給《ほうきゅう》が渡るという噂《うわさ》が伝わり出した。酒保も開かれ、その俸給で麦酒《ビール》でも煙草でも好きなものが買えるということである。少しうま過ぎる話であるが、これまで我々の予想を越えて改良されて行った米軍の待遇から見て、あり得ないこととも思われなかった。到るところ取らぬ狸《たぬき》の話題に花が咲き、私が普段あまり口を利《き》かない昔の上官まで、情報を求めに来たりした。

実際俸給は五月に遡《さかのぼ》って六月中旬に支払われた。但《ただ》し酒保で勝手なものが買えるのではなく、三弗《ドル》の俸給相当額を、米軍のあり合せの酒保品で支給されるのであった。するとと支給品目が間断のない話題の種となった。

遂《つい》に待ちに待った品が到着した。深夜米軍から連絡があって、急遽《きゅうきょ》使役が募られ、厚いボール箱を多数運んで来た。かつて収容所にこれほど多量の物資が一時に流れ込んだことがなかった。

大隊本部では書記の中川が終夜品目の検討と分配に苦心していた。梱包《こんぽう》の仕方と外部の数量記載法は彼の英語の理解力を超えていたので、朝になっても整理がつかなかった。

中川は十六師団野砲の軍曹で、ただイマモロに対する阿諛《あゆ》によって大隊書記の職にかじりついているにすぎなかった。我々は事務の系統によって彼に属し、常々その無意味な思わせぶりと秘密主義に業《ごう》を煮やしていたので、この機会を遁《のが》さなかった。各中隊の書記達は本部に闖入《ちんにゅう》して、梱包を点検し、分配の方法に干渉した。彼は遂に分配を我々に任せた。

支給品目はまず煙草が十個各十仙《セント》計一弗。チョコレート五個、石鹸《せっけん》五個各十仙計一弗、他《ほか》一弗が五仙のチューインガムとドロップ、剃刀の替刃、練歯磨《ねりはみがき》等であった。麦酒は遂になかった。

箱は本部前の道路上で開けられ中隊別に分配された。収容所中の俘虜が集って来て、我々を取り巻いていた。イマモロは「こら、使役のほかはみんな棟に帰って待っとれ。見てたかて、はよ貰《もら》えるわけやないぞ」といった。俘虜は黙って散ったが、やはり適当な距離をおいて立ち止り、或いは軒下に目白押しに並んで、見守っていた。

各中隊の書記とCQも汗を流した。品目を間違いなく受領するほかに、ボール箱を余計に取って、後は自分達の物入に使おうという下心があったからである。それは今では日本人が誰でも知っている厚い鼠色《ねずみいろ》のボール紙製で、一角に緑と黒の条《すじ》が入り、黒で星のマークがついていた。この箱は俘虜の持物でずば抜けて美しいものであった。

書記達はそれを当然自分達の取り分と考えた。全員に分配を終えたのは午後であった。俘虜はベッドの上に酒保品を拡《ひろ》げ、その前に坐《すわ》って静かに煙草を吹かし、菓子を食べていた。顔は玩具《おもちゃ》を貰った小児のような無邪気な喜びにほころんでいた。今彼等は捕えられて以来初めて所有し、消費しているのである。

煙草が何よりの贈物であった。これまで配給は一週間二十本入一箱で、少し不足であった。殊に我々は一度に二箱以上を所有したことがなかった。ラッキイ・ストライク、キャメル等の綺麗《きれい》な包装が、五個ずつ二段に並んだ眺《なが》めは悪くなかった。

石鹼はLuxという化粧石鹼であった。これも洗濯《せんたく》石鹼で顔も洗っていた我々にとって嬉《うれ》しい贈物であった。多くの俘虜はしかし従来通り洗濯石鹼を使って、これを貯《たくわ》え内地へ持って帰った。他の品物を出して石鹼とばかり換えているマニヤもいた。彼はそれを使用しながら貯えたので、そうする必要があったのである。

菓子は一度に沢山貰ってもあまり有難くなかったから、やたらに振舞われた。しかし才智《さいち》のある者は最初は人のものを喰《た》べ、後に収容所内になくなった頃《ころ》を見はからって、有利に煙草と交換した。

これらPXは無償ではなかった。それは俘虜取扱に関する国際協定に基づくもので、結局自国の国庫が支払うものであった。それはつまり俘虜のめいめいが支払うということである。これ等の品物が無償の外観を呈するのは、自国の軍隊の酒保品が安く見えるのと同じ原理によるのであるが、我々は軍隊で酒保に入る時と同じく、ひたすら満足し、感謝していた。

麦酒がなかったのが我々の最も憾《うら》みとするところであったが、炊事場はこの日のために特に例の乾葡萄から造った葡萄酒を大量に用意して、日夕点呼の後全員に配った。一人一合五勺《しゃく》入りのカップ一杯ずつであったが、醸造が下手《へた》なので酒はやたらに強く、まもなく収容所全体が酔払ってしまった。

放歌と喧騒《けんそう》は収容所始まって以来の高潮に達した。到る処《ところ》円陣が造られ、様々の歌が合唱されていた。暗闇の中で酔った人影がからみ合いもつれ合った。

その夜二つの暴行事件が起きた。

一つは篠田《しのだ》という二中隊の分隊長が一中隊の小隊長の一人に殴られた事件である。篠田はもと俘虜病院で配膳《はいぜん》係をしていたが、内紛から二三名の同志と共に最近収容所に移って来た。丈の高い温和《おとな》しい若者で上等兵といっていたが、将校らしいという者もあった。彼とその同志は病院の配膳係では患者に親切な方のグループであった。

病院では役員でも収容所では新顔であった。彼は昔自分が世話した俘虜達が、彼より先に収容所へ来たばかりに幅を利かせているのが、面白くなかったらしい。その夜彼は酔って一中隊の或る棟にいたそういう忘恩者の一人のベッドを訪れ、蚊帳《かや》を釣《つ》って酔いつぶれているその男の足をひっぱった。ところがこれが人違いで、酔いつぶれていたのはその棟の小隊長であった。小隊長は海軍兵曹で、兼々篠田が大風《おおふう》に俘虜達を歴訪するのを面白くなく思っていたそうである。そこで喧嘩《けんか》になった。

私が目撃したのは既に篠田が本部の前へ連れて行かれ、小隊長の一方的殴打《おうだ》を忍んでいるところであった。小隊長は下駄《げた》を手に持っていた。篠田の額には大きな赤い瘤《こぶ》が突出しているのが、蠟燭の灯《ひ》で照らされていた。小隊長は酒乱であった。「無駄に十五年も軍隊の飯を食ってたんじゃねえぞ」と彼は喚《わめ》いた。

イマモロは酔が醒《さ》めたような顔をして黙って自席で下を向いていた。長にこういう事件を裁く力がないことは軍隊でも俘虜でも同じである。小隊長の科白《せりふ》が無限の繰り返しになった頃を見はからって、彼は篠田を帰らせた。

篠田は分隊長をやめさされた。人に遇《あ》うと眼を伏せた。傷痕《きずあと》は生《は》え際《ぎわ》に三日月型に喰《く》い込んで残っていた。

第二は中沢という一中隊の分隊長他一人が、B組の小隊長に殴られた事件である。B組の本部ではこの夜演芸大会を催した。卓子《テーブル》が外へ持ち出され、酔払った喉《のど》自慢がかわるがわる出て、流行歌を歌い浪花節《なにわぶし》を演じた。中沢達はひやかし半分見物に行った。

中沢は一師団の伍長《ごちょう》で東京の或る区役所の吏員であるが、ジャズを好みギターなどを弾いて、音楽を知っていた。酔っていた彼は出演者の一人一人を大声で品評した。彼等はB組の小隊長の一人に引き摺《ず》り出され、海軍式の精神棒の制裁を受けた。

この制裁は普通の殴打と異なり、半ば公式の性質を持っていた。それは明らかにB組の幹部が、A組の一員にその長に断りなく制裁を加えたことであった。これはB組幹部のA組幹部に対する不断の忿懣《ふんまん》の現れである。報《しら》せを聞いて彼等を貰い下げに行ったA組幹部もそのことを了解していた。そして発端において明白に中沢達に落度のあるこの事件を拡大する不利も感じていた。で事件は中沢達がさらにイマモロから訓戒されたことで終ったが、半月の後彼等に制裁を加えたB組の小隊長は、米軍によってマニラの収容所へ移された。イマモロはやはり万能であった。

大饗宴《だいきょうえん》が終り、皆寝静まった十二時頃、A組の炊事場にB組の新しい俘虜が盗みに入って発見された。五月以後に入所した俘虜には酒保品は当らなかったので、周囲の一般的宴楽に堪えきれなかったのであろう。痩《や》せ衰えた彼の肉体に加えられた厳しい制裁は、明らかに中沢が受けた制裁に対する報復の意図を含んでいた。貰い下げに来たB組の幹部は、眠そうな声で「ばか、入るんなら何故《なぜ》B組の炊事場に入らんか」といいながら、軽く犯人を打って連れて行った。

こうして俘虜の記念すべき一日は終った。

熱帯は何故暑いか？　こういう疑問を改めて自分に提出する暇のある人は尠《すく》なかろうが、試みに提出してみても、すぐには明快な答えは出て来ないと私は賭《か》ける。私としても同様である。ただ比島で一年半を送った私の実感としては簡単である。それは夏或いは酷暑の季節が年に二度あるからである。

申すまでもないが、日本では台湾を通る北緯二十三度半の北回帰線に太陽が来た時だけが夏である。しかしその線より南にある地方では、南北両回帰線の間を往復する太陽は年に二度頭上に来る。北緯約十度のミンドロやレイテではほぼ四月末と八月末に通過する。そして暑さはそれぞれその一カ月から二カ月後までが最もきびしい。

但し比島群島の外辺の島では、一年に三分の一の雨季があり、これが大抵酷暑の候の一つと合致しているから、比島では事実上夏は一度しかない。

しかし比島の中でも雨季は処によって全然逆である。例えば一月の末私がミンドロ島で捕えられた時、ミンドロ島は乾季であったが、レイテ島へ送られて来たら雨季であった。この理由を私は現地で確める手段を持たなかったが、今はほぼ察知している。

つまりルソン島の西南に接して南支那海に西面したミンドロ島では、夏季南半球から洋上の湿気を集めて来る南西の季節風を受け、夏から秋へかけて雨季となる。これに反し太平洋に東面したレイテ島では冬季北東の季節風のため、冬から春へ雨季となるわけである。そしてこの期間に当ってない時で、頭上を通過する太陽によって暖められた地表の熱が最も盛に発散する時が最も暑いわけである。ミンドロではそれは十月であり、レイテでは六月である。そして私は十九年の十月をミンドロで、二十年の六月をレイテで送ったから、丁度一年に二度の夏を経験した。

熱帯では普通日向《ひなた》は熱くとも日蔭《ひかげ》へ入るとすぐ涼気を感じるものである。しかしこの頃になるとニッパ小屋の中でも暑く、汗がにじみ出る。外の砂はやけて眩《まぶ》しく、猛烈な暑気を屋内まで輻射《ふくしゃ》して来る。元気な俘虜もこの頃はさすが外へ出て遊ぶ者もない。外業先で卒倒する者も出て来た。

日が落ちてもまだ暑気が空中に漂っていた。七時の日夕点呼に整列すると、隣人の体温さえ皮膚に感じられるような気がする。暑気はどうかすると夜中まで残って、我々の安眠を妨げた。

十九年の十月私はミンドロの駐屯《ちゅうとん》地でモッコを担《かつ》いで土塁を築いていた。この奴隷《どれい》の労働には熱と光がむしろ快い伴奏物であった。今私は収容所のニッパ小屋で、煙草をふかしながら事務をとっている。この時暑気は全くの余計者であった。

この壮烈な暑さは大体六月一杯続いたような気がする。やがて我々がそれに馴《な》れたか、季節が移ったか、特別な暑さの記憶は薄れる。

季節が移るように、俘虜の境遇と心も変化した。三月には褌《ふんどし》一つであった我々は、今は新しいシャツと猿股《さるまた》をはき、煙草をのみチューインガムを嚙《か》んでいた。我々は単にカロリーにおいて十分であるばかりではなく、生活の快適においても、日本の戦時的市民生活より遥《はる》かにましになった。我々は一段と落着き払って来た。

この間戦況は悪化した。四月米軍は沖縄に上陸した。誰いうとなく、日本の特攻隊が大挙出動し、米機動部隊が全滅したと伝えられた。ただし米軍の週報にはドイツの設計によるロケット機を懐《ふところ》に抱いた日本の重爆は、その「バカ」を放つ前に撃墜され、損害は一空母の火災のみとあった。五月五日ドイツの無条件降伏、俘虜の反応は皆無であった。日本の俘虜はただ沖縄戦の長びくのを誇っていた。

収容所附の二世は皆沖縄の前線へ去り、以来我々は周囲にこの敵国の制服を着た同胞を見なくなった。多少の個人的な差別はあったが、彼等は大体我々に親切であった。我々を欺《だま》された者として憐《あわれ》みかつその感情にてれていた。我々の方でも彼等にその故郷を訊《き》くのは控えていた。我々は概して日本については語り合わなかった。

門を衛《まも》る憲兵が比島人と交替した。俘虜の或る者は米軍が沖縄で大敗北をしたので、援軍を送るためだといった。

しかし一般に俘虜が祖国が敗北の最後の段階に近づきつつあると感じているのは確かであった。彼等がなお強がりをいったのは、つまりほかにいうことがなかったからである。

この頃一人のドイツ人の俘虜が入って来た。彼は我々とは別に、入口にある訊問《じんもん》用の小屋を一人で占居し、給与も米軍のレーションを喰べていた。ただ便所だけ我々のものを使用する外なかったので、よく構内へ入って来た。

彼は二十七八歳ぐらいの碧眼《へきがん》長身の男で、足を折っているらしく、片膝《かたひざ》を延ばしっきりで、のろのろと通って行った。頭は丸刈にしていたが、これが独海軍の習慣であるか、或いは米軍の命令によるものであるか、私は知らない。

やがて彼が英語を話すことが分り、我々の中で英語を解する者が口を利くようになった。彼の名はフリッツとだけしか憶《おぼ》えていない。「私は恐らく太平洋で捕えられた唯一《ゆいいつ》のドイツの俘虜だ」と彼はいっていた。彼の乗っていた潜水艦はパラオ島附近で充電のため浮揚中、米駆逐艦に撃沈された由《よし》である。

彼はケルンの労働者だそうである。私は偶然持っていた爆撃を脱《のが》れたその町の大伽《だいが》藍《らん》の写真の載ったライフを見せたが、彼の顔はそう単純な喜びを示さず、考え深く見《み》凝《つ》めていた。私は彼に無事な大伽藍を見せたつもりであったが、彼は廃墟《はいきょ》と化した街を見ていたのである。

私が少しドイツ語を解するのを彼は殊《こと》のほかに喜んだ。私はシナリオを書くのにも少し飽きていたので、俘虜のうちにドイツ語を思い出しておくのも悪くないと考え、一日一時間ずつ彼の小屋へ行くことにした。米収容所長の特別の許可を得ることが出来た。

しかしどうも私の要求するものは教えて貰えなかった。例えば、彼は「ローレライ」の詩句は知っていたが、「エルケーニッヒ」はよく知らなかった。彼が教えたのはむしろシラーの或る通俗的なバラードであったが、多分それは彼が小学校で諳誦《あんしょう》したものであったろう。殊に彼はゴシックで綴《つづ》ったので、二十年全然この外国語から離れた私には読めなかった。

彼の誇るバラードに対抗するために、私は中原中也の一つの詩を独訳し、現代日本の最大の詩人の作品であるといって、彼のところへ持って行った。それは「丘々は胸に手をあて退けり」に始まる「夕照」という「山羊《やぎ》の歌」の中の一篇であるが、中原の詩には珍らしく口調がよかったので私の記憶に残り、ミンドロで駐屯中も夕方立《りっ》哨《しょう》中なぞ、夕焼した山々を眺めながら、勝手な節をつけて口ずさんだものである。

かかる折しもわれありき。
幼児に踏まれし
貝の肉。

かかる折しも剛直の
さあれゆかしき諦《あきら》めよ
腕拱《く》みながら歩み去る。

これは敵の上陸を待ってぼんやり暮していた当時の私の気分にかなりぴったりした詩句であった。

フリッツは大体において賞《ほ》めたが、「貝の肉」の一節は意味がわからないといった。「貝の肉」に当るドイツ語を無論私は知らず、画《え》を描いて見せて教わった。中原の詩が独逸《ドイツ》語になる機会など多分永久にあるまいから、日独俘虜合作の飜訳《ほんやく》を、この機会に書き留めておきたいような気もするが、この「貝の肉」という字がどうしても思い出せないからやめておく。

或る日炊事長の海軍兵曹《へいそう》が私に彼のところへ連れて行ってくれと頼んだ。話したいことがあるから通訳してくれというのである。私は断る理由がないから承知した。

彼はフリッツのために、例の乾葡萄から取った葡萄酒を持って行った。フリッツは一口飲んで「グッド」といったが、どうもこのヨーロッパの葡萄栽培の北限界線に近い名酒の産地の住人に、俘虜製の葡萄酒が気に入ったとは思われない。

炊事長は酔っていた。彼の話したいというのは「あなたはほんとにドイツが負けてしまったと思うか」ということであった。これは甚《はなは》だ無理な質問である。やむを得ず文字通り伝えると、フリッツは少し変な顔をしながら「イエス」といった。

炊事長は「そうかなあ、そんなことを思わないでくれよ、ドイツはまだ負けてはいない。負けたなんぞと思ってくれるな、といってくれ」と繰り返した。

私はやむを得ず注釈した。

「彼は君がドイツが負けても負けたと思わないことを望んでいる。彼は同盟国の国民の一人として君を慰めようとしているのである」

フリッツはまた炊事長を見て「サンキュー」といった。それから私にこういった。

「君達はまだ実際に負けていないからそういうことがいえるのだ。祖国がなくなってしまったということがどういうことか、君達は知らない」

全く彼のいった通りであった。

「君がヒットラーに従って戦ったのは、彼の原理が正しいと思ったからか」

「そういうわけではない。ただ皆がそうするから自分もそうしたまでだ。今私は自分が間違っていたのを知っている」

私はその後もよく彼を訪れ、以来彼との会話は私の最も楽しい時間であったが、或る朝彼は不意にいなくなっていた。かねがね彼は米本土経由で故国へ帰るといっていた。夜中急に飛行便があったからだそうである。

我々は移動することになった。パロに建造中の新収容所は、そこに作業に行っている外業隊の話によると、既に地均《じなら》しと土台作業を終ったらしい。二百米《メートル》四方の広い敷地で、椰子《やし》の木が多く、ここより遥かに空気がいいそうである。

移動の日附はやはり私の大小説をシナリオ化したものの製作の日附によってほぼ確かめ得る。六月十五日から七月十七日の間、多分その真中頃であった。

労働

レイテ島タクロバン北方四粁《キロ》パロの新収容所は、方二百米《メートル》の有刺鉄線の柵《さく》に囲まれた正方形の地面で、北に開いた正門から幅四米の道路がそれを貫いていた。その道の門から入って左側にまた有刺鉄線の柵が沿い、縦長の三分の二を行って左折し、敷地極限まで到《いた》っている。敷地中この柵で区切られた地面に台湾人の俘虜《ふりょ》が住み、残った鍵形《かぎがた》の地面に日本人の俘虜が住む。ただし敷地は当時日本人約千二百人、台湾人約五百人には広すぎ、殊《こと》に日本人地区の後部一帯は草の生えた空地のままに残された。鍵の手に台湾人地区の裏手へ廻《まわ》った奥には、さらに一郭が有刺鉄線で囲まれ、約五十人の日本の将校が隔離されている。

昭和二十年六月の末、我々がこの新収容所に移った時、所内はやっと地均《じなら》しと建物の一部の棟上《むねあ》げを終っただけであった。我々はまず赭土《あかつち》にテントを張って住み、以来一カ月の間に、半永久的に我々の宿舎たるべきニッパ小屋初め各種施設を建設した。

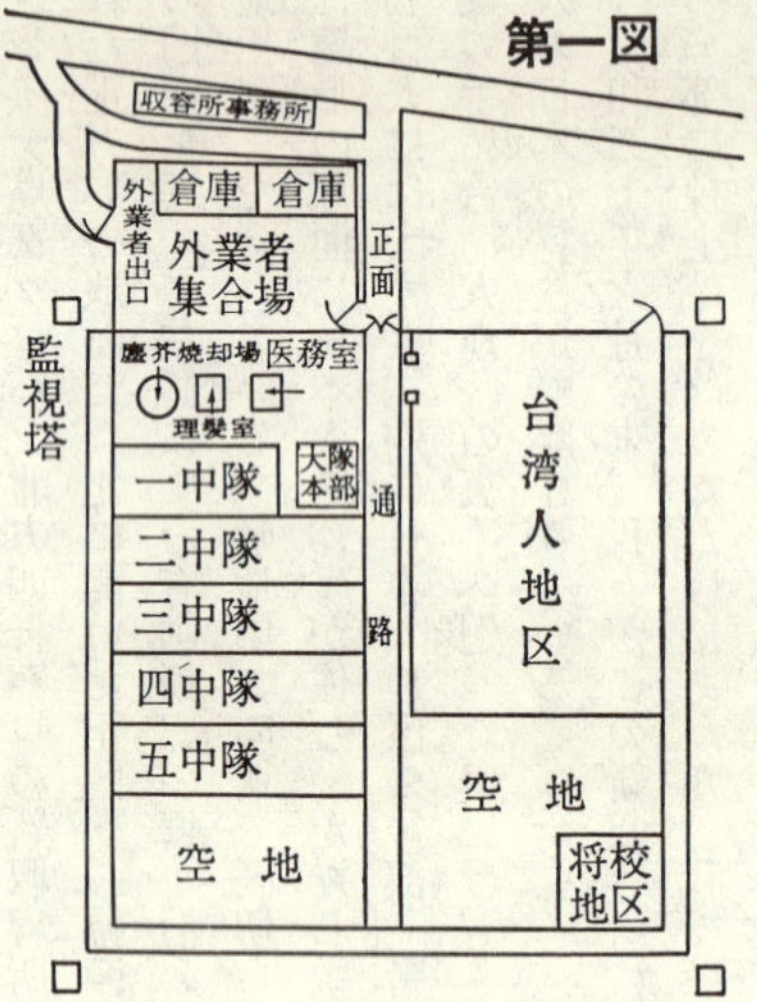

我々は米軍の編成に準じて中隊に分れていた。各中隊人員二百三十三名、五個中隊が中央通路右側を横に区切った中隊地区を占居した。大隊本部、医務室、理髪室、塵芥《じんかい》焼却場は同じ側の入口附近にあった。

文字をもって対象を書き尽すべき文学者として、図形の助けを藉《か》りるのは屈辱であるが、小学校の進歩的教育によって、視覚的に甘やかされた現代の読者は、我々が文字をもって記述するところを、まず図形として脳裡《のうり》に描くと信ずべき理由があるから、いっそ図形を入れてしまった方がお互いに手間が省ける。では右がわが収容所の略図である。（第一図）

中隊地区の境界は仮りに線を引いてあるが、これは現代の図形文化の因襲に従ったまでで、無論垣《かき》があるわけではない。外部にある米軍の施設は、図形中に文字を介入

第二図

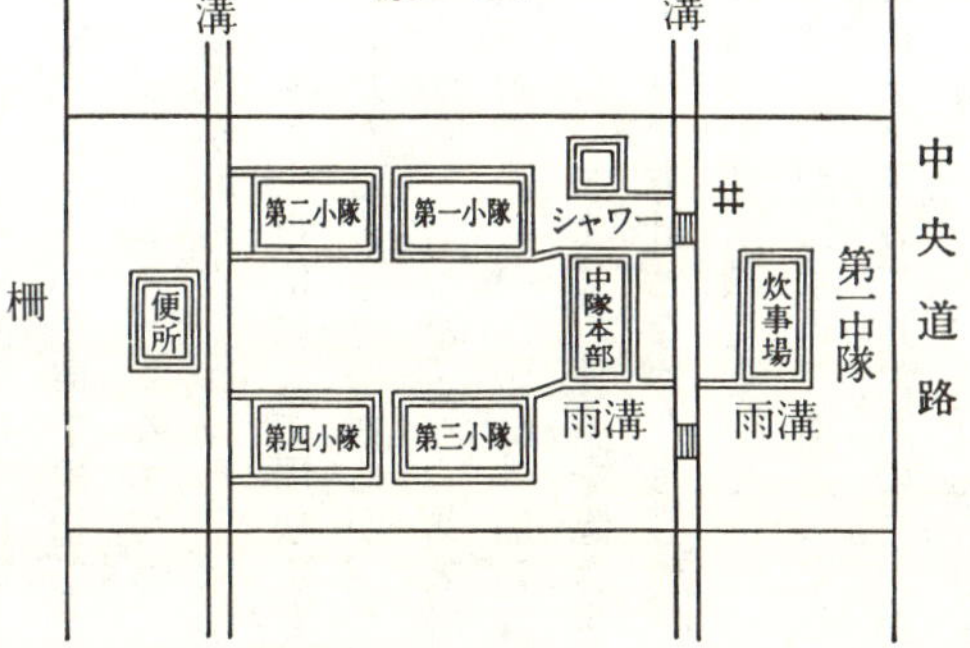

させて示した通りで、別に説明を要さないであろう。医務室等所内の一般的建物の機能も、ほぼ読んで字の如《ごと》くであるが、詳細はその機能を発揮させる俘虜の労働と共に、追って説明するとして、まず俘虜の毎日の起居と密接な関係のある、中隊内の諸施設の詳細から始めよう。

　各中隊地区に我々は次のような建物を建設した。（第二図）

　各地区は幅三十米縦百米である。地区内に大隊本部を容《い》れている第一中隊を除き、各地区共中央道路から約十五米が空地で、いわば前庭をなしている。中隊の使用する敷地は炊事場から始まり、それと中庭を挟《はさ》んで対蹠《たいせき》する便所までである。その間に図に示したような配置で、中隊本部、シャワー、四つの小隊小屋が建てられた。

我々が移転した時は、三中隊まで炊事場完成、中隊本部の棟上げがすんだだけであった。我々はまず図の中庭に当るところにテントを建てて住み、逐次周囲に我々の住居たるべきニッパ小屋を建造して行った。

「うら枯れしニッパアをもて葺《ふ》くなればニッパア・ハウスと申すやうなり」と俘虜の中の歌人が歌った。ニッパとは幹を持たない椰子《やし》の一種で、その柔軟な葉を二三尺に綴《つづ》ったものを単位にして屋根を葺く。別に枯れたのを集めたわけではなく、最初は随分緑したたるようでもあるが、やがては枯れて茶褐色《ちゃかっしょく》を呈して来る。ニッパ椰子の葉で葺くから、ニッパ・ハウスと呼ぶことには間違いはない。

収容所の我々の住居は、最初は米軍規格のテントであったが、戦争の終焉《しゅうえん》の見通しのつかないままに、便所を除き半永久的のニッパ・ハウスを俘虜自身に建造させるのが、米軍の方針となったらしい。

建物は全部所謂《いわゆる》切妻形である。これは周知のように左右二面の屋根のみを持つ簡単な造りで、別に米軍の指定によるものではなく、俘虜の中の大工が勝手に設計したものである（因《ちな》みに比島人のニッパ・ハウスは多く四面の屋根を持っている）。

まず椰子の幹を一丈ばかりの長さに切った丸柱を、一間おきに二列に建て並べ、各々《おのおの》相対

「三角」と呼ばれる竹を鈍角の頂点を持った二等辺三角形に組んだものを、

した柱に渡す。その頂点を貫いて竹の梁《はり》を通し、それから左右にやはり竹の垂木《たるき》を並べ、同じく竹の母屋《もや》で繋《つな》げば、この建物の骨格は出来上るのである。あとは屋根と、建物の前後に露出した「三角」をニッパで葺き、廂《ひさし》を出し、各「三角」の底辺を二本の竹の柱で支え、周囲に割竹で腰張をほどこせばよい。通路は「三角」を支えた中柱の間で建物を貫く。

これが中隊本部及び各小隊小屋の基本形であるが、炊事場のみ稍々《やや》異る。「三角」を支える中柱を欠き、入口は裏一方のみ、前面は全部腰張にして、食糧を分配する台を設《しつら》えるのである。

資材が米軍によって運び込まれるにつれ、俘虜は元気に、建築にかかった。一二中隊の俘虜達は既に旧収容所でニッパ・ハウスを建てた経験者である。中でも敏捷《びんしょう》な者が屋根へ上り、歌いながら竹材を針金でくくり、ニッパを敷く。各中隊、更に各小隊が競争になった。入所して日が浅く、虚弱で未熟な俘虜を抱《いだ》いた三四五中隊は暇取ったが、それでも一カ月の後には中隊全部が完成した。

この間収容所の外でする米軍のための作業、つまり外業は中止されていた。もっとも作業は名目的なもので、どう考えても我々の享受《きょうじゅ》していた衣食住プラス三弗《ドル》の俸給《きゅう》、さらに一日八仙《セント》の作業手当に値するものではなかった。外業では我々は過分に支払われていた。しかし自分達の住居を建造するという労働では、我々は立派に一つの仕事をした。つまり自分のものであるから、毎日みな力の極限まで働いたのである。

こうして自分達のものを自分で建てるという仕事の性質から、我々旧日本軍人の間に初めてデモクラシーが生れた。つまり各小隊共、多忙の口実で中隊本部、炊事場の建造に使役を出すことを拒み、各自その構成員が働くほかはなかった。前述のように一二中隊は棟上げがしてあり、内部の盛土と周囲の腰張りを作ればよかったが、あとの三個中隊は全然手をつけてなかったから、これは特権に馴《な》れた幹部達にとって打撃であった。

殊に悲惨であったのは、大隊本部であった。旧収容所では日本人代表者イマモロは米軍との折衝を専断して、擬専制的権力を享受していたが、新収容所に移るのを機に、所内が中隊組織に改組され、各中隊に米軍下士官が配属されることになって以来、権力は分割され減少した。今や彼は大隊長となり、象徴になった。

かつて現在の中隊長、小隊長等の幹部を一棟に集めていた大隊本部は、七人の直属スタッフを持つにすぎなくなった。つまり副長オラと書記中川、通訳の桜井、給仕二名である。これだけの人数で宿舎を建造するのは、事実上不可能であったから、彼等は結局テントの周囲に垣を繞《めぐ》らすに止《とど》まった。イマモロが怒りながら二人の給仕を指揮して、割竹を地にさしている光景は、彼の権力失墜の最初の表現であった。

彼の没落の原因であった中隊付サージァントは我々が各々ニッパ・ハウスを建造し終った頃《ころ》到着した。彼等は一個中隊に一人ずつ配属され、毎日昼間を中隊本部に詰めて米収容所長の諸指令を伝達し、遵守《じゅんしゅ》を監督した。彼等はまた朝夕中隊毎《ごと》に点呼を取った。これも従来イマモロの重要な輔佐《ほさ》的役目の一つで、彼の勢威の有力な源だったものである。

私が通訳として属した第二中隊のサージァントはウェンドルフというドイツ系米人であった。金髪碧眼《へきがん》、丈は低く、むしろフランス人を思わせた。私は彼が南部ドイツの農民の出であろうと空想した（Wendorf の dorf は村である）。「ドイツ人たる君がドイツと戦うのは変な気がしないか」という私の問いに対して「私達がアメリカへ来たのは随分昔だ」と彼は答えた。

彼の職業はデトロイトの自動車工場の事務員で、召集されて既に三年だそうであるが、一般にあまり兵隊臭くない米兵の中でも、特に兵隊臭くなかった。高射砲隊員としてキスカ、マーシャルと転戦した後、この閑職について、召集解除を待っているだけだったらしい。

彼は大隊本部と我々の関係をすぐ理解し、我々と一緒にイマモロを無視するのを面白がっていた。例えば我々が毎朝米軍倉庫から受けて夕刻返す要具（鶴嘴《つるはし》、シャベル、蛮刀等。これ等は兇器《きょうき》であるから収容所内に止めることは許されない）の割当も、従来はイマモロが宰領していたが、これもサージァントの手に移った。毎朝我々は彼にメモを貰《もら》って門外の倉庫へ受領に行ったが、これは各中隊勝手に要求したため、すぐ数が足りなくなった。大隊本部は別に直属の米兵を持たないため、却《かえ》って不利になった。

大隊本部の前を要具を担《かつ》いで通る俘虜を、ヒステリーを起したイマモロが強襲して、要具を道路上に散乱させた事件を機に、イマモロの収容所長への懇願が効を奏し、要具だけはイマモロが一括受領して各中隊に分配するよう、収容所長から中隊付サージァントに指令が出た。イマモロはまた威張り出したが、我々も負けていなかった。サージァントにエキストラ要求書を発行して貰ってイマモロを悩ました。イマモロが米軍の倉庫主任を後楯《うしろだて》に頑張《がんば》ると、ウェンドルフが直接米軍の倉庫主任にかけ合いに行って、無理矢理に要求数を取って来た。彼等の間にも、我々とイマモロの間に似た関係があったのかも知れない。

我々のイマモロに対する鬱憤《うっぷん》はかなり晴らされた。彼は永らく抵抗していたが、やがて諦《あきら》めて我々を「お前ら」ではなく「あんた方」と呼ぶようになった。俸給生活者上りで元来慇懃《いんぎん》なオラは「あなた方」といった。

中隊別に食糧を分けることだけは依然イマモロの手中にあったが、これは彼が従来のように、古い俘虜の多い一二中隊に偏愛する理由がなくなったという事実によって、却って公平に行われた。こうして旧収容所における日本的専制は各中隊にサージァントの配属されたことによって消滅したが、中隊内部では必ずしもそうは行かなかった。中隊長はじめ各小隊長、炊事長などが依然としてボスであった。しかしその権力は旧収容所でイマモロが雲の上の米収容所長の威を藉りて振っていた権力ほどには到らなかった。サージァントが常駐して直接指令し監督していたからである。彼等の勢力の源はむしろ、いかにその指令を俘虜の利益のために誤魔化すかを誇示し、俘虜の怠惰に媚《こ》びて人気を博することにあった。そして憎まれ役はサージァントの代弁者たる通訳の方に廻って来た。

俘虜一個中隊 Company の編成を再掲する。

中　隊　長	Leader	一
中隊本部	Head quarter or Overhead	一〇
小隊(四)	Platoon 長を含み	五三×四＝二一二

計　一三三

小隊はさらに各々長を含み一三名より成る四個分隊に分れている。

中隊本部の職制次の通り。

書　記	Clerk	一
補　助	C. Q. (Charge of Quarter)	三
炊事員	Cook（長 Mess-Sergeant 一を含む）	八
衛生兵	Medic	二
清掃係	Sanitation	二
理髪師	Barber	二
給　仕	Boy	二
	計	一〇

わが第二中隊の中隊長は樋渡《ひわたし》という海軍兵曹《へいそう》である。彼は十月二十五日早暁《そうぎょう》レイテ、ミンダナオ間のスリガオ海峡に向った第二戦隊に属する駆逐艦の乗員で、同戦隊が壊滅した後、一昼夜泳いで米艦に救助された。レイテの海軍の俘虜は殆《ほと》んどこの所謂「山城《やましろ》扶桑《ふそう》組」の生き残りである。

樋渡は齢《とし》は三十二歳、横須賀の電気器具商である。よくいわれる海軍軍人の技術者性をそれほど誇張して考える必要はあるまいが、とにかく彼は甚《はなは》だ器用であった。彼は地均し、溝《みぞ》掘《ほ》り等の大ざっぱな作業から、各種大工仕事、木工細工、裁縫に到るまで、行くところ可ならざるはなしの万能的才能を示した。米兵はよく彼のところへ航空資材のジュラルミンの切れ端を持って来たが、それを腕時計のバックルに仕上げるのが彼の特技であった。報酬は煙草で、彼はそれを几帳面《きちょうめん》に貯《たくわ》えていた。

彼は中隊本部の前に一間四方ばかりの小庭園を造り、何処《どこ》かの米軍の作業場から拾って来た細い鉄管を埋めて噴水を湧《わ》かした。タンクは石油缶《かん》を庭園背後に一間ばかり挙げ、前方は掲示板を建てて蔽《おお》った。水が切れるに従って汲《く》み込むのは給仕の役目であった。

ウェンディ（と我々はやがて愛称で呼ぶようになった）はこの噴水が気に入り、巡視将校や他の中隊付サージァントに自慢したが、相手はあまりいい顔をしなかった。俘虜が住宅をニートリイに造営するのは奨励されていたが、鑑賞用の造営は身分不相応だったのである。

樋渡が数多い旧棟長の中から五人の中隊長の一人に選ばれたのは、俘虜としての年功のほかに、こうした作業上の器用さが手伝っていたことは確かである。彼は旧収容所建設初期、俘虜たちがテントの土に寝ていた頃から、各種の設備改善に功があった。彼は殊に人に率先して働いた。

丈は中背、長頭（つまり後頭部突出）、眉《まゆ》濃く、眼は奥眼、鼻細く、口は大きいが口唇は薄い。広い鼻下にはチョビ髭《ひげ》を貯えて、全体としてどこか烏天狗《からすてんぐ》に似ていた。まだ独身であるが、各碇泊地《ていはくち》に持つ女を先方が仕替しない限り変えないのが、彼の自慢であった。横須賀の女は七年続いているという話である。

彼は肉体的に器用であったばかりでなく、精神的にも器用であったようである。中隊長の役目は前記のように米軍の指令と俘虜の意志との間の緩衝地帯をなすことであるが、さし当り彼と直接の関係では、後者を代表する小隊長を操縦するという形で現れる。そして彼がその間で取った政策は、要するに機智《きち》と腹芸によって、小隊長達の様々な要求をはぐらかすことであった。

こういう才子がどの程度祖国のために命を賭《か》けていたか、少し疑問だ。彼の乗った艦は戦闘力を失った後、一路陸に向って突進し、海岸に達する前に撃沈されたのであるが、彼がそういう艦の行動に力を尽したのはただ習慣からだったろう。彼は後に日本降伏の報を聞いて最も動揺しなかった俘虜の一人である。

四人の小隊長もみな兵曹であるが、中隊長ほどの才はなく、それぞれ彼に操られるにふさわしい程度に愚昧《ぐまい》であった。もっともそれだから、彼等がそれだけ軍人として献身的であったと空想する理由はないが。

第一小隊長吉岡兵曹は水戸の農民である。齢は中隊長より二つばかり上であろう。丈は高く、赭《あか》ら顔の大きな顔立で、声が太かった。彼は隊員の各々と人情的な関係にあるのを好み、殊に若い俘虜を愛していた。彼の小隊は古い働き者の俘虜を多く持ち、よく治まっていた。

彼は中隊長と同じくスリガオ海峡に向った巡洋艦の乗員であるが、先任の関係は中隊長と大差ないらしく、中隊長は彼に一目おく振りをしていた。

第二小隊はかつて中隊長が長であった棟員から成り、小隊長は前班長（現在は分隊長）の中《うち》、先任の者が昇格したものであった。従って威令は行われず、各分隊長が独立して隊員を掌握し、むしろ小隊長に対立していた。中隊長直轄《ちょっかつ》とすれば或《ある》いは治まったかもしれなかったが、中隊長はその責任を回避していた。

小隊長岡田兵曹は顔色が悪い小男であった。四国山中の農民で、百姓の不平と慎重を代表しているように思われた。彼もよく米軍の指令について不服をいったが、彼の場合は専《もっぱ》ら各分隊長に攻撃されるのが怖かったらしい。始終愚痴ばかりいっていて、小隊長中最も精彩がなかった。

第三小隊長広田は磊落《らいらく》多弁、或る意味で小隊長中最も精彩があったといえるかも知れない。俘虜という不安な状態にあってはこういう磊落は一種の韜晦《とうかい》とも考えられたが、これはどうやら私の歌舞伎《かぶき》的偏見と思い過しであったらしい。彼は事実、外から見えるだけの人間にすぎなかったのだ。彼はあらゆる俘虜の仕事をちゃらんぽらんでやっていたが、それは彼が予々《かねがね》日常の生活も、そうやって来たからだったろう。彼の野放図はその結果する実際的不便によって、結局中隊長に疎《うと》んじられ、部下に軽蔑《けいべつ》されていた。

広田は齢はまだ若く二十七八であったが、鼻下にちょび髭を貯え、三十を超して見えた。熊本県人、円顔豊頰《ほうきょう》、まず無邪気な顔といえた。幾分の衒《てら》いをもって、両手をだらりと垂らし、無雑作に歩いた。彼は人のいる所へ入る時、必ず何か用件か感想を大声でいいながら入った。

彼もやはりスリガオ組の巡洋艦の乗組であるが、前はミッドウェーで衝突して沈んだ巡洋艦に乗っていた。最初の乗艦が沈んで他へ転属された水兵の位置は惨《みじ》めなものであるらしい。「わしはどうせボカチン喰《くら》った船の乗員じゃ」が彼の口癖であった。

彼の艦はミッドウェー海戦の最後の段階では、陸上基地を砲撃出来る位置まで到達していたのであるが、この時突然回頭命令が出たことが、彼によればあの海戦の敗因だったのである。

彼は時々私の所謂「自由主義」を皮肉った。彼は何かの右翼団体に属していたらしい。「わしのためにいつでも命を捨ててくれる人間が全国で十万人いる」と彼はいっていた。無論彼は真面目《まじめ》にそう信じているのである。「そういう高邁《こうまい》な団結を賄《まかな》う金は何処から出るんですか」と私がきくと「外地で調達する」と答えた。

彼は幼時神隠しに会ったことがあり、暫《しばら》く千里眼と予言の才を顕《あらわ》したそうである。当時熊本で殺人があり、兇器が発見されないため犯人を決定し得ないことがあった。検事は評判の広田少年を試みた。兇器は結局七歳の広田が千里眼で見透《みとお》した河中にはなかった。この検事は後随筆家になり、事件を回想して、広田を「嘘吐《うそつ》きの子供」と断じているそうである。そしてこのことも広田の自慢の種の一つであった。要するに彼は一個の精神薄弱者であった。

第四小隊長上村兵曹は比島沖海戦の日、サン・ベルナルディーノ海峡から出撃した、所謂「大和武蔵《やまとむさし》組」の駆逐艦の乗員である。彼の艦は戦場からの帰途十月二十六日ミンドロ島附近で撃沈され、イリン島に泳ぎついた（これは私の駐屯《ちゅうとん》していたサンホセ対岸の島である）。住民は彼を日本兵のいる所へ案内するといって本島に渡ったが、やがて一軒の比島人の家に導かれると、中にいたのは米兵であった。彼はその艦唯一《ゆいいつ》の生存者である。

齢は二十七八、中背の角張った力士的体軀《たいく》の持主であった。顔は大きく、その肩と同じく角張っていて、顎《あご》も張っている。首は何かの疾患によって軽く左にかしいでいる。彼はその欠点を普段は巧みに匿《かく》しているが、例えば角力《すもう》を取る時のように、やけに力を出す時に顕れた。

彼の性格の特徴は、自己を誇ることである。勇気、愛国心、気前、自制心等、およそあらゆる通俗的美徳は、尽《ことごと》く彼の誇示の対象であった。無論女に関しても容貌《ようぼう》と精力を誇った。

彼が旧班長から小隊長に抜擢《ばってき》されたのは、こういうシャルラタニスムの結果であった。彼は俘虜の古株に阿諛《あゆ》し、部下に親分的庇護《ひご》を衒ったが、実質が伴わなかったので、やがて古株には軽蔑され、部下には嫌《きら》われた。

これ等小隊長は米軍の指令によれば、各自その小隊小屋に寝るべきであったが、彼等はそれを守らなかった。中隊本部に寝て、中隊長と共に本部附給仕の運ぶ特別の料理を食べるのが、彼等のボスの自覚にとって、不可欠の条件であったらしい。

書記及びCQは事務に対する兵士一般の無智によって、幾分の尊敬を払われているが、特別の料理も支給されない程度に、その実質的地位は小隊長より下である。書記は中隊の公式書類及び人事を、三人のCQ中一人は通訳、一人は被服、他は雑務を行う。彼等は要するに月給取の弱兵が俘虜となって却って出世したにすぎないが、その各々の性格については既に別の章で書いたから、ここでは繰り返さない。私自身は通訳のCQであった。

炊事長の中村の地位も事務屋より上である。彼も海軍兵曹、やはりスリガオ海峡で沈んだ老朽戦艦の烹炊《ほうすい》員長であった。人柄《ひとがら》はまず円滑洒脱《しゃだつ》というところであろう。色白の小柄の体軀に載った小さな顔は始終笑っていて、洒落《しゃれ》と冗談で七人の部下を操り、中隊長小隊長に阿諛していた。流行歌と浪花節《なにわぶし》がうまかった。

彼の外交術はかなり中隊長のそれと似ていたが、彼が尨大《ぼうだい》な人員を擁する戦艦の乗員であり、中隊長が一致団結猪突《ちょとつ》的な駆逐艦のそれであったに準じて、気構えに違ったところがあったようである。つまり彼の外交は八方美人式に誰にでもやたらに調子がよかったのに対し、中隊長の外交には目標があった。

彼が大きな声を出したのは一度しか見たことがない。それは第三小隊員の分隊長と彼の部下の炊事員が喧嘩《けんか》をして、右翼的お調子者の小隊長広田が蛮刀を二つ携え、彼に決闘を申し込んだ時で、彼は丁度ベッドで本を見ていたところであった。彼は「やるか」と叫んで起き直った。乾いた軍隊式の声であった。この時私は彼でもやはり軍人であるのを認めたが、顔は仮面のようだったし、動作は芝居じみていた。芝居は精神薄弱者の広田の決闘申込の科白《せりふ》にも現れていて、二人は予定通り周囲の者に止められ、乾葡萄《ほしぶどう》から密造した酒をしたたか飲み「雨降って地固る」とかで、前より仲好くなった。

七人の炊事員は一人々々枚挙する必要はあるまい。彼等はみな若く元気で、働く者の自己満足と、食事という俘虜の重大事を掌《つかさど》ることに由来する尊敬に馴れた自負を示している。彼等は一日中陽気に歌を歌いながら料理を作り、俘虜の阿諛に快く応酬している。こういう人種は俘虜か軍隊でないと見当らない。上から与えられる物を仲介処理することによって威を生じるのは、古来官僚にも例があるが、官僚が陰険であるに対して、炊事員が陽気であるのは、給与物が食物という人間生存の第一の条件であって、人民が彼等なしでは生きられない自信があるからであろう。

二人の理髪係は医務室の隣の小屋へ、二個中隊ずつ交替で詰めて、その職名の示す作業を行う。俘虜は最初は全部丸刈であったが、終戦後は帰還に備えて髪をのばす者が増えた。中隊付サージァントも、日本人がアメリカン・スタイルの理髪を行うのを珍らしがり、かつ彼等の勤務時間中に個人的身躾《みだしな》みも片づけてしまうのが便利なので、よく出掛ける。

理髪係は原則として原職理髪師がなるが、それでは人員に充《み》たないので、普通の俘虜のうちで器用な者が登用される。わが二中隊では一人が本職、一人が素人《しろうと》であった。本職の方は須田という三十すぎの補充兵である。初期の日華戦争に加わり、南京《ナンキン》に入城していた。彼は南京のみならず、その後奥地の駐屯生活中に行った暴行につき、好んで詳細を語ったが、その調子は快活淡泊で、悪事を働いたという自覚は全くないようであった。「何でもかんでも入城式に間に合わせろってんで、あれだけ歩かされた挙句の酒じゃ、兵隊だって処置なしさ」と彼はいった。

須田は弘前《ひろさき》の人で、丈は低く痩《や》せて、東北人らしい白い皮膚と濃い髯《ひげ》を持ち、親切でお喋《しゃべ》りであった。この陽気な人物の裡《うち》に南京の暴兵の俤《おもかげ》を想像することは、不可能であった。

惟《おも》うに女子に対する暴行、或いは一般に性行為について、我々には現行一夫一婦制の結果たる偏見がある。娼婦《しょうふ》にきかれるがよい。須田は中国の妻や娘が全く抵抗しなかったといっている。

須田の話をきいて、彼の理髪係の相棒の、やはり日華戦争の経験者たる相良《さがら》軍曹が自分の経験を語った。但《ただ》し彼が自ら行ったところではなく、彼の見た一つの光景である。

南京郊外の堤防上に、着物を裂かれた半裸の女が放心したように足を投げ出し、柳の幹に背をもたせかけていた図である。詳細はここに書くのを差し控えるが、私を驚かしたのはその光景の凄惨《せいさん》さではなく、それを語る相良の平静な態度であった。そして彼は赤羽の錺職《かざりしょく》で、その職業にふさわしく鄭重《ていちょう》でおとなしい男であった。その彼が何等感情を動かすことなく、自身は決して暴行を行わなかったのであるが、その彼が何等感情を動かすことなく、同胞の暴行の犠牲者の外観を物語ることは出来るのである。

明らかにこういう無関心は習慣の結果である。しかしもしその行為に何か人を無関心たらしめる根拠がなければ、人をして馴れしめることは出来ない。例えば人は戦場においても殺人に馴れることは出来ない。

私は急いで付加えるが、私は何も暴行を是認するのではない。ただ人が誇張していることを指摘したいだけである。暴行は何千年来戦争につきものであった。しかしこの結合にはそれほど必然性があるわけではない。だから戦争に随伴する暴行を絶滅するには、戦争自体を止《や》めるのが近道である。蕩児《とうじ》は売春婦に対して常に、夫は妻に対して屢々《しばしば》、暴行者である。廃娼を運動しても、主婦の権威を主張しても、街に売春婦が絶えず、妻が最後には夫に従う以上、売春と結婚の原因たる財を廃止するのが近道であろう。

清掃係の任務は残飯や塵芥《じんかい》を理髪室背後の焼却所に運んで焼き、中隊地区内の溝及《どぶ》び便所に石油を撒《ま》いて歩くことである。この役目は本部の中で最もぱっとしないものであるが、それに準じてそれを行う人物もぱっとしない。一人は愛知県の補充兵、他は鹿児島の徴用漁夫である。共に四十歳を過ぎ、黙々とその業務を遂行しているにすぎない。俘虜の生活をこうして何等感情的反応なく過ごせる人もいるのである。

給仕の一人は十八歳、他は十五歳、本部建物内外の掃除、中隊長小隊長の食事その他雑務を担当するが、これは大した用事ではないから、むしろ本部の各員の愛玩物《あいがんぶつ》となる方が、主な役目であった。

こういう役割を果す人物が二人ある場合、その間人気の優劣が出来るのが普通である。大抵の場合年少の方が勝つ。

十五歳の方は田宮という徴用船員で、船中でも給仕をしていた。金沢附近の農家の子であるが、十二の年から船に乗っているというから、何か事情があるらしい。色白の可愛い顔立で、「きっと芸者の貰《もら》い子じゃろう」と磊落な第三小隊長はいった。

彼の乗った船は五月中旬ミンダナオの北部海岸で比島人に襲われ、乗員は全部殺戮《さつりく》されたが、少年であったため彼だけ許された。彼のその場面を語る様子はあまりにも率直淡泊で、少し精神が薄弱なのではないかと思われた。いくら小学校中退とはいえ、二桁《けた》の掛算も出来なかった。

彼は毎晩誰かのベッドへ同衾《どうきん》した。大人達が彼に何を教えたかはわからないが、所謂《いわゆる》「おかま」沙汰《ざた》はなかったようである。大人達の間に諍《あらそ》いがなかった。ただ彼の方が多くの大人に愛されたことによってスポイルされただけであった。中隊長は、俘虜と暇を利用して彼を再教育しようとしたが無駄《むだ》であった。彼の夜の遠征はだんだん中隊外に及んだ。そのうち彼は大人がみな自分に魅了されたと感じないと物足りなくなったらしい。私の無関心が気になると見え、或る夕方小屋の入口に佇《たたず》む私の傍《そば》へ寄って手を握った。

十八歳の吉田は陰気な海軍志願兵である。彼はむしろ進んで田宮に劣る地位に自分をおき、田宮に大人とふざける時間を与えるために、独りで仕事を引き受けたりした。多分彼自身も多少田宮を愛していたのであろう。彼は長野県の農民の孤児で、幼時からかなり苦労をしたらしい。「他人の飯も三年ひとところで喰えば、他人の飯じゃねえからね」が彼の得意の哲学であった。

別に衛生兵が二名いるが、衛生兵は旧収容所の習慣から医務室と一体で、昼間はそこに詰めて治療や入室患者を見、夜寝に帰るだけであるから、席は大抵空であった。

彼等はそれさえやがて気詰りらしく、医務室への距離を口実に、第二小隊の最後部に席を移した。

彼等はいずれも日本軍の衛生兵で、旧収容所では所謂「病棟」に集って別天地を作り、幾分日本軍時代の威光を吹かしていたが、新収容所の中隊組織によって各中隊に分散されて中隊長の指揮下に入り、中隊の患者について責任を持たされて以来、おとなしくなった。しかし彼等は依然として中隊員とは馴染《なじ》まず、夜は医務室で遊んでいた。

以上私はわが中隊本部を形づくる人々について逐次語った。退屈した読者は或いは私がこの方法によって、中隊全員について書くのではないかと懸念されたかも知れないが、その人は安心してよろしい。「俘虜名簿と競争する」ことは、この記録を書き始めて以来絶えず私の脳裡《のうり》をかすめた夢であったが、その都度私は「列挙の退屈」の障害に遇《あ》って挫折《ざせつ》している。

収容所において私の倦怠《けんたい》の飾りであったこれらの人々を、私はいつも懐《なつか》しく思っている。彼等が私の精神と感情の外辺に触れたままの姿で、残らず私の記録に載せたいのであるが、結局列挙によって、読者と私自身を退屈させてはつまらないという考慮から、私の筆はにぶる。

「典型を書けばいい」と批評家はいうかも知れない。しかし俘虜に典型などというものがあるだろうか。囚人には人間を型に刻む、あの行為というものがない。もし私が小説家であれば、種々の事件を設けることによって、人物を躍動せしめることが出来るであろう。しかし俘虜の間には行為がないに従って、本質的な意味での「事件」というものもない。俘虜の小説の事件は尽《ことごと》く作りものか誇張である。

あの鉄柵《てつさく》中の単調な日々を帰還まで、芸もなく時の順序に従って語り続ける私の記録に、彼等が全部現れる機会があれば倖《しあわ》せである。

小隊はさらに四個分隊に分れ一人の分隊長を持っているが、このわずか十二人の俘虜の長について、別に親分的特徴を誇張する必要はあるまい。彼等は旧軍隊の習慣に従って「班長」と呼ばれているが、隊員は俘虜の平等にあっては、別に彼等の命令に服す義務ありとは考えず、ただ不平をいうのに一番気易《きやす》な人ぐらいにしか思っていない。

一般俘虜の義務は働くことである。作業は外業と内業に分れる。外業即《すなわ》ち外部作業とは、既に書いたように、収容所外部に出て、米軍の作業場で働くこと、内業即ち内部作業は所内の改善その他日々の取りかたづけ作業をいう。

外業は作業場から米軍収容所長に対する要求に基づき、大隊本部が中隊に公平に割当てて来る。人員は最初は総員の約半数であったが、後俘虜は全部一日八時間、一週六日働くべしという上からの指令（噂《うわさ》によればマッカーサー）により、前日の朝当日の可働人員を予め《あらかじ》申告し、作業場は必ずその全員に仕事を与えねばならなかったらしい。たまたま生じた余剰人員には、各中隊長が内業を案出せねばならぬ。

こういう働く俘虜において、私は単に働き者と怠け者の二種しか判別出来なかった。その人の個人的性格とか、馬鹿だとか利巧だとかは、労働という条件の下にあってはいうに足りないのである。

働き者とは、肉体的活力を消費する生理的必要を持つ者、或いは現在我々が住宅、食糧、被服を与えられているという状況が、何を自分に課しているかを理解している者で、怠け者は丁度万事その反対の者をいう。肉体的怠け者は過度に肥《ふと》った者とか、或いは身体虚弱者、精神的怠け者とは、あらゆる社会的義務を最少限に果すという経済を身につけた者である。この差別は、万人が働かねば食うことが出来ぬという楽土が出現しても、多分消滅しないであろう。

例えば俘虜にあっては、労働のないところにも、この差別が現れていた。例えば我々の間には五十人に一人の割合で腕がないとか、不安な傷痕《きずあと》を持つ者とか、所謂癈《はい》兵《へい》invalid がいたが、この労働の可能性を剝奪《はくだつ》された人間の間にも、働き者と怠け者がいた。怠け者は労働不能の状況をむしろ喜び、終日ベッドに横たわっているが、働き者は自発的に彼等に出来る唯一の労働、つまり小屋内外の掃除を日課としている。第三小隊にいる片方の肩胛骨《けんこうこつ》をくだかれている一人の俘虜は毎日朝夕小屋の内外のみならず、広く中隊の中庭まで、自由になる方の手を動かして掃いた。他の俘虜が働いているのに、何もしないのは心苦しいと彼はいった。

してみれば労働を愛する愛さないことは、どうやらその人の肉体の条件にはよらず、精神の状態によるということになる。

外業に出た俘虜は一日八時間働いて八仙《セント》の報酬を受ける。これは三弗《ドル》の月給とは別であるが、収容中は支払われず積立てておいて、帰還に際して支払われる由《よし》である。因《ちなみ》に中隊本部員は一日十仙支給される。彼等の勤務はたしかに外業より楽であり、不当といえば不当であるが、官僚はどんな団体にも必要らしい。

八仙の労働者の中でも、若干の労働貴族が生じた。大工と画工である。大工は軍隊の駐屯生活においても有用な技術で、大工出の兵士はいつも上官の特別の愛顧を受けていた。俘虜にあっても、大工は収容所の自主的設営において有用であったばかりではなく、柵外の米軍バラックの建造や修理にも抽出された。日本大工の威名は世界に轟《とどろ》いている由である。米軍が日本大工を始終使用するのは、まずは俘虜の使い得というところであろうが、日本大工の優秀な腕がなかったら、そう引張り凧《だこ》にはならなかったろう。大工は大体中隊に一人くらいの割合で存在し、一般外業者とは別に、自由に門を出入して、煙草《たばこ》とチョコレートをきらしたことがなかった。

本物の絵描《えか》きは収容所には一人もいなかった。わが中隊では手弄《てなぐさ》みに日本画を二カ月ばかり習った者と、多少水彩を善くする者の二名がいたが、前者の描く竜、二見ヶ浦、舞妓《まいこ》の図、後者の不二山、芍薬《しゃくやく》の図は、同じ構図のものがいくらでも、スーヴニール好みの米兵によって、煙草一個と交換された。画家達は絵具と画筆を米兵から十分に与えられ、終日自席で絵を画いていた。彼等は特別のはからいにより作業を免除されていた。

彼等の人気はしかし後に現れた写真師のそれによって凌駕《りょうが》された。撮影ではない。修正技術の延長として、裸女の写真や米兵の母や妻の写真を、引き伸して模写するのである。この方が俘虜製の日本画より実際的需要が多く、やがては米兵が家族に送る実物に基づいた肖像を依頼され、柵外へ出張するようになった。彼は毎日大工と連れ立って門を出て行った。敗北した画家達は春画に転向した。

しかしこの二種が俘虜の米軍に重宝がられる特殊技能のすべてであった。他に下駄屋洋服屋がいたが、これはただ中隊のボス達の生活の快適を増したにすぎなかった。

外業者の整列は朝七時である。暗緑色の米軍の制服制帽に、PWと白いペンキで押した多数の人物が、編上靴の中へ長いズボンの裾《すそ》をたくし込んだ姿で、中隊の中庭に集り、指揮者の命令で歩き出す。各中隊から出た列が中央道路に混み合って、羊の群のようにぞろぞろ門に向って動いて行く。門外の倉庫前には彼等を集めるための空地があり、そこへ各作業場から派遣されたトラックに分乗して、八時までに先方に着くように出発するのである。

作業場は主にタクロバン海岸にある資材集積場で、荷役又は梱包《こんぽう》の積み換えなど簡単な作業である。米軍はどうやら無理に仕事を案出した形跡がある。

こうした「無償」の作業にあって、俘虜は退屈したらしい。そこで彼等は当然遊ばねばならぬわけであるが、彼等の耽《ふけ》るのは海軍の言葉では「銀蠅《ぎんばえ》」と呼ばれる遊びである。つまり盗みである。

監視の米兵の眼を盗んで梱包に穴をあけ、缶詰《かんづめ》、菓子、煙草等を抜き出す。事務所にある絵入雑誌を窃から掠《かす》める。米軍も漸《ようや》く日本の俘虜の習癖に気付き、帰りの身体検査が厳重になったが、囚人は物を隠すのがうまい。例えばズボンの膝《ひざ》から下や褌《ふんどし》に、秘密のポケットを設ける等々。それでも発見されることがあって、犯人は大体一昼夜米軍の営倉に入れられる。ビスケットと水しか与えられず、コンクリートの床で寝具なしで寝なければならないが、山中で食物なく野宿した日本兵には、これは殆《ほと》んどこたえない。「どんな目にあったって、これがやめられるかってんだ。ほかにゃなんの楽しみもねえもの」と或る常習者はいった。

彼等の盗品の種類はだんだん広範囲にわたり、スウェーター、手袋、靴、化粧品にまで及んだ。或る者はそれが何であるかも知らずに、米女子軍用の月経帯まで盗んで来た。

彼等はこうした俘虜の正規の持物でないものを、多くベッドの下に穴を掘って隠していた。或る者はドラム缶の全体をすっぽりいけて、発見した米兵を感歎《かんたん》させた。麦酒《ビール》も盗んだが、これは大抵その場で飲んでしまう。或る時麦酒の梱包の山の積み換えを命ぜられた一隊は、予め企《たくら》んで新しい山の中央に縦穴が出来るように積んで行った。そして交替で穴の底に降りて、周囲の梱包を破り安全に鱈腹《たらふく》飲んだ。こういう山は三つばかり出来上ったが、或る山で酔払って上れない者が出たため、米兵に発見された。一隊は徹夜で積み直しを命ぜられた。

作業は後に石切、道路工事等次第に種目が増えたが、現場で規定の時間を潰《つぶ》しさえすればいい程度を出なかった。或る者は作業で、とにかく外に出られるのを楽しみにしていたが、しかし一定の時間を一定の場所に束縛されるのは苦痛であると、怠け者はいっていた。

外業者が出発した後、残員は各種の内業に就く。内業とは主として内部改良で、この頃《ころ》新造の収容所には色々仕事が多かった。米軍は我々がただ住居を作るだけではなく、それを彼等の観念の清潔に保つことを要求した。無論彼等の清潔の観念は我々のそれより遥《はる》かに合理的であり、大変結構であった。

例えば便所の構造なぞにも彼等の合理性がよく現れていた。便所は深く掘られた穴を、数個の洋式の席を持つ木箱で蔽《おお》うだけであるが、穴の深さは八尺と規定されていた。これは若い蠅が飛び上り得る限度であり、毎日石油を注ぐことによって、たまたま成虫となり得た蠅も、外へ飛び出す前に必ず殺戮される仕組になっているわけである。席の数は十二人に対し一個と規定されており、中隊全員二百三十三人に対し、十八個（十個の箱と八個の箱）が設けられた。これは俘虜であるため、一つの席にわずか一人を過剰負担さしたことでしかない。

便所は中隊地内で最も蠅のいないところであった。日本流の清潔の観念で運営される炊事場の方がずっと蠅がいた。

所内の溝のシステムも甚《はなは》だ合理的に出来ていた。敷地を縦に貫く幅一米《メートル》の二本の主溝《しゅこう》は第二図のように、炊事場の後と便所の前を通っていたが、水を敷地裏の沼沢地《しょうたくち》に導くため底を傾けて、第一中隊の辺で深さ一尺、第五中隊の辺で一間ほどであった。その深さに準じて中隊内の各建物の周囲に雨垂れを受ける雨溝を掘り、水が二つの主溝に平均に注ぐように、地区中央部（第一小隊と第二小隊の中央）を分水嶺《ぶんすいれい》として、両側を軽く傾斜させるべきであった。

このプランは頗《すこぶ》る合理的であったが、わが中隊の敷地の中央部が、わずかに凹《へこ》んでいるという自然の条件によってうまく行かなかった。つまり分水嶺が主溝の底より低いのであるから、主溝に底を合わせて掘れば、分水嶺のあたりで雨溝は消滅し、もし分水嶺から掘って行けば、雨溝が主溝と合うところで、雨溝の底は主溝の底より低くなり、水は主溝から逆流するのである。

結局主溝の底を全体的に低くするよりないのであるが、すると敷地の端で水が沼沢地へ出て行けなくなる。米軍の合理的なプランも、敷地の自然の条件に合わず、中隊中央部の雨溝には常に水が溜《たま》り、自然に干上るに任せるほかはなかった。

敷地全体の地均《じなら》しを完全にすればよいわけであるが、やはり俘虜の住宅であるから、そこまで手をかけるわけには行かなかったのであろう。

こうした自然と人工の不一致による不便は、後に炊事場と接して食堂を建てた時にも現れた。食堂は幅は炊事場と一致し、縦は八間ばかりの細長い建物で、四列の梁《はり》から逆丁字形の垂木《たるき》を下げ、その下端の両側にブリキ張りの食台を載せる。食事者はそこへ食器をおいて立食する仕掛である。

将官の巡視か何かの都合で、急に建てねばならぬことになったらしい。屋根もニッパではなく、トタンが与えられ、垂木も食台も既に組立てたのが搬入された。

建物は一週間で完成した。工事を監督したウェンディは垂木の底部を通して糸を張り、水準器を当てて、厳密に水平になるように留意したが、出来上って見ると、溝の場合と同じような不便が現れた。それは床の地面が炊事場から遠のくに従い、だんだん低くなっていたことで、炊事場の近くでも日本人には少し高すぎた食台が、他の端へ来ると顎《あご》の高さになってしまった。「後でセメントで床の地均しをする」とウェンディはいっていたが、セメントは資材の都合で、第一中隊だけしか間に合わなかった。

そして巡視がすんでしまうとあとは放置された。

一方我々は食事を必ず食堂ですることを命ぜられた。しかしこうして所定の半数の食台しか使えなかったため食台は混雑し、俘虜はそれを口実として食事を従来通りベッドに持って帰った。盗んだ缶詰を秘《ひそ》かに副食とするのは、彼等の楽しみの一つだったからである。ウェンディは憤慨し、食事の二回交替制を主張したが、俘虜でこういうことが正確に行われるはずはなく、結局自席で食事をする習慣は存続した。

こういう不便を回避するために、わが日本的技術者中隊長がしたのは甚だ奇妙な提案であった。つまり食台を汁《しる》のこぼれない程度に地面の傾斜に合わせて傾けるというのである。これは無論米軍の規一性と幾何学的精神の容《い》れるところとはならなかったが、人は好むならばここから西欧的精神と日本的精神の相違について、無限の反省を行うことも出来よう。

さらにその反省に資する一例をあげよう。食堂と同時に、我々は洗場を作ることを命ぜられた。それまで炊事用の釜《かま》や大缶等は炊事場の床で洗っていたが、それら容器についた食物の滓《かす》が水と一緒に主溝に流れ込むのは、米軍の衛生思想に反する。そこで別に洗場を設け、そこから出る汚水を一種の濾過《ろか》装置を通して主溝に落すことにした。

濾過装置とは四つのドラム缶を洗場に接して並べ、管によって連結したものである。缶に入った汚水の中《うち》、沈むべきものは沈み、浮ぶべきものは浮んで、液体だけ缶の中央部に取りつけた管により、連通器の原理で、次の缶の上部に導かれる。こうして四つの缶によって比較的清浄となった水が最後の缶から流れ出る。

清掃係は毎朝缶の表面に浮んだ油や屑《くず》を網でしゃくい、残飯と一緒に焼いてしまう。普段は木製の蓋《ふた》をしておく。

この巧妙な装置はしかし洗場の表面をドラム缶の高さまで揚げねばならぬという点で不便であった。余剰の料理の入った缶など、重くてなかなか担《かつ》いで上れるものではない。また急造の洗場には水道栓《せん》が開いていなかったから、ドラム缶を一つ常置して水を張っておかねばならぬ。この洗場を使用しなければならぬのは、炊事員の最大の不平の種であった。

惟《おも》うにこの装置は洗場濾過器共、地平まで埋めるべきものではなかったろうか。それを地上に表したのは、或いはこの装置を、例えば巡視の将官に認知さすためではなかったろうか。わが収容所はレイテ島第一収容所の名称を持ち、この頃から附近に新設され始めた収容所中最も完備したものであった。「太平洋随一だそうだ」とウェンディはいっていた。他の島から来訪する将官は、レイテ島ではわが収容所だけ見て帰るのだそうである。

日米技術の差の現れたのは、この洗場を築く時であった。広さは二米四方ときめられた。砂嚢《さのう》を周辺に積み、中に砂を満たし、上に板で作った枠《わく》を載せ、セメントで固めるのが工程である。

ウェンディの命令したところによると、例えば二十人で作業するとすれば、五人が砂を嚢《ふくろ》につめ、五人がそれを寸法通り積み、五人が砂を満たし、二人が枠を作り、三人がセメントを練る。これを同時に行って、一日で完成すべきであった。

ところがわが中隊長が主張したところによれば、まず二十人が全員で砂囊を作り、次いでそれを所定の寸法に積み、中に砂を満たし、それから出来上った土台の上の実際の寸法に従って枠を作り、次いでセメントを流し込む。そしてやはり一日で出来るはずである。

「底で寸法通り積んでも、上でどれくらい狂って来るかわからない。狂わないように計りながら積んでたんじゃ、仕事にならない」というのが彼のいい分であった。

通訳たる私は間に入って困却した。私も日本人の一人として中隊長の方法が我々として実際的であるのを認める。しかしウェンディの方法も彼等の技術の原則として無理がないのを認める。計れるものは予め寸法通り作っておいて後で組立てるのが、彼等の流儀である。彼等は狂いなく砂囊を積むことが出来る人種である。

おとなしいウェンディも珍らしくこの時は強硬に主張した。工程についても細かい指令が収容所長から出ていたからである。私は至上命令として中隊長に砂囊を狂いなく積んでみることを薦めたが、中隊長はきかなかった。そしてさっさと作業隊の全員を連れて、砂囊を詰めにかかった。

「私はここのボスだ」とウェンディは顔色を変えていった。私は続く絶対的な言葉を期待して緊張したが、彼の提案は意外にも甚だ妥協的なものであった。彼はいった。

「私は中隊長のいうことに理由があるのを認める。しかし私の任務として上部の狂いが、将校の眼につく程度になるのを懼《おそ》れねばならぬ。私は一つの提案をする。今あそこで働いている人達から三人を抽出して、木の枠を作ることだ。そしてそれを当てがいながら砂嚢を積んで貰《もら》いたい」

私はウェンディの善意を註釈しながら、この提案を中隊長に伝えた。中隊長は了解した。そして器用な彼は独りで、またたく間に枠を作ってしまった。一段積まれる毎《ごと》に、中隊長は枠をあてがい、「OK、な」と傍《そば》のウェンディに笑いかけた。こうして日米技術の融合によって、洗場はほぼ大過なく、予定通り一日で出来上った。

セメントが乾くのに二日かかった。重い缶を担ぎ上げる炊事員の便宜を考えて、広い頑丈《がんじょう》な階段がつけられた。炊事員はしかしそれを使用するのをサボり、水はなかなか濾過装置の最後のドラム缶まで達しなかった。ウェンディは直ちに清水を残り全部に張ることを命じた。「カモフラージュさ」と彼は私にウィンクしながらいった。

このサージァントは、私が収容所で接した数少ない米兵の中で一番好きであった。彼は前述のようにドイツ系の米人で、デトロイトの俸給《ほうきゅう》生活者であるが、物わかりがよく、さっぱりした性質であった。独身であるが、女の話はちっともしなかった。或る時彼は懐中から郷里の写真や何かを出したが、彼と並んでうつった一人の婦人を指して「友達だ」といい、急いで「恋人《ガール・フレンド》ではない、ただの友達だ」といい直した。俘虜の前で、恋人であろうと友達であろうとどっちでもよさそうなものである。どうも彼は女嫌《ぎら》いらしかった。

外業者が出発した後、彼は私を連れて中隊地区を一廻《まわ》りしに出掛ける。毎日の収容所長の巡視の下見のためである。

彼の注意は次の諸点に集中される。

一、屋内の清潔は保たれているか。

通路の清掃、持場の整頓《せいとん》、服装と身嗜《みだしな》みの注意。（特に髭剃《ひげそ》りが重視されたのは毛深い彼等の人種の礼儀の観念から来たものであろう）

二、食器はよく洗われ、錆《さ》びてはいないか。

米軍は日本軍よりも一層神経質に、伝染病の発生を懼れる。食糧は無論別に厳重に監督されているが、食器の汚れにより、蠅などを仲介とする病菌の伝播《でんぱ》、また錆《さび》による中毒も厳重に警戒されている。

こういう神経質は、日本軍におけるように、兵力の損傷を懼れるよりは、召集によって国家が使用する個人の快適に対する配慮から出たもののように思われた。

三、煙草の吸殻《すいがら》が散らばってはいないか。

この植物の葉を燃やして煙を吸うという習慣には、集団生活においては、火を用いるという点に決定的な遺憾があるらしい。米兵は、ウェンディを含めて、すべて煙草の吸殻は捨てる前に、巻紙をほどき、紙と煙草そのものとを分離する習慣があったが、これは米兵の吸殻を欲する初期の俘虜の怨《うら》みの的であった。或る者は米兵が我々に拾わせないために、故意にほぐすのだとひがんだものだが、事実は火災防止、及び後に吸殻という醜い形態を地上に残さないための処置だったようである。ほぐしてしまえば、火は大抵消えるし、吸殻が地上で目立つのは、主としてその紙のためだからである。

しかしこれが日本の俘虜にとって最も履行出来難いことだったらしい。三弗《ドル》の俸給を引き当てに配給されるPXの煙草は、この頃は一カ月二十本入二十箱となって、俘虜の中にも吸わない者がいるため収容所はほぼ飽和状態になった。到る処《ところ》吸殻が見出《みいだ》された。そしてウェンディの注意により、あらゆる方法によって繰り返し勧告を発しても、俘虜に吸殻をやたらにそこらに捨てるのがよくないと呑《の》み込ませるのは、どうしても不可能であった。

屋内にも吸殻入を四人に一人の割合で、設置することを命ぜられても、励行されなかった。こういう点には、俘虜という身分から来る自暴自棄だけでは律しきれぬ、わが民族の習慣が見出されるように思う。専制に慣れた彼等は、刑罰のないところでは、恣《し》意《い》の動くままに任せるという怠惰に抗しきれないのである。

中隊内の清潔整頓には賞がかけられた。各中隊が地区内の清掃を競い、最優秀者にはピンポン台と道具が与えられるというのである。ウェンディはこの競争を甚だ気にしていた。私は友情から彼の虚栄心に協力する気になった。俘虜に協力を期待するのは無効であるのを知っていたから、私は自分で地区内の吸殻を集めることにした。

この仕事は甚だ孤独な仕事であった。同胞は誰も私が何故《なぜ》俘虜の身空で熱心に吸殻などを集めるかを知らない。そして恐らくウェンディも何故私がそれほど彼に忠実であるかも知らないであろう。しかも仕事は純然たるバタ屋のそれである。

私がこれをしたのは、私もまた働きたかったからである。通訳の仕事は私にとって私の知識を怠惰に使用することにすぎず、何の努力も必要としなかった。

私は吸殻と一緒に地区内のあらゆる紙屑、溝《みぞ》の中に落ちた残飯のはしくれ（俘虜が席で食事をするためである）を集めて廻った。バタ屋のように地上の物を挟《はさ》む道具はなかったので、私は手で拾った。外業者が出て、ウェンディが煙草を一服ふかし「一廻りしようか」といい出すまでの時間が、その暇であった。

中隊長の煽動《せんどう》的お世辞に対して私は答えた。

「これは結局自分のためですよ。僕はサージァントに英語で弁解するのが面倒なんですから――」

これも満更嘘《うそ》ではない。収容所で半年通訳をして、私はその辛《つら》さと下らなさが身にこたえた。私は今街で外国人に道をきかれても、解《わか》らない振りをする。トーキーの英語を聞くのがいやだから、アメリカ映画はめったに観《み》に行かない。

一カ月の後わが中隊は一等賞を得た。私の自尊心は満足し、中隊員はピンポンを遊ぶことが出来た。中隊長の統治の才と相俟《あいま》って、わが中隊は収容所の模範中隊となった。

日本人の米人に忌まれる習慣をもう一つ挙げるならば、手拭《てぬぐい》を始終身辺におくことである。熱帯では無論汗はよく出る。しかしニッパ・ハウスの中に横たわっていれば、絶えず拭っていなければならないというほどではない。しかし潔癖なる日本人は常に濡《ぬ》れた手拭を、或《あるい》は露《あら》わな肩に或いは胸の上に（俘虜は何もしない時は大抵ベッドに横たわっている）或いは鉢《はち》巻《ま》きせずにはいられぬらしい。少しましなので身近にかけるのであるが、それは主として蚊帳《かや》を張るため建物の端から端まで張り渡された針金である。各々《おのおの》の清潔の観念の相違により、種々雑多な色をしたタオルが、不規則にこの針金にかかっている有様は、かなり米軍の巡視者を刺戟《しげき》する眺《なが》めだったようである。「各人かけものを取り込め」は巡視に際して、真先に発せられる警告であった。

私はこういう爽快味《そうかいみ》を愛する日本人の趣味は別に悪いことだとは思わない。ただ俘虜という受動的身分にあって、監督者の意に副《そ》う振りをするために習慣を撓《たわ》め得ない彼等は、いかにも腑甲斐《ふがい》ないと思われる。現在の状態がどういう種類の政治的暴力の結果であるかがわかれば、おのずからそれに対処する方針も出て来るわけだ。方針なくただ習慣に従っているのは、つまり彼等が知ろうとしないからで、これもやはり専制の連続によって彼等の得た怠惰の一種である。

わが中隊の優秀なる成績は、他の中隊のサージァントを刺戟せずにはいなかった。例えば第三中隊のサージァントはその通訳を連れてわが中隊本部に現われ、万事わが中隊に倣《なら》えと命じた。これは通訳にとっても、中隊長にとっても、堪え難い侮辱である。

三中隊のサージァントはマラガというスペイン系の米人である。色黒黒髪、お定《きま》りのスペイン髭を貯えているが、映画によくある淫蕩《いんとう》的な馬面《うまづら》ではなく、真四角の平凡な顔をしている。彼の監督の方針は要するに他の中隊に負けないことにあるらしく、各中隊を廻ってその施設を見、彼が羨《うらや》しいと思ったところを自分の中隊が真似《まね》ることを強要した。

彼の宿舎のある地区の水道が故障で止ったことがある。彼は自分達がシャワーが使えないのに、俘虜たる我々がその徳を享《う》けているのは不当だと私にいった。彼はまたいった。

「君達は我々を真珠湾で欺《だま》し討《うち》にした。しかるに我々は君達を我々の税金で養っている。君は感謝しているか」

「感謝している」

「とにかく君達がシャワーを使い、僕が使えないのは不合理だ」

二日続いて同じ不平をきかされて私はウェンディにこぼした。

「我々が貴国の多大な恩恵に浴しているのは誰も知っている。しかしその軍隊の一構成員たる彼が、我々にいつもそれをいうのはフェアでないと思われる」

「彼はスマートでない。ロング・アイランドの香具師《やし》である。我々の間でもあまり友達はない」とウェンディは気の毒そうに答えた。

マラガは或る時炊事員が歌いながら洗うのを聞き、呟《つぶや》くようにウェンディにいった。

「歌うのはよくない」

「いいじゃないか。彼等は幸福なのだ」とこっちは答えた。

しかしこれ等中隊付サージァントが我々を刺戟しないように特別の命令を受けていたらしい。例えば彼等は決して「ヒロヒト」とはいわず「エンペラー」といった。我々のところへ来たもう一人の米兵はエヴァンスという通信隊のサージァントである。彼は収容所に直接勤務はなかったが、中隊長に腕時計のバックルを作らせたのが縁で、よく友達の米兵から頼まれた同じ註文を持って遊びに来た。

瘦《や》せた細面《ほそおもて》長身の青年で雀斑《そばかす》がやたらに多かった。いつも若いエァデルを連れていたので、我々の間で犬のサージァントと呼ばれていた。中隊長は彼のために犬小屋も作った。

彼はいつも少してれたように「ラ、ラ、ラン、ラン、ラン」と歌いながら入って来た。彼が中隊長と言葉が通ぜぬまま、身振り手真似で話し合っているのは奇妙な光景であった。私よりは中隊長との会話を好んだようである。彼は或る時私に向って「君は政治家になるといい」といった。これは私にとって甚《はなは》だ意外な言葉である。「あなたは政治が好きですか」ときくと、「いや僕は嫌《きら》いだ」と答えた。してみると彼は私をあまり好いていないことになる。

「ねえ、君」と或る時彼はいった。「戦争はよくないね。君にも家族があるし、僕にもある。我々は何の因縁《いんねん》もなく、遠い国でそれぞれ幸福に暮している。その二人がこんなところへ来て前線で向い合う。カチッ（といいながら彼は指で引き金を引く動作をした）ただこれだけのことで、我々の中一人が死に、その家族が不幸になる。無意味じゃないか」

成程彼は政治は嫌いに違いない。彼は懐《ふところ》から一葉の写真を出した。眼鏡を掛けた女教師臭い婦人の半身像が首をかしげて笑っていた。「妻だ」と聞いては私は「いくつですか」と不謹慎に訊《き》かずにいられなかった。

「三十四だ。彼女は優しい」

「あなたは？」

「二十九さ。我々は恋愛結婚だ」

しかしこの純情な青年も下等な兵隊の言葉を平気で使った。我々が食堂や洗場の建造に身を入れていた頃《ころ》、彼はひやかすように「よせ、よせ、収容所長が株をあげるだけだ」といった。彼はまた「WACsか。将校の道具さ」ともいった。こういう時、彼は普通のアメリカの兵隊でしかなかった。

このサージァントはそのキャンプで孤独だったのではないかと私は思う。犬はやがて比島人に殺されてしまった。或る日彼は「私がここへ繁々《しげしげ》入って来るので、変なことをいう奴《やつ》がいる」といったが、不意に来なくなった。

彼はやがて日本へ行き、また戦わねばならぬのを苦に病んでいた。

「我々は山岳戦の準備をしているが、日本は寒いか」と彼は訊いた。

「或る部分は寒いが、或る部分は暖い。寒いところでも北部アメリカほどのことはない。山岳戦はないであろう。戦闘は主要な都市を含む平野で決定されるであろう」

私は九十九里浜上陸を空想していたわけであるが、米軍がまず南九州を狙《ねら》っていたとすれば、彼の話も筋が通る。

俘虜の外業について、中隊通訳は毎晩九時までに、左の二通の書類を英文で、大隊本部経由、米収容所事務所に提出せねばならぬ。

翌々日可働人員表

翌日作業予定表

書式は、私の記憶する限り、次の通りであった（数字は仮りのものである）。

翌々日可働人員表　Men Available for the date of……………

中隊兵力　Company Strength　二三三

役員（中隊長を含む）　Overhead　二一

不具者 Invalid 一九
病人 Sick 二〇
定休者 Off-day 二九
内業 Improvement 一〇
小計 九九
差引可働人員 Men Available 一三四

この表は一見整然としているように見えるが、ごまかしの利《き》かないのが、実は役員の一項目にすぎないことは読者の容易に気付かれるところであろう。

不具者とは戦傷が永久に残って、作業不能な者を指すのであるが、その判定はなかなか微妙であり、殊《こと》に主観的苦痛を申し出させることによって、いくらでも数を増やすことが出来るものであった。そしてそういう名目上の不具者が作業に出れば、それだけ一般の俘虜が休めるわけである。最初診断が厳格でなかった頃、我々はこの数字を無暗《むやみ》と大きくしておいたのである。

病人とは現在病中の者と、その日に診断を受ける者との合計である。前者は医務室の診断によって明白であるが、後者は当人の申出によるから、健康者も申し出さえすれば、結果が否定的であっても、とにかくその日は休める。我々はこういう偽《にせ》の申出を奨励した。

定休者は前に掲げた表では、中隊兵力から役員不具者を引いた数字の七分の一（一週一日の休暇）になっている。これは病人も休暇を取っているということである。これはやがて米軍に見破られ、一旦《いったん》可働人員を出した後、その七分の一を引くことを命ぜられた。

内業とは中隊諸施設の修理改善を指し、作業は大抵午前中に済んでしまう。これは半日の休暇に外ならず、最初適当に申請して隊員を休ませていたが、人員はやがて米軍の特に命ずるもののほか、一日五人と制限され、遂《つい》には全然許されなくなった。その日の診断の結果否定された病人その他、中隊内の浮動労働力を用いることを命ぜられた。

「我々は君達に十分な待遇を与えているつもりなのに、何故《なぜ》そうサボるのか」と米収容所長は歎《なげ》いたが、俘虜のように生活の目的がない集団は、道徳によって動くものではない。我々を怠けさせないためには、外業手当を俸給と同じく、毎月支払うべきであった。現在の生活を豊かにする希望があれば、外業はむしろ奪い合いとなったであろう。

私としても生活に目的があれば、俘虜の怠惰に協力して、数字をごまかす工夫は凝らさなかったであろう。こういう悪智慧《わるぢえ》は私が戦時中工業会社の事務員として、統制に抗してストックや生産能力をごまかし続けて来た習慣の延長である。大隊本部は各中隊の提出した可働人員表に集計表を添えて、米軍収容所事務所に提出する。

収容所事務所は次の日各作業場から集って来るその翌日分の要求によって人数を割当て、夕方までに大隊本部へ返して来る。大隊本部はそれを中隊別に割当てる。七時の日夕点呼後中隊通訳は本部へ集って自隊割当の数字を写して来る。それをさらに小隊別に割当てるのが我々中隊事務員の役目である。

一個中隊は四個小隊に別れ各五十三名の人員を擁しているが、中に含まれる不具者や病人の数は一定でないから、割当は機械的には行かない。小隊長は無論部下の輿論《よろん》を代表して、なるべく割当人員を減らそうとする。最初米軍側の要求が緩やかであった頃は、中隊長が談合ずくでやっていたが、一週六日の労役が必至となり、人員にゆとりがなくなってからは、それではすまなくなった。

殊に問題を複雑にしたのは、朝出発に当って作業が取り消し、或いは減員となる場合のあることである。そうして、帰された者は無論一日を遊ぶことになるが、この人員をつかむことは甚だ困難である。帰隊する者は原則として、帰途中隊本部へ申告することになっているが、これが決して励行されない。ひどいのになるとわざわざ他の中隊へ行き一日遊んでいて、一般外業者が帰る頃何喰《く》わぬ顔で帰って来る者がいる。弁当を携行するから昼飯には困らない。

帰隊者は本部では知らないが、小隊同士では案外知っているものである。そこで「今日お前んとこでは何人帰ったから、明日は余分に引き受けて貰わんければならん」「いやはたで見るほど帰っとらん」が、夜小隊長達の激論の種となる。

結局私が中隊長の名によって、各分隊を廻って歩いて帰隊者を確認しなければならなかったが、こういう浮動する人数に基づいて割当てるのはなかなか面倒であった。

この時私の提案したのは、統計による統制であった。統計はやはり会社員時代多少手がけたことがあるが、私の経験では数字はただ営業部長が重役会議をごまかすだけのものであった。私は小隊長達をごまかそうとした。

そのため私の採った統計法はあまり煩雑《はんざつ》になるから書かないが、そういう総和やウエイトやパーセンテージの複雑な組合わせによって、私は事務にうとい元軍人を煙に巻くことに成功したようである。小隊長達は止《や》むを得ず満足し、中隊長は感謝していた。

割当の結果各小隊から書出して来る作業者の名前をローマ字に直し「翌日作業予定

表」と共に大隊本部に提出すれば、私の仕事は終る。後者は「翌々日可働人員表」に作業の詳細を加え、差引残員を零《ゼロ》にすればいいだけのものであるから、わざわざ掲げるには及ぶまい。

外業割当について小隊間の紛糾は何処《どこ》の中隊でもあり、書記と通訳の悩みの種であった。書記は大体多少事務の経験のある者がなったが、隣の第三中隊では、英語を解するというだけの理由で、或る学徒兵上りの俘虜がやっていたので、世間に馴《な》れない彼は小隊長の圧迫をまともに受けて困惑していた。

これは秋山という大阪の小さな製鉄所の社長の息子で、京大の哲学科の学生である。色白細面で丈は低く、大きな眼が突出していた。その眼球を瞼《まぶた》が物倦《ものう》げに蔽《おお》う様子は、退屈から瞑想《めいそう》的たらざるを得ない俘虜達の間でも、特に瞑想的であった。彼はレイテ戦の末期、西海岸に上陸した増援部隊の兵士で、後山中で危く僚友に食われかかったそうであるが、その経験から別にさしたる結論も引き出してはいないらしい。

彼の態度で私をちょっと驚かせたのは、私が若い時見た哲学青年とちっとも変っていないことであった。哲学も進歩し、哲学者も少しは世智辛くなったはずであるが、同じ放心と動作の緩慢があるだけである。

元来私は我国における哲学の流行について一つの偏見を持っている。つまり流行が経済的繁栄と一致するということである。大正における西田哲学が前大戦後の好景気に伴ったのは、文化向上の一環として納得出来るとして、戦時中一般の知的水準の低下に反した三木哲学の流行は、軍需景気による坊ちゃん連の大量生産と関係なしには考えられない。そしてその傾向が終戦後闇《やみ》景気が続くかぎり延長した事実を見て、私は今もこの偏見を捨て兼ねている。

秋山は田辺哲学の信奉者であった。私は早くから哲学する習慣を捨てていたので、とても彼の話相手になることは出来なかったが、高等学校の時「直接経験」に関して抱いた疑問を御愛嬌《ごあいきょう》までに提出してみることにした。

「ここに煙草がある」といって私は机の上にＰＸのラッキー・ストライクをおいた。「我々は二人共これを見ている。我々の直接経験はそれぞれ異るが、どうやらこれは確かにラッキー・ストライクらしい。ところで認識の不思議は、我々の直接経験がめいめい勝手な発展をとげることではなく、一つの物に関する二つの直接経験がたしかにその一つの物に帰着することにあるんじゃないかね。ここにあるのは一体何だろう」

「無です」と彼は静かに答えた。

私は笑うのを忘れ、呆然《ぼうぜん》と彼の顔を見続けた。彼の瞼は例の瞑想的な調子でのろのろと眼球を蔽おうとしているところであった。私の質問はいかにもふざけたものであったが、彼が現に眼の前にある綺麗《きれい》なラッキー・ストライクを、「無」といいきったところには、一種の不幸が感じられた。要するに彼には喫煙の習慣がないということではないのか。

私は彼が続いて説くノエムとかノエシスの話を聞いていなかった。私はせき込んでいった。

「ねえ、君。あたり前のことだろうが、ギリシャ以来哲学は科学の進歩を導くことで人類に貢献して来たんじゃないかね。それが今は科学が十分に進歩してしまった。空間と時間を説明するのは、アインシュタインの光さえあれば十分だ。あとは観念の遊戯じゃないですか。現代の哲学者は、ヤスパースだってアランだって、芸術と心理学を解釈しているだけじゃないか。ところがこんなものは元来人間の贅沢《ぜいたく》だから、我々の生活の進歩には役立たんのだよ」

「アランは哲学者じゃありません。ただのシニックです」と彼はまた平然と答えた。

私は混乱を感じた。別に論破はされたとは思わなかったが、彼の裡《うち》には何か私のどうしても察知出来ないものがあるのは確からしい。私の頼りどころは結局、私がこれまで生きて来るのに、少しも哲学を必要としなかったという一事だけであった。

我々は以来一切哲学の話をしなかったが、彼は時々私の中隊の事務所へ来て黙って悲しげに坐《すわ》っていた。彼は依然小隊長に苦しめられているらしかった。彼は嘘《うそ》を吐《つ》くことが出来なかったので、可働人員表に架空の不具者や病人を造ることを知らず、作業人員がいつも窮屈だったのである。私が参考に見せた統計表に彼はちょっと手を触れただけで、

「こんなものを作るくらいなら、我慢した方が楽です」といった。

外業者が朝七時に出て行った後、収容所は静かになる。俘虜はそれぞれニッパ小屋の中を掃除してしまうと、あとはベッドに横たわって、一日の退屈の時間をすごす用意をする。陽《ひ》に照らされた中庭には、その日の診察希望者が三々伍々《ごご》集まり、衛生兵に率いられて医務室へ歩いて行く。炊事場で食事の後始末の水音のほか物音とてもない。

中隊付のサージァントと一緒に、中隊地区を一廻りして来ると、我々も暇である。中隊本部の一部を仕切った事務所に坐って、サージァントは持参した探偵《たんてい》小説を読む。私は外業統計表に一日の書き込みを終ると、何もすることがない。退屈したサージァントがたまに仕掛ける雑談の相手をするのも私の任務の一部である。

サージァントはウェンドルフというドイツ系の米人で、なかなか物わかりのいい監

督者であった。デトロイトの会社員で二十七歳の独身者である。金髪碧眼《へきがん》、丈は五尺三四寸よりなく、少し前屈《かが》みのダック・ステップで歩く。チョビ髭《ひげ》を貯えた鼻の下はいつも静かに笑っていて、殆《ほと》んど怒らない。たまに一日不機嫌《ふきげん》なことがあるが、そんな日は大抵夕方頃、彼と召集年限を同じくする僚友が前日除隊になったことを打ち明けられる。彼は召集されて既に三年、点数は十分取ってあるので、今はただ俘虜監督の閑職にあって、除隊の通知を待っているだけなのである。少し陰気ではあるが、私は彼の裡にアメリカ小市民の最も普通の型を見たと思っている。

私は彼から色々の本を借りた。本は旧収容所で米兵と接触する機会のないまま、暫《しば》らく手に入れることが出来なかったものである。タイム、コリヤーズ、ライフ等の雑誌類と、無数の探偵小説が再び私の濫読《らんどく》の対象となり出した。謄写《とうしゃ》版刷の速報誌「スターズ・エンド・ストライプス」も毎日ウェンディ（我々は愛称で呼んだ）が持って来てくれる。

雑誌類を通じてアメリカ的豪奢《ごうしゃ》がまた私の生活を侵し始めた。巧妙な原色版の広告欄に満ちたうまそうな食物、天馬空を行く如《ごと》き航空機、古風な情熱的抱擁最中の紳士淑女（香水の広告である）等の映像に私は馬鹿のように見惚《みと》れていた。

アメリカのジャーナリストの霊筆もまた私を魅了した。それは機智を適度に節制することによって、一種の完成に達した文体であって、どんな平凡な事実も面白く、深刻な事実も柔らげて、要するにオフィスの談話に乗るように語ることが出来るのである。こういう手段と目的の間の調和は、多くの競争者の淘汰《とうた》と、執筆について、天然色写真作成に劣らぬ、機械的便宜の結果であると思われた。

しかしこういう完成したジャーナリズムの下で生活するアメリカ人は果して幸福であろうか、と私は考えた。美しいロースト・ビーフを見るアメリカの貧民は、俘虜たる私と同じ感慨に耽《ふけ》りはしないだろうか。練達のジャーナリストの註釈する事実を、多分読者はそのまま信じるであろうが、それは外界と隔絶されている俘虜の無智とかなり似たものではあるまいか。

私はウェンディを試みた。

「こんなうまそうな肉は君達が誰でも食えるわけではあるまいと思うが」

「どうしてだ。金さえあればいつでも買えるさ」

ところが私は彼から借りた「アメリカ現代小説集」で一九三〇年代の失業者の小説を読み、彼等でも金のない時があるのを知っているのである。私がその点を糺《ただ》すと彼は単に「それはフィクションさ」といった。

これはウェンディの口癖であった。私が雑誌小説で読んで発する質問はみんなフィクションで片付けられた。日本兵の残虐《ざんぎゃく》が話に出た時私は抗議した。

「残虐は日本人ばかりの特権ではない。君の国も世界に有名なギャングを擁しているではないか」

「あれは我々が禁酒法という馬鹿な法律を作ったからだ。それを廃止したからもうギャングはいない」

明らかにこれは強弁である。私は彼に雑誌小説にある戦時下の闇クルックの挿画《さしえ》を示したが、答はやはり「フィクション」であった。

私は個人主義の国アメリカの小説に家庭のトラブルを描いたものが多いのに驚き、彼に質問したが、それもフィクションなのであった。

しかしこれほどウェンディに軽蔑《けいべつ》されている小説はいずれもよく書けているのである。それはイギリス流のレアリスムに適当にサスペンスを盛ったもので、異常事に現実感を与え、平凡事に興味をつける腕前は、正に時事解説に巧みなジャーナリストの筆に匹敵する。だからウェンディは小説をよく読んだが、判断は変らなかった。「フィクション」つまり「自分とは関係がない」というほどの意味であろう。

そのウェンディが時事解説だけは読まない。「政治は嫌《きら》いだ」と彼はいっていた。

こういうアメリカの雑誌濫読と、一人の常識あるアメリカ市民との会話から私の得た印象は、無関心な人民の上に張り廻《めぐら》された、巨大な無用の眩惑《げんわく》装置のそれであった。ウォール街とホワイト・ハウスの紳士方も、この金のかかる装置によっては少しも人民と繋《つな》がってはいない。ただジャーナリズムに無関心たり得るほどの安楽を、彼等に与えることで繋がっているだけである。

無論すべてこれ等はそれまでアメリカに無関心だった極東の一俘虜が、たまたま収容所の退屈で得た狭い経験から得た幻想である。帰国後私は学者が書いたものなどを読み、多少私の無智を匡正《きょうせい》する機会を得たが、これは俘虜の記録であるから、当時私の頭に浮んだままを記しておくことにする。

読者の退屈を冒して、もう少し回想のエゴチスムを押し進めるのを許して戴《いただ》きたい。

もう一つアメリカの雑誌で私の注意を惹《ひ》いたのはフロイディスムの流行であった。例えば「ヤンク」という兵士のための旬刊紙の表紙裏に「一兵卒の夢」という短文が挿画つきで掲載されているのを見たが、それはフロイドの性欲夢の見本みたいなものであった。しかし作者はフロイドの名を挙げていなかった。

夢で帰る留守宅に寝そべっている雄犬とか、うまくはまらない鍵《かぎ》とかいうフロイド的表象を、前線の兵士がみな知っているとは思えないから、作者はこれで兵士の「潜在意識」を正確に刺戟したつもりであろうが、果してこういう独りよがりがそれほど成功するであろうか。

或る映画では心理学者たる色男が毛皮好きの恋人に向って「毛皮は女にとって抑圧された性欲の象徴である」といったばかりに喧嘩《けんか》になる。或るバレーは若者の充《み》たされざる性欲が描き出す姿態と運動によって構成されている。或る探偵小説は精神分析医が女患者のヒステリーを誘導して、その夫たる工場主を殺させ、同時にその工場の株を市場で売って一儲《ひともう》けを企《たくら》む。

フロイディスムとは私の理解するところでは、淫蕩《いんとう》的ウィンの少し気の変な精神病医が考え出した臆説《おくせつ》であって、不確かな仮説の上に立ち、流行は専《もっぱ》ら前大戦後の一般的性的頽廃《たいはい》の結果たるものであった。それが再び戦時下のアメリカに流行するに到ったのは、やはり戦時景気と留守宅の妻の乱行による性的頽廃のためであろうが、この晦渋《かいじゅう》な学説が大衆の娯楽に氾濫《はんらん》する直接の原因は、大衆の理解と共鳴よりは、著者や企画者の衒学《げんがく》趣味からと思われる。

私はまた「病的好奇心」という写真入りの解説的文章を読んだ。殺人犯人を乗せた自動車の窓からのぞき込む弥次馬《やじうま》の顔などを写したものである。そして解説者はこういう風に自分と関係のない異常な事件に興味を持つ心理を、「抑圧された社会的不満」の発露であると断定していた。

私は失笑を禁じ得なかった。アメリカの雑誌一般は生活の安易と豪奢を誇り、ウェンディは「金さえあれば買える」と満足している。これが必ずしも尨大《ぼうだい》な満足した大衆を予想さすものでないことは、俘虜の僻《ひが》みを俟《ま》つまでもなく明瞭《めいりょう》なことであるが、彼等の無邪気な日常の営みを尽《ことごと》く「抑圧」の結果と想像する根拠は、少なくともその営み自身の中にはない。

「抑圧」と「変形」はフロイディスム得意の御題目であるが、こういう悪い類推は事実の真の原因について何も教えるところはない。むしろ解説者自身の「社会的不満」を示すに止《とど》まる。支配者と人民に介在して利を稼《かせ》ぐ操觚《そうこ》者《しゃ》流のスノッブが、彼等は永久に入ることの出来ないブルジョア社交界に憧《あこが》れているのである。

唯《ただ》一度私は真の「社会的不満」の映像を見たことがある。それは雑誌でもあまり重視されていない頁《ページ》に載せられた、あまり鮮明ならざる写真で、制限された選挙権の恢《かい》復《ふく》のために集った黒人の群を表わしていた。前景はベンチに並んで、多分弁士の熱弁に耳を傾ける黒人の女達によって占められているが、その稍々《やや》仰向いた醜い顔に表われた諦《あきら》めた期待と悲しみは、アメリカ雑誌の数多い絢爛《けんらん》残酷たる写真の中で、私に真実を感得させた唯一《ゆいいつ》のものであった。

彼等の間に人気のある宗教的ボスの写真もあった。白人的豪奢を装った巨大な黒人で、カメラの狂奔は絵解きの文体の華美と平行して、この道化師のシャルラタニスムの惨《みじ》めさを遺憾なく表わしていた。

また或る才気ある黒人少年の一代記は、「デヴィッド・カッパーフィールド」風のペーソスと率直を示していた。

私は以前黒人の著者の書いたアフリカ黒人の歴史を読んだことがあるが、彼によれば人類の優秀な文化はみな黒人の間から生れているのである。「エジプトの文化は黒人によって作られたではないか」と彼はいっていた。「クレオパトラもオセロも（この取り合わせは少しおかしい）黒人であった。プーシュキンにも黒人の血が混っていた。アラビア文化は擬黒人文化である。近代の西欧産業主義の発達は、黒人の優れた労働力によって可能であった、云々《うんぬん》」

黒人の人種的優越について、私はにわかにこの狂信的著者と同意することは出来ないが、人種的差別を攻撃するのは、世界で第二流とされている人種に属する私の気に入る。私がアメリカの雑誌に現われた黒人の映像に惹かれるのは、無論こういう人種的自尊心の傷《いた》みからであろう。

黒人についてウェンディに質問すると、彼は答えた。

「黒人は戦闘で臆病である。彼等に最前線は委《まか》せられない。今度の戦争では我々は随分彼等をおだてて使ったから、戦後きっと問題が起きると思う」

彼はまたその頃《ころ》収容所附近の病院地区で、白人の看護婦を強姦《ごうかん》して絞罪に処せられた黒人のことを語った。

私はそれまであまり黒人を見たことがなかった。病院にいた頃、便所の土台工事を作りに来た二三人を見ただけである。これは本当の軍人ではなかったかも知れないが、彼等が俯向《うつむ》いて黙々と働く様子は、米兵の自由闊達《かったつ》な態度と著しい対照を示していた。これはやはり奴隷《どれい》であった。


十一時半、昼食の合図と共に、ウェンディは立ち上り、彼の宿舎へ彼自身の昼食を摂《と》りに帰る。そして午後はなるべく遅く、二時頃来る。その間は私の午睡の時間である。夜はあたりが騒がしく十二時頃まで眠れないので、これは大体私の欠くべからざる日課であった。ウェンディが来ても眠り続けることがあるが、彼は別に用のない限り起さない。

午前中も暇であるが、午後はなお暇だ。我々は完全にすることがない。探偵小説でも読んで過すほかはない。私は元来探偵小説は嫌いではないが、二日に一冊の割合で消化していては飽きて来る。相変らずのトリックと知的残虐である。こんなものをやたらに生産しているアメリカには、或《あ》いは「社会的不満」が実在するかも知れない。犯罪は平和時における唯一の暴力本能の現われである。

私は戦争中の英米探偵小説の発達に大いに感服したが、ここに費される作者と読者の知的エネルギーを惜しく思った。殊《こと》に作者が、豊かな文才や人生観察を傾けて、ただ虚偽に真実の仮面を着せ、読者に一杯喰《く》わせるのに汲々《きゅうきゅう》としているさまを馬鹿らしく思った。探偵小説を読む奴《やつ》も馬鹿だが、書く奴はなお馬鹿である。

四時半収容所は騒がしくなる。門から埃《ほこり》にまみれた外業者が所内に溢《あふ》れて来る。大して疲れた様子もなく、元気に笑って、中央道路からばらばらに中隊地区に入って来る。大抵は上衣を肩へ掛けているのは、暑さのためでもあるが、それに作業場からの盗品をくるんでいるためでもある。

「御苦労さん」「御苦労さん」の声が喧《やかま》しく「ああ、疲れた。今日の米兵は処置なしや。レス・ゴー、レス・ゴーばかりいやがって、ちっとも休ましやがらへん」などひとしきり不平があって、シャワーが一時に一杯になる。ウェンディはこれをきっかけにまた隊に帰る。夕食のためである。

五時半夕食。各自米軍規格の錫鍍金《すずめっき》の食器とコップをぶら下げて、炊事場へ列を作って料理を受け取り、炊事場に接した食堂で立って食べる。食堂は工事の都合で未完成のまま放置され、半分が使用不能なので、多くは自席へ持ち帰って、盗品の缶詰《かんづめ》と一緒に食うのを楽しみとする。

料理は大体朝がCレーションという、ビスケットとコーヒーの詰合わせと、肉や鳥の缶詰と二個一組のもの、昼は日本人が焼いたパンと肉、晩は濠洲米《ごうしゅうまい》にやはり肉が添えられる、これに盗品の缶詰が加わるから、飽食した俘虜は残飯を出し、一個中隊二百三十三名で一日にドラム缶二杯に溜《た》まる。祖国が飢えつつ戦っている時、これはかなり馬鹿らしい状態である。

食後食器はシャワーの傍《そば》におかれた二個の大きな缶で洗う。一方には石鹸《せっけん》水、他方は真水を沸かしてある。まず前者にひたして、ブラシで二三度こすると油がとれる。それから真水の方へさっと浸《つ》けると洗滌《せんじょう》は終りである。しかし日本の俘虜はこのために列を作るのを忌《い》み、大抵自席へ帰って汲《く》みおきの水で勝手に洗ってしまう。

七時点呼。俘虜は再び制服を着、靴を穿《は》き、中央道路へ出て、中隊別に五列横隊に並ぶ。道路は幅四米《メートル》、北に開いた正面から方二百米の敷地を貫いている。この道路へ五個中隊約千二百人の俘虜が連なる眺《なが》めはかなり壮観である。

道路の片側は有刺鉄線の柵《さく》が沿い、その向うはかつて日本軍に使用されていた台湾人が隔離されている。彼等は柵の前に道路に面して整列し、柵を隔てて、我々と向い合う。

私は彼等が完全に中国人の顔をしているのに驚いた。考えてみれば台湾はもと中国の領土であるから、何の不思議はないわけであるが、領有に馴《な》れ、しかも日常生活ではそれを無視して来た本国人たる私には、この事実すら奇妙に感じられたわけである。日本降伏と共に彼等がChineseと書いた看板を、彼等の大隊本部に掲げたのはもっともである。

ウェンディは「日本人は外業がよく内業が悪く、台湾人はその反対だ。彼等は自分自身のためでないと働かない」といった。

点呼は各中隊付のサージァントが中隊毎《ごと》に取る。一番遠い第五中隊のサージァントが数え終り、正門まで帰りつくと「別れ」になり、俘虜はぞろぞろ中隊地区に帰って行く。

それからが自由の時間である。まだわずかに明るい中庭で、相撲を取る者、布で造ったボールを投げる者、或いは屋内で歌を歌う者、手製の楽器を奏《かな》でる者、それぞれ余剰の精力と趣味に適《かな》った遊戯に耽る。

しかし俘虜の最も熱中するのは賭博《とばく》である。主としてトランプで「カブ」が行われる。竹で作った麻雀《マージャン》をやる者もあるが、既にPXの煙草という賭《か》けるものがある現在、そういう複雑なゲームより勝負の早い「カブ」が圧倒的に好《す》まれる。一つの小隊小屋に大抵二カ所はそういう賭場が開かれ、一本二本の零細な賭《かけ》から、一箱単位の大きな賭けまで、各人の射倖心《しゃこうしん》と慎重の度合に応じて、場を選ぶ。

俘虜の中には本職の博奕打《ばくちうち》もいる。そういう親分の宰領する賭場はさすがに数が少なく、各中隊に一つぐらいなものである。十箱二十箱が一度に取引され、賭ける者より見物の方が多い。

賭博者達は真剣である。一種精力的な無関心な仮面を作り、わざとゆるめた動作で、自分の札を調べ、相手の札を窺《うかが》う。そして勝負がきまると、これはまた過度に素速い動作で賭金を取り込む。

親分達には自然乾分《こぶん》が出来る。賭場で親分の斜め後に蹲《うずくま》り、親分の膝《ひざ》にうず高く積まれる煙草の山を、親分の腋《わき》の下から掻《か》き込み、整理し貯蔵し、親分が負けて山が消えると、また出してやる。

インチキは無論あったであろう。トランプは適宜米軍から貰《もら》うほかはないから、毎日替えることは出来ない。爪《つめ》でしるしを付けるのはわけないことだ。こうして毎月PXが渡ってからほぼ十日の間に、一人二十箱の旦那《だんな》方の煙草は、大抵二三人の親分のところへ集まってしまう。

賭場は十二時すぎまで開かれているから、親方達は明日の外業に出ることは出来ない。すると乾分が代理に出る。小隊長は文句をいいたいところであろうが、普段親分から煙草の賄賂《わいろ》を受けているので咎《とが》めることは出来ない。

こうして昼間は暇な親分達は、夢遊病者のような顔附で、彼等が煙草の恩恵をほどこしておいた中隊を歴訪して廻《まわ》る。彼等の様子には他の俘虜には見られない自恃《じじ》と自己満足がある。彼等は生きている。

最も名高いのは通称「左馬」という親分である。これは彼の左腕に刺青《いれずみ》された裏返しの「馬」の字から来た綽名《あだな》で、羨望者《せんぼうしゃ》のいうところによると、これは元来売淫《ばいいん》行為のあった芸妓《げいぎ》が三味線の裏に書かれる字で、即《すなわ》ち左馬親分がかつて彼の仲間を裏切ったことのある証拠なのだそうである。しかし誰も彼の前でそれをいう者はいない。

彼は丈が高く、眼が大きく、右の犬歯には金歯を入れている。太い声でゆっくり話す。中隊本部へも時々来るが、中隊長のほか我々雑兵とは口を利《き》いてくれない。用事は別にあるわけではない。ただ歩き廻っているだけである。

もう一人の彼ほど偉くない親分は、一時中隊本部の理髪師であったが、賭場が立ち出すと辞職してしまった。色が黒く、細面《ほそおもて》の小男で、左馬のように威を衒《てら》わず、むしろこそこそと、しかし精悍《せいかん》に歩いていた。

私はおとなしい若者が急に博奕打に成長するのを見た。それは東京の或る私立大学の経済部の学徒兵で、佐世保海兵団出の兵曹《へいそう》であった。彼と私は病院以来の知合で、本なぞを融通し合い、戦況と作戦について意見を交換した仲である。色白の坊ちゃん風の美男子で、北九州の或る都市の運送店の息子である。

彼は私より早く恢復して収容所に移り、私の入所した時は、米軍事務所の手伝いと称して毎日昼間をそこで過していた。米軍が俘虜をそういう風に使うのは異例である。日本人の幹部は彼がそこで何か日本海軍の現状に関する報告書の如《ごと》きものを書いていると想像していた。以前一人のやはり学徒上りの主計中尉に同じようなことがあったからだそうである。

或る時私は彼が幹部と「海軍刑法」について論争しているのを聞いた。後で彼が私に洩《も》らしたところによると利敵行為か何かそんなものに関することだったらしい。彼も詳しくは語らなかった。

やがて幹部の干渉によるためか、彼の仕事が終ったためか、彼は役を解かれて我々の中へ戻って来た。しかし幹部から敬遠され、英語の知識にも拘《かかわ》らず何の役にも就けなかった。

間もなく私は彼が花札をいじっているのを見た。煙草の十分にない頃で一本二本の零細な賭である。相手から方法を教わりながらやるのであるから、勝つわけがない。私はつまらないことに手を出すのを止《や》めるようにすすめたが、彼はきかなかった。ところがカブの大賭場が開くようになって、或る晩私がのぞいて見ると、彼は親分達と堂々張り合って、膝にうず高く煙草を盛り上げていた。既に乾分も一人従えているのに私はびっくりしてしまった。

　彼は私を見るとてれたように、にやりと笑い、煙草の十個入り一箱をつかんで差し出した。私は彼の好意は喜んで受けたが、彼の薦める勝負へは加わらなかった。私は元来友達から博才ありとされている者であるが、収容所ではさっぱり博奕をする気が起らなかったからである。

　私は彼の堕落を幾分悲しんだが、事態はどうも納得が行かなかった。彼が米軍のために情報を提供したのは(どうせ大したものであるまいが)恐らく海兵団で彼の養った軍部憎悪《ぞうお》のためで、その憎悪が愛国の観念を抹殺《まっさつ》するところまで行ったのには、しかるべき理由があったであろう。ここに窺われる思想性と博奕とは、なかなか私の頭では一緒にならなかったのである。

　結局私は俘虜の退屈が彼をここまで導いたとしか考えられなかった。退屈は人にどんなことでもさせるらしい。

人類が何時《いつ》どういう動機で賭博を発明したか、浅学な私は知らない。神前の占いから変化したものだという説があるが、とにかく変化は財の私有というものがない以上行われなかったであろう。そして人が自己の労働の結晶である財を、つまらない規約に従ってやり取りするという観念を得たのには、よほど暇でなければなるまいと思われる。生活に目的があり占ったり賭けたりするものがある場合、人はこういう無意味の射倖に耽《ふけ》る気にならないのではあるまいか。

俘虜や兵士が賭けを好むのもやはり生活に目的がないからであろう。共に囚人である。使い途《みち》のない幻想的財産は、偶然に賭けてしまった方がさっぱりしていいかも知れない。或いは彼等の生活があまり偶然に支配されすぎているので、偶然とたわむれたくなるという、関係があるかも知れない。

私が賭博に加わらなかったのは、収容所で私には色々見ることや、考えることがあり、それほど退屈していなかったからである。

賭博のほかに俘虜はもう一つ楽しみを持っていた。飲酒である。酒は甘味品として配給される乾葡萄《ほしぶどう》にイーストを加えて醸造される。炊事場は無論この密造酒を切らしたことがないが、一般の俘虜も五ガロン入りの缶（ジープが後へ乗せている密閉装置のある扁平《へんぺい》な缶である）を床下に埋める。

夜遅くまで各小屋で酔った俘虜の放歌が続いた。蠟燭《ろうそく》は中隊事務所のほか与えられないが、各々《おのおの》勝手にビールの空缶《あきかん》に炊事場に無限にあるガソリンを入れ、芯《しん》をさして灯《ひ》をつける。酔った結果はどうせ喧嘩《けんか》や涙の沙汰《さた》となるが、これは我々の日常生活と別に変りはないから、特に記すに当るまい。

喧噪《けんそう》は遂《つい》に米軍の注意するところとなり、或る日サージァントによって一斉《いっせい》に炊事場の五ガロン缶が開けられ、床下が掘り返された。シュー、シューという音が方々で起った。刑罰は半夜の地区内清掃であったが、我々は数カ所で篝火《かがりび》を焚《た》き、半夜その火の番をしたにすぎず、結局石油が無益に費消されたというだけのことであった。

乾葡萄の配給は停止されたが、すると我々は外業先で盗み、或いは外業隊長が出先の係官に特に懇願して貰って来た。それも切れると、砂糖、蜜《みつ》、ジャム、その他何かららでも造った。退屈した人間が、その欲望を遂げる手段を見つけるのを妨げることは出来ない。

我々の堕落は何処《どこ》から来るのだろう、と私は考えた。原因はまず我々が囚人であり、退屈していることにあるらしい。しかも我々が本物の囚人で、一室に幽閉されていたならば、我々は堕落したくても出来ないであろう。例えば我々に豊かな食糧とＰＸがなかったならば、飲酒も賭博も行われなかったであろう。

その頃「タイム」でチャップリンの新しい離婚訴訟に関する報道を読んだことがある。去られた妻に与える金額が問題であった。善良そうな中年の女が、子供を膝に乗せて法廷のベンチに坐《すわ》っている写真と、頬杖《ほおづえ》を突いて顔をしかめた白髪のチャップリンの写真が並んでいた。前者には Underpaid ?（少なく支払われているか）、後者には Overacted ?（演技しすぎているか）と注されていた。私は考えた。我々は Overpaid（支払われすぎている）ではないかと。

我々の享受《きょうじゅ》している衣食住、及び三弗《ドル》の俸給を引当《ひきあて》に配給されるＰＸは、国際協定に基づくものであり、原則として日本にいる米軍の俘虜も同じ待遇を享受しているはずである。無論貧乏な日本には対等の待遇は与えられないであろうが、それはここでは問題ではない。

我々がこの特権を享《う》けるのは我々が兵士だったからである。兵士が俘虜となるのは戦闘行為の結果の一つであって、俘虜に衣食住と俸給が与えられるのは、正確に兵士にそれが与えられるのと同じ原則によっている。

俘虜にはもはや戦う義務がない。ただ柵内に止《とど》まる義務があるだけである。

これは重大な不自由であるが、これは我々の属する国家が、我々の周囲に柵を繞《めぐ》らした国家と戦争状態にあり、我々の自由が後者にとって危険だからである。これも実は我々の知ったことではないのであるが、ただそういう消極的な義務とその代償として与えられる積極的な給与、この組合わせの中に、恐らく我々の「支払われすぎる」機会がある。

自由なく退屈した我々も生きねばならぬ。その生活の必要からみると我々に与えられる給与の自然的性質が問題である。

二千七百カロリーの食糧は熱帯の気候では我々の胃には重すぎ、多くの食糧を棄《す》てている。喫煙する者にもしない者にも、無差別に与えられる月四百本の煙草は所内にだぶつき、我々はそれを賭に用いる。明らかにこういう文化財は、我々が忍んでいる不自由の代償としては過重であり、その余剰が我々を堕落させるのかも知れない。

我々が自国の兵士として受けた給与は、我々が自国で生産したもの及びその結果たる生活の習慣と或る意味で釣《つ》り合っていた。しかし今その義務の延長として敵国から与えられるものは、敵国人の生産生活と釣り合い、我々の生産生活とは釣り合っていない。

八仙《セント》という安い値で一日八時間働くことが、わずかに我々の新しい生産であるが、与えられる仕事は安易であり、八仙に値しないかも知れない。仕事は我々に疲労を残さず、我々は依然として退屈している。米軍が我々をかつて兵士として堪えたほどに働かせれば、我々は或いは堕落せずにすんだかも知れなかった。

米国が俘虜に自国の兵士と同じ給与を与えたこと、兵站《へいたん》が完備していて俘虜を労役させる余地のなかったことに、多分我々の堕落の原因がある。

当時私の空想したのはかくの如きものであった。これが何処まで妥当するかを判断する能力は今なお私にはない。私はただ囚人の閑暇にあって、囚人の位置から推理したところを記しておくに止める。そしてこの推理は少しも私を慰めなかったことも付け加えておこう。

翌日の外業に関する書類を大隊本部に出してしまうと、私は事務所の前に椅子《いす》を持ち出して坐った。小隊小屋には燈火が連り、放歌の声が遠く近く混り合っている。月があった。澄んだ熱帯の夜気の中に、高く冷たく椰子《やし》の梢《こずえ》にかかって、固い葉を光らした。この辺は一帯の椰子林を切り開いたもので、周囲の柵や我々の住む小屋を建てるために倒した残りが、そこここにこんもり蔭《かげ》を作っている。

敷地の東方にはタクロバン防備部隊が十字架山と呼んでいたトロイデ風の小丘が孤立し、頂上には米軍の防空監視哨《しょう》の灯がともっている。この丘から我々の敷地を通り、西方の一河に到る二粁《キロ》の間は、かつて十六師団の一個大隊が全滅したところであり、地均《じなら》しに従事した俘虜は白骨を掘り出したといっている。今なお溝《みぞ》の底で燐《りん》が燃えると、恐怖を装う若い俘虜もいる。

祖国が苦闘しつつある時、我々がここで堕落しているのは奇怪であった。いかにも止むを得ない状況であり、これも戦争の一局面には違いなかったが、この状況で我々が生きねばならぬということは、どこか呑《の》み込めぬところがあった。

戦闘する国家が互いに俘虜を養うのは確かに文明の所産であろうが、戦争そのものは野蛮行為である。戦争を止めないで、俘虜だけ養うという矛盾は救いようがない。もしこういう状態に生きた我々の経験、そこでお互いに見なければならなかったお互いの姿の記憶を、未来まで持ち込まずにすめばよいが。

私は屈託した。ウェンディに頼んで通訳として外業隊に加わることを許して貰った。力士的なわが第四小隊長上村を長として、タクロバン海岸、通称ホワイトビーチの野天倉庫へ行く三十名ばかりの一隊である。

朝七時に門を出た我々は、やがて迎えに来たトラックに飛びついた。トラックは出発した。道は収容所の東、十字架山の麓《ふもと》を縫って走る。収容所裏の沼沢地に沿って少し行くと川があり、岸で年寄った比島の女が濁った水で洗濯《せんたく》している。

パロの町をすぎた。みすぼらしい長方形の教会の窓硝子《まどガラス》は破れていた。比島人が喚《わめ》いて車を追って来る。掌《て》を首へあてて斬首《ざんしゅ》の真似《まね》をして見せる。町をはずれる。両側に林を持った埃っぽい道をトラックは驀進《ばくしん》する。色とりどりの英文の立板がやたらに立っている。いくつか角を曲り、同じような直線の道を走り続けた後、海岸へ出た。

沖に船がまばらに泊っている。石のごろごろした海岸には派手な海水着を着た肥《ふと》った女が横たわり、男がつまらなそうな顔をして水から上って来る。海の側に痩《や》せた椰子の並木を持った道がどこまでも続く。恰好《かっこう》のいい燃料タンクがいくつもいくつも並んでいる。海岸を離れ、凸凹《でこぼこ》な道をあちこち廻った後、また海岸へ出る。有刺鉄線で囲まれて梱包《こんぽう》の山が続いている前で、トラックは止った。

門を入るときたないテントがあって、番兵が二人坐っている。一同携行の茶を入れた五ガロン缶や弁当をそこへおき、テントの前へ整列する。番兵が人数を数え記帳する。別れてテントの中で休んでいると、何処からともなく米兵が現われて「ヘイ、カモン」といって拡《ひろ》げた片手を突き出す。五人来いということである。また別の米兵が来て十人、三人、五人と連れて行く。残ったのは隊長と私だけになる。我々は黙ってまず煙草をふかす。

「君、英語話すか」

と番兵の一人が訊《き》く。髪の黒い顎《あご》の張った伍長《ごちょう》である。「話す」と答えると、

「ゲイシャはいくらぐらいする」

私は笑いながら内地を出た時の不見転《みずてん》の相場の倍ぐらいのところをいう。

「それ何弗になる？」

「知りませんね。今じゃレートはないでしょう」

「フィリッピンの女より高いだろうか」

「そりゃ高いでしょう。ゲイシャは宴会のサービスをするのが本業で、なかなか寝ませんよ」と勿体《もったい》をつける。

「ふむ、じゃ五弗かな」

といって、彼は憮然《ぶぜん》としたように、柵《さく》の外に拡がる海を眺める。

「フィリッピンの女はいいですか」

「よくないね。浅すぎる」

傍《そば》にいた一人の鼻のやたらに高い若い兵隊の顔が奇妙な動きをした。口角がのろのろ上って、若い頬に無数の皺《しわ》が寄り、眼が細くなった。見ようによって泣いていると も見える顔である。

「アメリカ女、大変いい」

といいながら、両手を抱き寄せるように動かし、口を開けた。我々は大いに笑った。

「一廻りして来い。おい」と伍長は部下にいった。

「OK。カモン」

とこっちは歌うような声で我々を誘い、立ち上った。

我々は三人で梱包の山の間を通って行った。俘虜達は陽《ひ》の中で働いていた。大抵は乱雑に下してある荷を積み直す作業である。

「三十分で五分の休憩をやって下さい」と監督の米兵に念を押して歩く。

「わかってる、わかってる」と相手は答える。

遠くの荷の山の間を五六人の俘虜が駈《か》けて曲って行くのが見える。

「おーい、どうした」と小隊長が呼ぶ。

「作業場が変るんや」と一人が答えて荷の蔭に消えてしまう。

横手から眼鏡をかけた米兵が飛び出して来る。

「みんなどっかへ行っちゃった」と彼は息を切らしていう。

「や、あいつら逃げやがったな。おーい、こら」

と叫びながら、隊長はさっき五人の俘虜が消えた方へ駈け出して行った。

私は二人の米兵と残された。眼鏡を掛けた米兵は何か早口に我々を引率した米兵に喋《しゃべ》った。こっちは肩をすくめた。

「こいつ、英語喋るぜ」と彼は私をしゃくりながらいう。

相手は聞いていない。隊長が去った方向を見続けたが、やがてくっと眼をむくと駈け出した。隊長が逃亡した俘虜を連れて道の向うに現われたのであった。

私はのろのろと近づいて行く。行き着く頃《ころ》には眼鏡の米兵は俘虜を連れ、駈けて横道に隠れてしまう。

「へへ、しょうがねえ奴だ。米兵がお人好しだとすぐなめやがる」

と隊長は我々と一緒になりながらいう。

この野天倉庫の中央道路はなかなか広い。一台のトラックが尻《しり》を荷の山にあて、道を横に止っている。十人ばかりの俘虜が山の頂上まで一列に並んで、リレー式に荷を上げている。

「隊長、最初から、一度も休みなしや。かなわんわ。トラック来づめやで」と一人が叫ぶ。

主任の米兵に懸け合う。相手は腕時計をのぞいたが、

「トラックの荷を下すまで休まされない」という。

「そりゃ、いかん。三十分に五分くれるようにいってくれ」と隊長は私にいう。

私は懸け合う。相手は気の毒そうな顔をするが、この現場の規則で荷を全部下すま

では作業者は休ませられないそうである。私は隊長にそのまま伝えるほかはない。

「そんなことはないはずや、もっとしっかり懸け合ってくれ。おーい、みんな、話がつくまで休め」

俘虜は手を休める。主任の米兵は慌《あわ》てる。

「いかん。続けろ。続けろ」

と彼等に直接怒鳴り、私にも同じ言葉を繰り返す。

将校の乗ったジープが来た。そっちへ懸け合うことにする。眼の大きい顎の張った中尉である。

「ノー。トラック上に荷が残っている以上、休みはない」

と彼はステップへかけた私の片足へちらと眼を落しながら答える。

この足のために交渉をしくじっちゃまずいな、と咄嗟《とっさ》に思うが、一度かけた足を下すのも業腹《ごうはら》だ。私は暑さの影響とか、既に何時間作業を継続しているか、など喋る。しかし交渉はステップへ乗せた足のいかんに拘《かかわ》らず、駄目《だめ》なのであった。

「規則だ」

といい棄てると、ジープは行ってしまった。しかしこの交渉中少なくとも俘虜は休めたのである。

「しょうがない。すまんが続けてくれ、トラックももう来ないだろう」と隊長は働く俘虜を慰めて引き上げる。同行の米兵は相変らず歌うようにいった。

「気の毒だが、止《や》むを得ない。僕は休みをあげたいが、彼は将校で僕はただのプライヴィットにすぎないからね」

私は肩をすくめる。摺《す》れ違う米兵に彼は声を懸ける。

「ヘーイ、こいつ英語喋るぜ」

相手は曖昧《あいまい》に笑ってしまう。

入口のテントに帰ってプライヴィットは相変らず歌うように伍長に報告する。伍長は「うーん」と呻《うな》っただけで黙っている。土をゆるがしてトラックがまた入って来る。

「今日はよく来やがるな」と彼は呟《つぶや》く。

そして我々はそこでじっとしていた。隊長はまた米兵に猥談《わいだん》をしかけることを薦めたが、私は断った。

昼になった。俘虜はどやどや集って来る。それぞれ作業の苦情をいいながら、携行の弁当を開ける。作業場からも特別に若干の缶詰《かんづめ》が出る。

一時間の休憩の後、俘虜は「今日は暑いな」と歎《たん》じながら、散って行く。

また一廻りしに出掛ける。今度は隊長と二人だけである。作業の現場はかなり変化がある。中央道路の荷役組はいつかいない。歩いていても、迷路のような荷の山の間の、何処で働いているのか見当がつかない。

「一休みしよう」

と小隊長はいって、荷の間の蔭へ腰を下す。あまり涼しくもない。目の前はただ荷また荷が、日に照らされて静まり返っているばかりである。

どこからか人の笑う声が聞えて来る。「えあっ、えあっ」という間の延びた笑いで、どうも日本人らしくない。退屈している我々は無論腰を上げて、声を便りに荷の山の間を抜けて行く。

狭い路地を二つ三つ廻ると少し広いところがあって、小さなテントが張ってある。そこに黒人の米兵が二人、三人の俘虜と一緒に坐っている。笑っているのはその黒人の一人である。

肥った黒人が、大きな口を開けて笑っている。前に坐った一人の俘虜は指で女陰の形を作ったり、くずしたりしている。黒人も手で真似して、それから笑う。他の俘虜も声もなく笑う。

小隊長が「お前達何だ」と訊くと「休憩ですわ」と答える。

もう一人の黒人が私に何かいった。訛《なま》りがひどくて聞き取れない。訊き返してやっと一廻りしようということだとわかった。この黒人は色もそう黒くなく、おとなしそうな小男で、混血児のように思われる。

小隊長を残して二人で歩き出す。黒人は何かいうがわからない。笑いで胡麻化《ごまか》す。七八人の俘虜が作業している。山から山へ板を渡し、わずかな傾斜を利用して荷を滑らせる。ずっと手をかけてないと危い。

黒人が何かいう。やっと「よく働いてる」とほめているのだとわかる。私は微笑《ほほえ》む。

また歩き出す。荷の蔭に一人の若い金髪の米兵を取り巻き、四五人の俘虜が車座になって何か飲んでいる。彼等の顔色からその液体が何であるかがわかる。

黒人も私も曖昧に笑って通りすぎる。

「よく働いてる」と私はいう。黒人は微笑む。

テントに帰ると隊長が大きな黒人と二人つまらなそうに坐っている。他の俘虜は休憩時間を終ったらしい。黒人は居眠りをしている。

隊長と二人でまたそこを離れる。少し行くと叫び声が起り、一人の若い俘虜が荷の蔭から飛び出し、我々を見るとすくんでしまう。後から、朝俘虜に逃げられた眼鏡の米兵が出て来る。

「盗《と》った。盗った」

と彼は若い俘虜を指して叫ぶ。隊長はその俘虜の前に立つ。

「やったか」と彼はいう。

「やりました」と相手は答えて、チョコレートを二個差し出す。平手打を、俘虜は軍隊式に姿勢を正して堪えている。

「悪く思うなよ。しょうがないからな」

と隊長はいって、また一つ打つ。

「もういい。もういい」

と眼鏡の米兵が手を震わせて止める。そして地に落ちたチョコレートを拾い、打たれた俘虜の肩をかかえて行ってしまう。

我々はまたそこへ腰を下す。道の向うの端に一人の米兵が現われた。さっき四五人の俘虜と一緒にいた金髪の米兵である。足許《あしもと》が少しふらふらしている。

「よせ、よせ」

と彼は叫んで、手に持った物を四方へ抛《ほう》っている。遠くからでもそれが、チョコレートであることはわかる。彼がここまで到着するのを我々は懼《おそ》れていたが、やがて横へ外《そ》れてしまった。

一日ももう終りであった。

入口のテントの前へ整列、人員点呼と身体検査を経て、再びトラックへ乗る。三時半である。倉庫にはやはり我々を規定の四時まで止めておくほどの仕事はなかったのである。

車は走り出した。往路と少し違う路《みち》を行くらしい。隊長はそれを知っている。しかもその道がそのあたりの海岸にある女子邦人収容所の前を通ることも知っている。

成程やがて我々の収容所と同じように有刺鉄線で囲まれた一郭があり、大勢の女が手を振って柵に駈け寄って来る。この一年振りで見る大和撫子《やまとなでしこ》が、あまり美的な印象を与えなかったことは告白しなければならない。アッパッパ風のワンピースを着、無暗《むやみ》と陽に灼《や》けた彼女達は、それと教えられなければ、比島人と間違えるところであった。

疾駆するトラックの上で隊長は大きく手を振った。チョコレートを投げたのである。彼は昨夜この作業場へ来るときまった時から、PXを貰《もら》えない彼女達のために、チョコレートを用意してあったのである。彼は女には親切である。

トラックは再び海岸を走り、それから林中の道に分け入った。道は混雑していた。車と車は頭尾を接して進んだ。後に続くトラックの前部に黒人が乗っていた。彼等の無表情な顔は、ひたと我々に向いたまま動かなかった。

見れば見るほど不思議な皮膚の色である。黒色の底に沈んだ青いきらめきは、およそ我々の抱く人間の皮膚の観念とどうしても一致しない。彼等が何を考えているか我々は到底察知し得ない。

しかし自惚《うぬぼ》れるのはよそう。白色人種も黄色人種に関して同じことをいうであろう。我々の皮膚の色は彼等には不可解と映るであろうし、東洋人の仮面的無表情は、彼等の間で既に伝説化しつつある。

トラックは繋《つな》がれたように距離を詰めたまま、何処《どこ》までも走り続けた。仮面に似た黒人の顔は依然として我々の後にあり、いつまでもその無表情を崩さなかった。

八月十日

俘虜の生活では、日附など正確に憶《おぼ》えていられるものではないが、この十日間だけははっきりしている。

昭和二十年八月六日であった。夜大隊書記の中川が中隊本部に入って来て、その日広島へ新式爆弾が投下されたことを告げた。

「えらい力やそうやで。一発で十哩《マイル》四方一ぺんやそうや」と彼はいった。

中川は彼と直接連絡のある米軍の収容所事務所で得た情報を、自慢しに来たのである。私はかねて彼が敵の兵器の威力について、友軍のそれを誇るような調子で語るのを不愉快に思っていた。この元十六師団の砲兵下士官が語る水際《みずぎわ》防衛の経験談は、宛《えん》然《ぜん》米軍側の上陸戦記であった。

十哩四方といえば広島全市を蔽《おお》う広さである。この大災厄《だいさいやく》を彼がいつもの調子で語るのは聞いていられなかった。

彼がなお同じことを繰り返すので、私はいってやった。日本がやられるのが、そんなにうれしいのか」

「中川さん、いい加減にしたらどうだ。日本がやられるのが、そんなにうれしいのか」

彼はちょっと気色ばんだ。以前なら無論殴られるところであるが、この頃《ころ》は大隊本部の威力が衰え、私のような中隊通訳にも気兼ねしなければならなくなっていた。それに問題は愛国的見地から断然私に有利である。

結局彼の方で自分を抑えた。そして「そんなわけやないが」とか何とか呟《つぶや》きながら、隣の中隊の方へ去った。無論同じニュースを自慢しに行くのであろう。

「はは、大岡さん、大変な権幕じゃないか」

と傍《そば》で黙って聞いていた中隊長がいった。彼のセクショナリズムは、彼の中隊で大隊書記がやり込められたことによって喜ばされたのである。

ひとしきり中川の悪口の花が咲き、新式爆弾の効力について、実は中川の弥次馬根《やじうま》性と大差ない、無関心と好奇心をもって論議された。

爆弾の種類について中川は何も知らなかった。私は大体「モロトフのパン籠《かご》」式の親子爆弾を想像した。巨大な親爆弾が空中で炸裂《さくれつ》して、無数の小さな爆弾の雨を降らせる。しかし一発で十哩四方やろうと、二十哩四方やろうと、米国がいくらでも爆薬とB29を製造する能力を持っている以上、同じことである。

翌日中隊付サージァントのウェンディが来て、一発でTNT十噸《トン》に匹敵すると自慢した時も、私はこの理由をあげて屈しなかった。

「もっとも例えばB29五十台が一台で間に合えば、貴国が無限に所有するガソリンをいくらか節約することにはなるでしょうがね」と私は付け加えた。

ウェンディは憐《あわれ》むように私を横眼で見て、首をかしげていた。

私は間違っていた。ウェンディが、午後持って来た「星条旗」紙の見出しのATO-MICの六字が私の眼を射た。恐らくこれはウェンディが朝も口にした言葉に違いなかったが、私の英語の未熟と想像力の不足のため、想到出来なかったのである。

私の最初の反応が一種の歓喜であったと書けば、人は私を非国民というかも知れない。しかしこれは事実であった。私はかねて現代理論物理学のファンであり、原子核内の諸現象に関する最近の研究に興味を持っていた。そしてコンミュニストがその精妙な理論を、資本主義第三期的頽廃《たいはい》の反映と呼ぶのに気を悪くしていた。それが爆弾となって破裂してしまえば、彼等もいつまでもブルジョア的空想などといっているわけには行くまい。私はこれが火の発見以来、人類文化の画期的な進歩であると信じた。

しかし次の瞬間、私は無論わが国民がその最初の犠牲となったことを思ってぞっとした。親子爆弾どころの騒ぎではない。「星条旗」の記事は、多少の威嚇《いかく》的誇張をもって、以来二十年あらゆる生物は廃墟《はいきょ》に育たないであろうと予言していた。私は種々の放射線によって身体を貫かれ、複雑な苦しみの後に死亡する沢山の同胞を思って慄《りつ》然《ぜん》とした。

これは私が俘虜となって以来、祖国の惨禍によって真剣に衝撃を受けた最初である。戦艦大和の殴り込みや鈴木内閣の戦争完遂宣言は、いずれも不愉快極まるニュースであったが、俘虜の位置にあっては、それは考えてみても仕方がないという意味で、重大な関心とはなり得なかったのである。考えてみても仕方がないのは、原子爆弾とて同じはずであるが、それがこれほど私に衝撃を与えたのは、多分原子核のエネルギーに対する私の迷信的畏敬《いけい》のためであったろう。

「君は原子が何を意味するか知っているか」とウェンディが訊《き》いた。

「知っていると思う。私はこれが歴史的な発明であることを認める」

「何て馬鹿だ。何故《なぜ》君達は降伏しないんだ。我々は既に寛大な条件を提供している」

「日本の軍人がポツダム宣言を受諾するはずがないのは、この間我々が検討した通りだ」

「何て馬鹿だ」

「しかしあなたは原子爆弾をどう思いますか」

「あまりにも破壊的だ。我々はこれを使用したことについて、将来自責を感ぜずにはいられまい」

とウェンディは憂鬱《ゆううつ》にいった。私は立ち上り、

「おーい、広島の爆弾は原子爆弾だっていうぞ」

と怒鳴った。みなが寄って来た。中隊長の樋渡兵曹《ひわたしへいそう》は日本でもそれが研究されているのを知っていた。

「マッチ箱ぐらいの奴《やつ》で軍艦一杯やっつけるって奴か。先にやられたか、ちぇ、気分こわしたなあ」

「米《ベェ》さん、金があるからな。これで日本もいよいよ負けかよ」と小隊長の一人が歎《なげ》いた。

しかし私は落着かなくなった。「何て馬鹿だ」それはわかってる。今戦争を指導している狂人共は、どうせ行くとこまで行かなくては気がすまないだろう。国民が何発原子爆弾を喰《くら》おうと、彼等はいつまでも安全な地下壕《ごう》で、桶狭間《おけはざま》を夢みているだろう。探偵《たんてい》小説も読めなければ、筆のすさびのシナリオも書けない。善良なウェンディの前に坐《すわ》ってお相手するのもいやな気持だ。私はただ不安にそこらを歩き廻《まわ》り、俘虜の

友達と神経的に原子爆弾を語るのが、いくらか慰めになるだけであった。
この不安は俘虜としては全く新しい状態であった。私はその理由を色々と考えてみる。

私は私の小市民根性に賭《か》けていうが、広島市民も、将来原子爆弾を受くべき都市の市民も、私と何の関係もない。俸給《ほうきゅう》生活者たる私の直接考慮の及ぶ範囲は、私の家族と友人に限られている。家族は現在疎開している公算大であるし、聡明《そうめい》なるわが友人達は、それぞれ災禍を避ける術《すべ》を知っているであろう。

祖国という観念も私にあってはいたって漠然《ばくぜん》としている。それはまず第一に私の勤労に対して幾分かを報いる雇傭主《こようぬし》の事業に、彼が私を馘首《かくしゅ》しないですむ程度の繁栄を許してくれる政府を意味する。戦時中これは当然戦争を続行する政府である。その代償として私は俸給の消費のかなり大なる一部の納税の義務と、一兵士として前線に死ぬ可能性を提供する。戦時下の私の幸福は、専《もっぱ》ら兵士に取られずにすむという偶然にかかっていた。他は私の知ったことではない。

不幸にしてその偶然は私に恵まなかったが、戦場の偶然は私に恵んで、私は今文明国の俘虜として、祖国の国民や戦場の兵士よりは数等ましな生活をしている。その生活では憂国はどうしても感傷としてしかあり得ないのである。

祖国はいずれ敗れるであろう。俘虜であるために知らされる情報から、そう信ぜざるを得ないのは苦痛であるが、これは広島市民の災厄の如何《いかん》に拘《かかわ》らず同じことである。敗戦は私の将来の生活を困難に陥《おとしい》れるであろうが、戦時中私の生活が戦争遂行によって保たれて来た以上、止《や》むを得ない。戦争でもなければ、私は当然失業者の中に加わっていた無能なインテリなのである。

その私が原子爆弾の惨禍を聞いてこんなに落着きを失う理由は、やはり原子という武器の新しさと、それを使用した国の小市民もいったように、「あまりにも破壊的」なことによるであろう。

十万以上の人命が一挙に失われ、なお恐らく同数が、徐々に死なねばならぬ惨禍は空前である。しかしよく考えてみれば、程度の差こそあれ、最初に大砲の殺戮《さつりく》力を見た中世人も同様に感じたであろう。さらに遡《さかの》ぼれば最初矢によって貫かれ、或《ある》いは鉄刀によって切り裂かれた隣人を見た原始人も、同じに感じはしなかったであろうか。すべて新しい惨状は第三者に衝撃を与えずにはおかないが、しかし死ぬ当人にしてみれば五十歩百歩ではあるまいか。

レマルクは砲弾によって頭を飛ばされ、首から血を噴きながら三歩歩いた人間を物珍らし気に描き、メイラーもまた首なし死体を克明に写しているが、こういう戦場の光景を悽惨《せいさん》と感じるのは観者の眼の感傷である。戦争の悲惨は人間が不本意ながら死なねばならぬという一事に尽き、その死に方は問題ではない。

しかもその人間は多く戦時或いは国家が戦争準備中、喜んで恩恵を受けていたものであり、正しくいえば、すべて身から出た錆《さび》なのである。

広島市民とても私と同じ身から出た錆で死ぬのである。兵士となって以来、私はすべて自分と同じ原因によって死ぬ人間に同情を失っている。

私は結局私の不安の原因を、人間が一瞬に多勢死ぬという情況の想像が、私の精神に及ぼす影響より求められない。そして、もともと社会的感情を欠く小市民たる私の精神が、これほど「多数」に動かされるのは、人類の群居本能よりないと思われる。純粋に生物学的な感情だ。

生物学的感情から私は真剣に軍部を憎んだ。専門家である彼等が戦局の絶望を知らぬはずがない。そして近代戦で一億玉砕の如《ごと》きことが実現されるはずがないのも、無論知っているであろう。その彼等が原子爆弾の威力を見ながら、なお降伏を延期しているのは、一重に自ら戦争犯罪人として処刑されたくないからであろう。彼等がこの戦争を始めた原因は色々あり、彼等の意のままにならぬものがあったのはわかっているが、この際無為に日を送っているのは、彼等の自己保存という生物学的本能のほかはない。従って私は彼等を生物学的に憎む権利がある。

続く二日私は動物のようにうろうろ歩き廻ってすごした。

九日「星条旗」はソ聯《れん》の宣戦布告と極東軍の越境を伝えた。比島に着いた関東軍の精鋭を見た私は、あそこには弱い交替兵しか残っていないのを知っている。満洲は席捲《せっけん》されるであろう。しかしこのニュースは或いは軍部の屈伏を早めるかも知れぬから、そう悪くはない。

十日は悪いニュースが入った。長崎原子被爆。広島に投下されたものよりもさらに強力なものの由《よし》である。

ウェンディは私にいった。

「何て馬鹿だ。ねえ、おい、君んとこの天皇は何か特別の命令を出して、軍を降伏さすことは出来ないのか」

「その時彼等は彼を殺すであろう」

私は横を向いた。ウェンディは俘虜の通訳の身分不相応な不機嫌《ふきげん》にびっくりしたらしい。

「うっふ」と胃弱性の笑いを洩《も》らすと、何処《どこ》かへ行ってしまった。

同じ十日の夜の九時頃であった。収容所から北東にあたるタクロバン方面の空に、突然無数の探照燈の光束が立ち、左右に交錯した。湾内に碇泊《ていはく》した船の汽笛が長く重なって鳴り、赤と青の曳光弾《えいこうだん》が飛びちがった。

第一感は日本機の空襲であった。しかしこれは既に数カ月来皆無であったし、最近の状勢ではまず考えられぬ。次に防空演習かと思ったが、それにしては曳光弾が変である。

予感があった。私は中央道路に出て一散に門に向って駈《か》けた。五十米《メートル》あった。門のあたりは反射燈に明るく照らし出され、番兵が一人立っている。門外の暗闇《くらやみ》から一人の米兵が何か叫びながら、こっちへ駈けて来る。彼は忽《たちま》ち門に着き、番兵と肩を叩《たた》き合い、抱き合って踊った。

第一次大戦に取材したアメリカ映画をいくつか見た私は、この光景が何を意味するかを知っている。訊かなくてもわかっている。

私は止った。この間に道路左側の大隊本部から大隊長イマモロと副長のオラが駈け出して来ていた。いざとなるとさすが職業軍人は足が速い。私が止る頃には門につき、番兵と二言三言交わすと、さらに外の収容所事務所の方へ駈けて行った。有刺鉄線を隔てた台湾人地区から大隊長の李《り》も門に着き、すぐ両手をあげて、何か叫びながら引き返して行った。事態はいよいよ明白であった。

私は廻れ右した。歩むに連れ、柵《さく》を隔てた台湾人地区の中で音が起って行った。木を叩く音、ブリキを叩く音に、歓声が混った。

他の中隊の幹部が駈けて来るのに遇《あ》う。

「何だ、一体」と訊く。

「イマモロが事務所へ行ってますよ。戦争は終ったらしい」

「え」といってそのまま摺《す》り抜けていく。

中隊本部の前には不安な人々が群れていた。中隊長は大隊本部へ行っていた。探照燈は依然として北東の空に動き、汽笛の音が続いていた。

「大岡さん、どうしたんですか」

「さあね、どうも戦争が終ったらしいですよ。樋渡さんが戻ればわかるでしょう」

「日本負けたんやろうか」

「まあ、そんなところだね」と暗闇から声がする。

「誰だ、おかしなことをいう奴は。出て来い」

と第四小隊長の上村がいう。群は曖昧《あいまい》に揺れるが、犯人は出て来ない。こっちも踏み込んで引きずり出す勢いもない。

「ちぇっ、やけに騒ぎやがるな」

と上村は喧噪《けんそう》が次第に高くなって行く台湾地区を見やりながらいう。何を焚《た》いているのであろう、方々に火の手が上って高い椰子《やし》の梢《こずえ》を照らし出している。

中隊長が帰って来た。小隊長の前に立ってぶつけるようにいう。

「日本が手を挙げたんだね。ラジオでやったんだそうだ」

どよめきが起った。上村は、

「えっ、ほんとか。けっ、イマモロによく聞いて来なくちゃ」

といって駈け出して行った。

「ふっ、何度聞いたって同じことさ」と中隊長は、呟いた。

本部前の人影は音もなく散った。間もなく四つの小隊小屋にどよめきが起り、中に号泣の声が響き渡った。音は次第に各中隊に拡《ひろ》がり、収容所全体が一つの声となって挙がって行くように思われた。

一人の若い俘虜が泣きながら飛び込んで来て、中隊長にかじりついた。

「樋渡さん、ほんとですか。嘘《うそ》だといって下さい。嘘だと。まだ負けたんじゃないでしょう。負けるはずはないです。ねえ、樋渡さん」

「さあね。まだ詳しいことはわからねえ。とにかくそう泣いたってしょうがねえよ。

しっかりしろ」

中隊長は私の方をちらと見た。

「哭《な》き叫ぶ言葉も尽きてますらおは土に打ち伏し崩れつつ止む」と俘虜の中の歌人が歌った。誇張されているが、多くの泣く人影が小屋の内外で抱き合い、もつれたのは事実である。

空に上った探照燈の光はいつか数が減り、汽笛の音も止《や》んでいたが、収容所の騒ぎはいつ果てるとも見えなかった。台湾人地区のブリキを叩く音は続き、何か歌の合唱になって行った。

第三小隊長の広田が飛び込んで来た。彼は俘虜の中の過激派である。

「樋渡さん、どうにもならん。みんな台湾子んとこへ斬《き》り込むちゅうて、外へ集まっとる。野郎、うれしそうに騒ぎやがって」といって台湾人地区を睨《にら》んだ。

「集まったのか。お前さんが集めたんじゃないのか」と中隊長は怒鳴った。

「そんなことない。みんな柵を乗り越して殴り込むというとる。ありたけの蛮刀集めとる」

「蛮刀?」といって中隊長は立ち上った。

蛮刀は兇器《きょうき》であるから、俘虜は保管を許されず、朝倉庫から受領して夕方返納することになっている。しかし永い間にいつとはなく、所謂《いわゆる》「員数外」が出来て、各棟不時の用に二本ぐらいずつは隠しているのである。

「お前さんの棟はもう出したのかい」

「いや、まだだ。まだある」

「そいつを持って来て貰《もら》おう」

と中隊長はいい放った。広田は何か口ごもった。中隊長は重ねて、

「とにかくそれを持って来てくれ。連中は私が引き受けた。おい、小隊長集合」

と小屋の後部にかたまっていた炊事員の一人に命じておいて、台湾人地区襲撃隊の集まっているという中庭の方へ出て行った。

成程、中庭中央の暗闇に二十人ばかりの人影が動いているのが見える。中隊長の後姿が近づいて行く。私は随《つ》いて行かない。結果は明瞭《めいりょう》だったからである。柵を越えるなんてそう簡単に出来ない上に、米兵に射《う》たれる。台湾人が空騒ぎしたぐらいで、本気で命を賭けに行く者は、俘虜の中には一人もいないはずだ。

中隊長の演説している声が暫《しばら》く聞えていたが、やがて笑いながら帰って来た。

「広田のおっちょこちょいには困ったもんだ。三小隊の奴等ばかりさ、やめるくらいなら、最初からやるなんていわないもんだ」

四人の小隊長が集まった。彼等はみな眼を赤くしていた。

「木村は全く可愛《かわい》い奴や、泣きながら飛びついて来やがって、ええとこあるで、彼奴《あいつ》は」

と人情家の第一小隊長の吉岡が興奮していった。木村というのはさっき中隊長にも飛びついた若い俘虜である。彼は方々幹部に飛びついて歩いているらしい。

広田が蛮刀を二刀さげて現われた。

「樋渡さん、これでいいですか」

といいながら中隊長に渡した。こっちは無雑作に受け取ってベッドの下へ投げ込んだ。

「みんな員数外の蛮刀を出してくれないかな。台湾子んとこへ斬り込まないまでも、何するかわかんない奴がいるからね」

「わしんとこは大丈夫や。それに員数外の蛮刀なんてない」

と吉岡は冷やかにいった。彼は海軍における階級と年功は中隊長と大差なく、中隊長の外様《とざま》大名格である。

「俺《おれ》んとこも」分隊長あがりの第二小隊長岡田は口の中でもぐもぐいった。

「岡田さんとこ二本あるはずやないか」と正直に出してしまった広田は残り惜しげに

いう。

「いや、ない」

「うちにもない」と上村も続いていう。「そいつはひとつ我々に任せて貰おうじゃないか」

広田はそこらのベッドにひっくり返っていった。

「あーあ、なんで日本敗《ま》けたんかなあ。天皇陛下も何しててんのやろか。自分のお体を投げ出して、自分の命を召されてもいいから、日本国をお助け下されと、伊勢神宮へお祈りなされたら、神風も吹かんこともなかったろうになあ」

一同の顔は微妙な表情を浮べた。さすが元帝国軍人もこの狂信にはちょっと挨拶《あいさつ》に困った形である。

広田は何か右翼団体に属し、幼時予言の才があった。現人神《あらひとがみ》の信仰は或いは当然こういう犠牲の観念に帰着すべきで、私はこの精神薄弱者に一種の宗教的才能を認めたが、彼が自分のいうことを実際信じているかどうか、あまり信用してはいない。

「とにかく明日の外業は免除して貰わなあかん。とても働く気がせん」

これは本音らしい。

「そうはいったって、命令されりゃ、出なきゃならないさ」と中隊長が邪慳《じゃけん》にいった。

イマモロが廻って来た。彼も興奮していた。

「みなさん、軽挙妄動《もうどう》は慎んで下さい。日本は決して負けたんやない。まだ負けとらん。ポツダム宣言を受諾してもいいと申込んだだけや。決してまだ負けたわけやないから、興奮せんように、よくいいきかして下さい」

そして次の中隊へ移って行った。

「まあ、負けたようなもんさね。でも、みんな気をつけて下さいよ」と中隊長は四人の小隊長に向っていった。

「樋渡さんは冷静で羨《うらやま》しい」

と上村が皮肉った。そしてみんなそれぞれ引き上げて行った。

台湾人地区の喧噪は続いていたが、日本人地区のざわめきは次第に静かになって行った。書記も炊事員もそれぞれ重大なニュースを語るべき友を求めて、方々へちらばり、中隊本部は中隊長と私二人になった。二人共こういう時に話したい相手のないのは同じであるが、といって二人の間にも別に話すことはない。

「ココアでもいれるかな」

と呟《つぶや》いて私は立ち上り、炊事場へ湯を取りに行った。

当直の炊事員も出払って炊事場は暗かった。湯は水槽《すいそう》にガソリン・ヒーターを入れて、主として中隊本部員のためにいつも沸かしてある。ヒーターの隙間《すきま》から洩れる火が、ぼんやり湯の表面を照らしている中に、俘虜にも配られている米軍規格の携帯用カップを突込みながら、私はふと慟哭《どうこく》の衝動をこらえた。

ココアは毎日配られる、レーションについたものを貯《た》めてある。小さな円盤形の固形をカップ一杯の湯に溶かせば飲み頃《ごろ》である。

「隊長、飲みませんか」

中隊長も所在なく席でぼんやりしていたが、

「うん、貰いましょうか」

といって、自分のカップを持って私の前に坐った。私は一杯分のココアを半分に分けた。

「ねえ、大岡さん、みんな色々いっているが、ほんとは早く降参すりゃいいと思っていたんですよ。こうなりゃ、どっちにしたって同じことですからね。誰だって早く帰れるほうがいいでしょう」

「そうですね。正直のところ、日本が敗けたってことは、我々が帰れるってことですね」

「すぐとは行くまいが、一年以内には帰れるでしょう。あーあ、とにかくこれでけりがついた」といって彼は淋《さび》しそうにココアを飲み干した。

大隊本部から伝令が中隊長集合を伝えて来た。

「ちぇっ、うるせえな。今更俘虜が何を相談したって始まるものか」

と呟きながら、樋渡はそれでも出て行った。

私はひとりになった。静かに涙が溢《あふ》れて来た。反応が遅く、いつも人よりあとで泣くのが私の癖である。私は蠟燭《ろうそく》を吹き消し、暗闇に坐って、涙が自然に頬《ほお》に伝うに任せた。

では祖国は敗けてしまったのだ。偉大であった明治の先人達の仕事を、三代目が台無しにしてしまったのである。歴史に暗い私は文化の繁栄は国家のそれに随伴すると思っている。あの狂人共がもういない日本ではすべてが合理的に、望めれば民主的に行われるだろうが、我々は何事につけ、小さく小さくなるであろう。偉大、豪壮、崇高等の形容詞は我々とは縁がなくなるであろう。

私は人生の道の半ばで祖国の滅亡に遇わなければならない身の不幸をしみじみと感じた。国を出る時私は死を覚悟し、敗けた日本はどうせ生き永らえるに値しないと思っていた。しかし私は今虜囚として生を得、その日本に生きねばならぬ。

しかし慌《あわ》てるのはよそう。五十年以来わが国が専《もっぱ》ら戦争によって繁栄に赴いたのは疑いを容《い》れぬ。してみれば軍人は我々に与えたものを取り上げただけの話である。明治十年代の偉人達は我々と比較にならぬ低い文化水準の中で、刻苦して自己を鍛えていた。これから我々がそこへ戻るのに何の差支《さしつか》えがあろう。

涙は快かったが、私はやはり暗闇にひとり坐るのに堪えられなくなった。人を求めて、私は何となく小隊小屋の一つに入って行った。

小屋は静まり反《かえ》っていた。奥行十間ばかり、両側に並んだベッドに俘虜はただ長々と横たわり、黙って天井を見凝《みつ》めていた。

その時彼等の考えていたことは、それぞれ異るであろうし、無論一傍観者の推測を超えている。しかし私はほぼ彼等が何も考えていなかったと信じている。例えば私は彼等の中で泣いた者が、極く少数の感傷家にすぎなかったのを知っている。しかもそれさえ俘虜だからこそ泣く余裕があったというだけの話である。

日本降伏一時間後の、これら旧日本兵士の状態は要するに無関心の一語に尽きる。「祖国」も「偉大」もこの黙って横たわった人々の群に比べれば、幻想にすぎない。

私はこれが人民の自然の反応であるか、一年の俘虜生活の結果であるかも決定出来ない。ただ後者と信じている方が気が楽だ。

中央の通路を通りながら私は彼等の一人と眼を合わせた。その無表情な眼に、何処か現場を押えられた子供のような、てれた色があると思ったが、これも私の思いすごしかも知れない。

台湾人の喧騒も収まり、探照燈も消えて、収容所は普段の夜の静寂に返った。遅く帰った中隊長は、大隊本部の注意事項として、次の三項を伝えた。
一、確報のあるまで軽挙妄動を慎しまれたきこと。
二、特に団体行動は厳に戒しむべし。
三、自殺すべからず。
最後の項について我々は大いに笑った。

翌日の外業は第三小隊長の希望に幸いして、半分は取り消しになった。我々の絶望に対する配慮もあったであろうが、米軍作業場の歓喜の理由によったのは間違いない。

「ビッグ・ニュースを知ってるか」とウェンディがいった。

「知ってる。お互いにまず目出たい」

私は「星条旗」により日本の条件が国体護持であることを知って失笑を禁じ得なかった。名目をどう整えようと、結局何等かの形で、敗者が勝者の意のままにならねばならぬのは同じである。

「私はこの条件が日本軍部の最後の愚劣であると思うが、幸い貴国の寛大がそれを容れられんことを望む」

「それは昨夜我々のキャンプでも問題になった。しかし我々兵士は一日も早く戦争が終るのを望んでいる。我々もまたわが政府がこれを容れることを期待している」

朝の収容所内は静かであった。俘虜達はベッドに横たわっている。各棟内部に蚊帳《かや》を吊《つ》るために張られた針金に、手拭《てぬぐい》に使う様々な布切が乱雑にかけられている。これは米軍の秩序と整頓《せいとん》の観念に反し、厳重に禁じられているものである。

中隊事務所の窓からウェンディがそれを眺《なが》めているのを見て私はいった。

「どうもあれを片付けてくれないので困る。私はどうして彼等がそれが見苦しいと理解しないのかわからない」

「今日は仕方がないだろう。彼等は絶望しているんだ」

私は赤面した。阿諛《あゆ》を却《しりぞ》けられた羞恥《しゅうち》よりも、この敵国人が俘虜の絶望にこれほど同情してくれるのが心苦しかったからである。いかにも彼等は絶望しているかも知れない。しかしそれにもまして労役を脱《の》がれ、感情的理由を楯《たて》に、日常の義務を怠るのに喜んでいるのを、私は知っているのである。

十二日、天皇の権限が聯合《れんごう》国最高司令官の制限の下におかれるという条件つきで、国体が護持されたことが伝えられた。今度は日本政府の寛大を待つ番になったが、私は結局軍人共がこれを容れることを信じていた。現実はそれを強制している。

米軍のサージァント達もゆったりとした平和気分になった。巡視も行われず、各中隊付が三々伍々《ごご》連れ立って所内をぶらぶらしている。彼等はやがてわが中隊本部入口の腰張にもたれて、近い除隊を語り合った。

尾高というわが中隊の少し気の変な乱暴者については、別の章で書いたが、彼は持ち前の人を馬鹿にした馴《な》れ馴れしさから、ウェンディと冗談をいう仲になっていた。或《あ》る日本部の前を通りかかった尾高は突然ウェンディにいった。

「ユー、ゲレン、ゲレン」

ゲレン、ゲレンはタガログ語で気違いということである。彼はそういいながら右の人差指でこめかみのあたりを巻いて見せた。

ウェンディは意味がわからず、私の方を顧みた。私は苦笑しながらいった。

「彼はあなたが気違いだといっている。ゲレン、ゲレンとは比島語で気違いを意味する」

「何故《なぜ》私を気違いと思うか訊《き》いてくれ」

「おい、何故気違いだっていってるぞ」

「ユー、ゲレン、ゲレン」尾高は繰り返した。

わが監督者の感情を傷つけてはならない。私は註解した。

「彼があなたを気違いだというのは、つまり彼自身少し気違いだからである」

「ユー、ゲレン、ゲレン」とウェンディは尾高にいった。

「ユー、ゲレン、ゲレン。ギブ、ミー、シガレット」

「ノー、やれない。私はゲレン、ゲレンだから」

この日も尾高は本部の前を通りかかると、ウェンディに近より、

「ワー、イズ、オーバー（戦争は終った）」

といって手を差し出した。彼はこの英語を昭和十七年のマニラ占領当時、日本軍のあげたアドバルーンで覚えたのである。

「ノー、ナット・イエット（まだだ）」とこっちは笑いながら手を引っ込めた。

他の中隊付のサージァントが傍《そば》から注意した。

「おい、よせよ。彼等は気を悪くするかも知れない」

「どうしていけない。冗談じゃないか」とウェンディは少し気色ばんだ。

注意したサージァントはおとなしい中年者で、数日前除隊の通知を受けていた。ウェンディは点数を彼より余計取ってあったので、これが甚《はなは》だ不服で、彼等の間には少

し感情的な行き違いがあったらしい。

「まだ正式に終ってないってさ。日本の回答が行ってないからな」

「オー・アイ・アム・ソーリイ」

尾高は相変らず人を馬鹿にしたような笑いを浮べて去った。彼は比島人に片言のタガログ語を振り廻すような調子で、米人に英語で話しかける殆《ほと》んど唯一《ゆいいつ》の俘虜である。

「我々は日本政府が一日も早く回答することを望むね」とウェンディは私にいった。

十三日の「星条旗」は日本の回答の未着を同じ焦躁《しょうそう》をもって報じていた。ウェンディの質問に対し、私は日本の戦争犯罪人が自己の生命と面子《メンツ》のために、天皇を口実に抵抗しているのだろうと答えておいた。

十四日の報道はさらに悪かった。「星条旗」の調子には威嚇《いかく》が籠《こも》って来た。満洲で依然ソヴィエット軍が日本軍を砲撃していること、ニミッツの艦載機が「日本の決意を促がす」ために、各都市の爆撃を続けていることを報じていた。

私は憤慨してしまった。名目上の国体のために、満洲で無意味に死なねばならぬ兵士と、本国で無意味に家を焼かれる同胞のために焦立《いらだ》ったのは、再び私の生物学的感情であった。

天皇制の経済的基礎とか、人間天皇の笑顔とかいう高遠な問題は私にはわからないが、俘虜の生物学的感情から推せば、八月十一日から十四日まで四日間に、無意味に死んだ人達の霊にかけても、天皇の存在は有害である。

その夜おそく大隊書記の中川は日本が遂《つい》にポツダム宣言を受諾したことを触れて廻った。相変らず戦勝を告げるような調子であったが、私もこの時だけは彼の几帳面《きちょうめん》な広目屋《ひろめや》根性に感謝した。

俘虜の反応は皆無であった。我々にとって日本降伏の日附は八月十五日ではなく、八月十日であった。

翌日の正午イマモロとオラは玉音放送を聞くために米軍の事務所へ行ったが、ちっとも聞き取れなかったといっていた。やがて英文の原稿から飜訳《ほんやく》したものをオラが各中隊で読んで廻った。集まる者は必ずしも全員ではなく、中に頭を下げるのを忘れる者もいる。この反応だけはたしかに俘虜の生活の結果である。

飜訳はあまり上出来ではなかったが、詔書は私には滑稽《こっけい》に思えた。側近者が軍国日本の最後の恥を世界に曝《さら》したものである。しかし原子爆弾につき「延《ヒイ》テ人類文明ヲモ破却スベシ」という文句を挿《はさ》んだのは、負け惜しみの怪我《けが》の功名であると思われる。

「戦陣ニ死シ戦場ニ殉シ非命ニ斃《タフ》レタル者及《オヨビ》其ノ遺族ニ想《オモ》ヒヲ致セバ五内《ゴダイ》為ニ裂ク」

それ《それ》

は《は》

の「其ノ遺族」は、誤訳によって「その他の者」となっていた。俘虜の一班長はそれが我々俘虜を指すと部下に諭《さと》していた。

ウェンディは私を誘って尾高を訪れた。彼が尾高に借りになっている握手をして行くのだ、と察せられた。

尾高は寝ていたが、起き上り、ウェンディの差し出す手をうれしそうに握った。

「これから日本とアメリカは仲好くやって行こう、といってくれ」と、ウェンディは私にいった。

私がその意味を伝えると、尾高はウェンディに向って直接「サンキュー」といい、私には、

「御親切に有難うございます、ってね。あたしもこれから家へ帰って、静かに女房子供と暮します、っていっとくれ」といった。

鉱夫や土方としての彼の前半生は波瀾《はらん》の多いものだったらしいが、戦争前は下谷のブリキ職としておとなしくやっていた、と彼自身はいっている。

「あいつ、なかなか気違いじゃない」

とウェンディは私と一緒に中隊本部へ帰りながらいった。

新しき俘虜《ふりょ》と古き俘虜

旧日本兵が一般に「死ストモ虜囚ノ辱シメヲ受クルナカレ」という戦陣訓に忠実であったのは、ただ欺《だま》されていたからだと考えられている。しかし人間は死のような重大な問題について、そう欺され通せるものではない。もし人が人の前に屈するということ自体、個人的屈辱と感じられないならば、こういう観念が遵守《じゅんしゅ》されるはずがない。男の生活、稼《かせ》いだり担《かつ》いだり操ったりする日常の働きの裡《うち》に、すべての男を、どんなに意気地なしと考えられている小市民ですら、傲慢《ごうまん》にする根拠がある。

「名誉が君主政体の発条である」とモンテスキュはいっている。彼は勲章その他表彰の効果を指しているわけであるが、名誉を求める心と、名誉を守る心は別ではあるまいか。野蛮人もまた傲慢である。例えば君主国旧日本の小市民が、敗走中歩行不能になると、何等栄誉の期待なく、あっさり自決したのは、こういう野蛮状態における傲慢のさせた業である。

もっともこういう傲慢は屢々《しばしば》恐怖によって支えられている。傲慢な人間は自己を除いては、すべてを怖《おそ》れているものである。だから戦時中軍の幹部が、米軍は俘虜を殺すと執拗《しつよう》に宣伝したのは賢明であった。

ただしこの傲慢が維持されるのは野蛮状態における個人の肉体、つまり精神が、健全な状態にある場合に限る。密林中に幾十日食なく彷徨《ほうこう》した人間動物が、たまたま敵の投降勧告ビラ或《あ》るいはアナウンスを聞いて、あそこへ行けば、たとえ殺されるまでも、それまでは生きて行けると感じた時、彼の脚をして歩かしめて——歩く力がまだあるならば——敵の前に両手を挙げて現われさせるのを妨げる何物もない。

ここに人間的なものが何もないのは、戦闘という行為にそれがないのと一般である。

十数人のアッツの俘虜は尽《ことごと》く傷ついて動けない者ばかりであった。しかしガダルカナルでは既に数人の投降兵のあったことを米側の記録は伝えている。

私の入ったレイテ島の収容所の俘虜も半分は傷兵であった。が、あとの半分はすこぶる怪しかった。俘虜達の談話はまず自分がいかにして捕えられたかを語り合うことから始められるのが普通であるが、こういう話はまず詳しければ詳しいほど怪しいと見て差支《さしつか》えない。暗黙の裡に彼等は見抜き合っていたが、お互いに相手の話を信じる振りをしていただけだ、と私は思っている。帰還後得た二三の率直な告白に基づいて、私はそう推理するのである。

このほか今仮りに「思想的投降」と呼びたい種類がある。もっともその例は私がレイテ島の収容所で接した数百の俘虜の中でただ一名しかなく、無論果して彼が私の想像するような行動者であったか、どうかも確かではない。この種の事実は当然告白を欠いている。ただ私が俘虜の間の噂《うわさ》や、私自身直接見聞したところによって、ほぼ確実と思っている。

綾野は齢《とし》は三十前後、中国の高等商業学校の出である。熱帯の陽《ひ》に灼《や》けた頰《ほお》も何処《どこ》か肺病患者らしくこけていた。彼はマリンドゥケ島守備隊の一員であったが、米軍が上陸すると間もなく行方不明となった。守備隊潰滅《かいめつ》後俘虜となった兵達は、彼が既に米軍中にあって英語などを話し、落着き払って暮しているのを見た。兵達は彼がむしろ米軍の上陸を待って投降したのだと信じていた。

こういう想像にはかなりの僻《ひが》みが含まれているが、レイテ島の収容所へ来てからの彼の言動は、彼等の僻みに拍車をかけるようなものであった。彼は一日のうち一定時間、手伝いと称して米軍の収容所事務所へ出張していた。これは直接には彼が随時米兵から煙草《たばこ》を貰《もら》えるということであり、煙草に不足していた初期の比島の俘虜の羨望《せんぼう》おくあたわざるところであった。彼等は彼が何か米軍に情報を提供しているのだ、と信じていた。

彼は共産党だと噂された。正確なことは無論わからないが、私も収容所の中では日常社会と同じく、直接交渉のない限り、面倒臭いから大体噂通り考えておくことにしていた。彼はやがて事務所へ行かなくなったが、この前科？のため、後俘虜が中隊別に編成されて通訳を必要とするようになっても、殊更《ことさら》幹部によって忌避された。

彼はそうして周囲から、白眼視されながら、英文の雑誌なぞを読んで悠々《ゆうゆう》自適していたが、戦争終了と共に一部有志をもって結成された民主グループのようなものの急《きゅう》先鋒《せんぽう》となった。

グループは「民主的新日本建設要綱」を起草し、毎夜好奇心に富む若い俘虜を集めて講座を開いた。これは無論旧軍人の幹部の極度に忌《い》むところであり、以前なら無論弾圧されたところであったが、敗戦と共に彼等も気が挫《くじ》けていたし、かつグループは「要綱」を英訳して米収容所長にさし出し、感激した所長の慫慂《しょうよう》によって、マッカーサー元帥《げんすい》に送るとかいうメッセージまで作成していたので、どうにもならなかった。

極右翼のわが第三小隊長広田は歎《なげ》いた。

「あいつらが勝手のことをいって廻《まわ》るのはかまわんが、若い連中がだんだん、もっともだという顔で聞いてるのを見るのがたまらん。天皇様のことを悪く思って来るのが、見ておれん。何や、綾野は投降兵やないか」

私の同情はむしろ旧軍人の方へ傾いた。いかにも民主グループのいうことは正しく合理的であるかも知れぬ。しかし現在様々の軍国的狂信を持ったまま俘虜として監禁されている我々の間で、一思想を宣伝しなければならぬ必要があろうとは思われない。結局それまで彼等の忍んだ屈辱に対する報復か、或いは人に説く優越感を味《あじわ》うためを出ないであろう。或いは思想の手慰みで、要するに退屈ざましではないか。

広田は「要綱」の写しを私のところへ持って来た。それはほぼ五十行の文字通りの要綱で、「産業の合理化」「利潤の制限」など、むしろ戦時中の経済統制を思わせるスローガンの羅列《られつ》であった。私はそこに「生産」の面ばかり強調され一言も「分配」に触れていないのを見て、要するに民主グループは賢明に米軍に阿諛《あゆ》しているにすぎないと思った。

「安心し給《たま》え。これは赤じゃないから」と私は広田を慰めた。

しかし収容所では乾葡萄《ほしぶどう》から酒が密造され、夜は多くの者が酔払っている。或る夜民主グループは酔漢の一群に襲われ殴られた。グループは早速米軍に訴えたが、収容所長の任務はまず柵内《さくない》の平穏を保つことであった。彼は日本人代表者イマモロに諮問《しもん》した。

「大多数は民主的に教育されるのを欲していないのか」

旧軍人をバックに持つイマモロは無論、

「欲しておりません」と答えた。

民主グループは講座を開くことを控え、酔漢は暴力を振《ふる》ってはいけないということでけりがついた。

しかし我々が博多へ上って、外套《がいとう》もなく十二月の寒空に放たれようとした時、復員事務所とかけ合って、毛布をせしめて来たのは綾野の功績であった。彼は外套が与えられないならば、団結して我々の仮の宿舎であった小学校を去らないといって脅かしたのであるが、これは俘虜には決して思いつけないことであった。

大阪へ向う復員列車の中で、私はこの件について彼に御愛想をいった。

「これからの世の中では、あなたは色々なさることがあるでしょう」

「いや、駄目《だめ》です。僕みたいな没落組は」

この言葉によって、私が彼を「思想的投降者」と信じる根拠はほぼ完全となるのである。

投降ということは現在の日本人が考えているほど簡単に行くものではないと思われる。それはまず対峙《たいじ》した両戦闘単位を隔てる距離を突切るという実際上の困難の上に、その掲げた白旗、或いは挙げた手が、相手に認められないのではないか、という恐怖は当然あるはずである。戦闘中の兵士は民主的な米兵と雖《いえど》も、気が立っていると見なくてはならない。

私自身は歩行不能の状態で密林中に眠っていて米兵に発見されたのであるが、もし私がどんな場合でも銃を抱いて寝るという精兵の習慣を持っていたら、いくら眠っていても、まず一発見舞われていたかも知れないのである。レイテの米兵は武器を持つかぎり屍体《したい》さえ射《う》っていたという話である。私に対する米兵の取扱は鄭重《ていちょう》であったが、隊長に引き渡されるまで、米兵が私に対しかなり我慢をしていたのを私は知っている。

綾野がいかに共産主義者で日本の戦争目的を否定し、軍部の手先たらんよりはアライド・ピープルの陣営に投じようという「思想」を持っていたとしても、実際に密林を横切って対峙中の米兵の前に現われるのは勇気がいる。そして思想には戦場でそれだけの勇気を支える力はないと思われる。しかしもし彼が既に転向、つまり思想的一陣営より他の陣営に投じる経験を持っていたら、これも可能なのである。

復員列車の中で綾野が転向者であったことを知った時、私は初めて彼が噂の通り「思想的投降者」であり得ると思ったのである。

思想的投降のさらに複雑な場合は集団投降である。これは一人の指導者に同意した数人の部下、或いは相互に一致した数人の平等者を予想せしめる。この場合多数の人間を連結するのは思想よりなさそうである。

私の知る限り比島で集団投降が始ったのは、昭和二十年の五月頃からである。あまり主要な戦闘の行われなかったセブ、ネグロス、パラワンなどが主で、そのトップを切ったのは大抵軍医であった。

周知のように戦争末期日本の衛生兵はもはや赤十字の腕章をつけず、徴用の軍医も普通の軍人並の軍人精神を鼓吹されていた。しかし何といっても作業が病者を看《み》るという、温和な知的な性質のものであるから、状勢判断も行動も戦闘部隊のように獰猛《どうもう》頑固《がんこ》ではない。

浅井軍医見習士官は京大の医学部を出ていた。私も京大の出である。私は別に同学のよしみに感謝するような殊勝な心掛は持っていないが、収容所ではこんなことでも共通の感情を呼び起すくらい、俘虜の間に世間的繋《つな》がりは薄いものである。

彼が数人の衛生兵と共にセブから到着し、偶然私の中隊に編入された時、私は彼が京大出身と聞いて、中隊本部における私の地位を利用して、被服食糧等で便宜を提供し、一緒に水浴などして、卒業年度、京都における下宿屋飲屋などを話題とした。

彼は私より二歳年長の三十八歳で、北陸の或る小都市の病院に勤務していた由《よし》であったが、まだ博士号を取っていないと聞いて、少し変に思った。丈は低く広いお凸《でこ》の下に眼ばかりぎょろぎょろしたところは、成程そう出世しそうもない風采《ふうさい》ではある。しかし後に彼も民主グループへ加《くわわ》って大いに共産主義のために弁じるのを見て、彼が万年医学士で止《とどま》ったのには、何かそういう思想的経歴の障害のためかも知れないと思った。

彼は無論セブの野戦病院に属していた。三月末米軍上陸と共に山に入り、二千尺の高所でなお病院を開設していたが、寒さと食糧不足に堪えきれず、数人の衛生兵と共に麓《ふもと》に下りた。そして米軍に発見され捕えられたのだそうである。

「山に残っていた兵隊もいたわけですな」

「そうです。ですが、後でセブの収容所でその中の一人に会いましたが――そいつも山を下りて捕《つかま》ったんです――結局僕のいったことが正しかった、助かったと感謝してました」

彼は眼を光らした。このおしまいの方の言葉は非常に早口でいわれたので、私はよく意味が呑《の》み込めなかった。しかし彼の「いったこと」など収容所ではどうでもよい。私は相変らず彼に同学出身のよしみで、サービスをし続けた。

終戦後大勅によって矛《ほこ》を捨てた大量の兵がビサヤ諸島から、わが収容所附近に集って来た。米軍は比島南部の俘虜を全部レイテに集める方針だったのである。これら新しき俘虜達は主として別に第二、第三の収容所を形づくったが、一部はわが収容所にも入って来た。

わが中隊に割当てられた一個小隊の新しい俘虜はセブ駐屯《ちゅうとん》軍の一部であった。或る日彼等の小隊長に選ばれていた曹長《そうちょう》が、中隊長に陳情した。隊員が浅井と同じ中隊にいるのは我慢出来ない、といっている。浅井を他へ出すか、我々を他の中隊と入れ替えるか、どっちかにして貰えまいか、というのである。

「彼奴《あいつ》は重病人を棄《す》て、勝手に山を下り、投降した奴《やつ》です。しかも病人の食糧を掻《か》っさらって行ったんです。彼奴のために何人飢え死したかわからない。我々の中にはその時彼奴に棄てられた病人で、やっと歩けるようになって他の隊へ辿《たど》りついた者もいます。同じ俘虜になってしまっては、別に裁きようもないでしょうが、とにかく同じ中隊で顔を合わせてるのは堪《たま》りません」

中隊長の詰問《きつもん》に対して浅井は答えた。

「いかにも私は自分の考えに賛成してくれた部下や病人の一部を連れて山を下り、米軍に投降したに相違ありません。その理由はちょっと今いっても、あなた方にはわかるまいと思いますから、いいませんが、(ここで彼は笑った)しかし病人の食糧を盗《と》ったというのは嘘《うそ》です。私の意見に賛成しないで残った衛生兵もいたんですから。食糧は公平に分けたはずです。あなた方がどう思おうと勝手ですが、私は自分の処置のため、一緒に連れて来た数人の命を救ったと思っています。現にその時残った病人で、あとで考え直して一人で山を下り、投降した者もあるくらいです(彼が前に私に早口でいったのはこのことであった)。あの連中は私とは直接関係のない兵隊ですが、あの人達の気持もよくわかります。よろしい。私が出て行きましょう」

彼はその頃《ころ》既に病棟へ手伝いに通っていた。予《あらかじ》め話してあったと見え、彼はさっさとそこへ席を移してしまった。そしてそこでまた共産主義の講義を始めた。温和な病棟の衛生兵達は彼の弁舌に耳を傾けていた。

私は彼の行動について別に非難すべきものを見出《みいだ》さなかった。生死の瀬戸際《せとぎわ》に現われる人間のエゴイズムについて第三者は何もいうことが出来ない。ただ以後私は彼と話すのをやめただけである。彼は自分の命と共に数人の命を助けたのは事実かも知れないが、同時に彼が止っていたら、或いは助かったかも知れない、数人の重病人を殺したのも事実だからである。

帰還の翌々年彼は共産党から立候補し落選している。

もう一人の民主グループの花形について書いてしまおう。佐々木は東北の田舎新聞の記者で、タクロバンで軍属として捉《つかま》った。彼は収容所で最先《まっさき》にちょび髭《ひげ》を生やし出した一人である。

或る朝彼は中隊本部へ入って来て、頓狂《とんきょう》な声で叫んだ。

「昨夜一晩寝ないで考えたんだけどな。敗戦日本再建の唯一《ゆいいつ》の道を発見した。共産主義にすることだ」

「俘虜が一晩考えたぐらいで、日本再建の方途がつくはずがないよ」と私はいい返した。「万事国へ帰ってからでもおそくはない。国へ帰ったら、君はまずどうして自分が食って行くかを考えなくちゃなるまいよ」

「賢い人と話するのは面白い」と彼は呟《つぶや》いて出て行った。

この章の題として選んだ「新しき俘虜と古き俘虜」とは、終戦と共に命令によって武装解除を受けて抑留された者と戦時中捕獲或いは投降によって俘虜となっていた者を意味する。古き俘虜は終戦当時においてわがレイテ島第一収容所で七個中隊約二千名であったが、九月中旬から入って来た新しき俘虜のために、一個中隊の人員は五個小隊計三百名に増加し、中隊の数も十一個まで増えた。

これら新しき俘虜と古き俘虜の間に醸《かも》し出された対立の感情は、今次太平洋戦争が人民に及ぼした影響の中でも、最も奇妙なものの一つである。彼等は現在米軍によって監禁され、その給与を受けていることにおいては平等のはずであった。しかし新しき俘虜はなかなかこの状態を率直に受け容《い》れることが出来ず、「虜囚ノ辱シメヲ受クルナカレ」の先入観に基づいて、古き俘虜を侮辱しようとした。

或る夜ネグロスから着いた元少尉が、禁を冒して我々兵の俘虜の小屋に入って来て呶鳴《どな》った。

「貴様等何故《なぜ》腹を切らんか。俘虜になんかなりやがって、おめおめと生き延びている奴があるか。腹を切れ」

尾高という乱暴者の上等兵は、こういう時いつも返事を買って出る。

「何だと。ただ山ん中逃げ廻ってやがった癖に、大きなことをいうな。憚《はばか》りながら俺達は最前線に出たばっかりに負傷して、止《や》むを得ず俘虜になったんだ。こん中には黙ってるけれど、大尉もいれば中尉もいる。少尉ぐらいで大きな口を利《き》くな」

大尉と中尉がいるというのは誇張であった。責任を回避するために最初下士官と称する将校がたまにあったが、大抵は訊問《じんもん》の間に露顕して隔離されていた。しかしこの言葉が少尉の鋭鋒を挫くには最も効果的だったらしい、

「ふん」

と彼はうそぶいて立ち去ろうとした。その後姿へ調子に乗った尾高は浴せかけた。

「馬鹿野郎。また来やがると承知しねえぞ」

「何を」と相手も立ち止り振り返った。

「ホワット・イズ・ホワット」

と尾高はいった。これは彼の得意の日本的英語の一つで「何が何でえ」の直訳なのである。どっと起った笑声の中に、少尉は暫《しば》く突立っていたが、結局そのまま戸外の闇《やみ》へ出た。

尾高はなおも笠《かさ》にかかって、翌日わざわざ将校テントへ吸鳴り込んで行ったが、満足して帰って来た。彼の話によると、将校テントには大佐や中佐が大勢いて、主《おも》だった大佐が彼にいったそうである。

「お前のいうのはもっともだ。こう敗けてしまえば、みんな同じことさ。日本の軍隊には色々悪いところがあったから敗けたのだ。これからは虚心坦懐《たんかい》、力を合わせて祖国の再建に努めねばならぬ」

そして収容所長から特別に貰ったという葉巻を一本くれたそうである。

「さすが大佐になると話がわかる。わかんねえのは中尉や少尉だ。それが今じゃ大佐殿の当番兵で、飯上げなんかしてやがった」

しかし私は中尉や少尉が我々を見て呶鳴りたくなった気持もわかるような気がする。私もその年の三月病院から初めて収容所へ来た時、これら愉快な俘虜達がとても人間とは思えなかったものである。その頃彼等は褌《ふんどし》裸《はだか》の単に猿《さる》のように罵《ののし》り騒ぐ人種であったが、今は米軍の被服の給与も行き届いて、なかなかりゅうとした恰好《かっこう》をしている。

新品の米軍の制服制帽は、到るところPWと捺《お》してあるのが玉に疵《きず》だが、なかなか見場もいい。靴《くつ》も膝下《ひざした》まで編み上げのジャングル靴で、ズボンをゴルフ・パンツのように粋《いき》にふくらませている者もいる。二千七百カロリーの食糧でみなよく肥《ふと》り、昼間型ばかりの作業に服するだけで、夜は或いは密造の酒を飲み、或いは麻雀《マージャン》、トランプ、カブ賭博《とばく》に耽《ふけ》り、或いは放歌放吟しているのである。

どんな残虐《ざんぎゃく》と不条理が横行したとはいえ、とにかく永らく山中の窮乏に堪えた後、武装解除の恥を忍んで、収容所に到着した彼等の眼に、そういう我々の姿がどう映ったかは想像に難《かた》くない。「彼奴等は我々の敵だ」と彼等の或る者はいったそうである。

既存中隊に属せられた小隊は忍従をもって古き俘虜の中隊長の統制に服していたが、八中隊以下十一中隊までの新しい俘虜は断乎《だんこ》彼等だけの別天地を作っていた。外部へ出る作業場も既存中隊とは別にしてくれと、大隊長イマモロに要求した。無論古き俘虜の一人であるイマモロは要求をきかなかった。そして食糧の分配についても、それ等衰弱した新入者に余分にやろうとはしなかった。

新しい俘虜の一人が或る夜わが中隊の炊事場に忍び込んで、制裁を受けたことがある。盗人はやっと目的の缶詰《かんづめ》を外へ運び出したところを運悪く見付かった。炊事員は主としてレイテ湾の海戦から生き残った水兵から成っていたから、制裁は海軍式に行われた。

「貴様陸軍か海軍か。なに陸軍、よおし、じゃこれから海軍の精神棒の味を教えてやるぞ」

受刑者はズボンを脱がされ、両手を挙げて立たされた。尻《しり》を蔽《おお》う褌の三角の白だけが暗がりにしろく見て取られた。炊事には飯をしゃくうために長さ五尺ばかりの大杓《しゃ》文字《もじ》がこさえてあった。炊事長がそれを斜に構えた。

「こらっ、貴様ら俺《おれ》達のことを俘虜だ、俘虜だと馬鹿にしやがって、山ん中で看護婦と何してやがった」

そして杓文字の先の広がったところで盗人の臀《しり》を打った。

「ヒャーッ」

と受刑者は叫んでよろめいた。

「まだだぞ。まだだぞ。しっかり手を挙げろ。それっ」

「ヒャーッ」

受刑者は膝を突いた。

「こらっ、誤魔化されんぞ。立てるだろう。立たんか」

炊事員の一人が手を取って引き摺《ず》り起した。そして炊事長から杓子《しゃくし》を受け取ると、一段と声を張りあげた。

「今までのは序の口だぞ。これからが本当の精神棒だ。えいっ」

受刑者は黙って前へ倒れた。

私はこの若い炊事員と親しみ、晩飯の後なぞよく馬鹿話の相手にしていたので、彼のこういう乱暴に少し驚いた。私は傍《そば》へ寄り、小声で、

「おい、もういいんじゃないかい」といってみたが、彼は興奮していた。

「いや、ここは大岡さんの出る幕じゃない。ほっといて下さい」

彼は丁度この夜炊事場の宿直に当っていて、とにかく戸外まで缶詰を持って出られたことに、個人的侮辱を感じていたのである。彼の普段の邪気のない呑気《のんき》さに似合わぬこういう残忍性は、多少私を悲しませた。彼はやはり帝国水兵だったのである。

私に出来ることは受刑者の中隊に急を告げることだけであった。暗い道路上で駈足《かけあし》

で来る数人に会った。

「十一中隊じゃありませんか。いま一人やられてますよ。二中隊です」

群は黙って摺れ違った。私の穿《は》いていたジャングル靴から、彼等にとって私はやはり古い俘虜で、要するに話すに値しない人種なのであった。

炊事長は彼等にいったそうである。

「おいっ。食糧は各中隊人員別に公平に分配されてるはずだ。それなのにこんなぬすっとが出るのは、炊事がちょろまかしてるんじゃねえか。少しは気をつけろ」

相手は答えなかった。ただ、泣いている犯罪者を方陣で護《まも》って後退したそうである。

収容所を取り巻く有刺鉄線の柵《さく》は俘虜の逃亡を防ぐため二重になっていた。戦争が終るとその必要はなくなったので、レイテ島第三収容所は第一収容所の不要となった外側の鉄柵を利用しその向うに続いて建設された。

同じ柵内ではあれほどいがみ合い、対立していた新しき俘虜と古き俘虜が、収容所を異にして共通の利害と関心を持たないと、却《かえ》って馴《な》れ親しんだのは奇妙な現象であった。しかしやがてその親密の間にも、新旧俘虜の条件の対立は、別の形で現われたが。

かつて第一の障害を潜《くぐ》り抜けた逃亡俘虜が、第二の障害の前で手間どるために設けられた約二間の空間を隔てて、蜿蜒《えんえん》百米《メートル》に渡って毎夜新しき俘虜と古き俘虜は語り合った。空間はあかあかと反射燈に照らし出されていた。

新しき俘虜はニッパ小屋を建てる暇もなく、低く暑いテントに住んでいた。彼等は山中の編成はそのまま踏襲し、米軍の軍帽の前に日本の階級章をつけていた。

我々はそれぞれ旧所属部隊の消息や戦歴を語り合った。私は彼等の中に内地の部隊で一緒に暗号手の特業を受けた僚友を見つけた。

富永は昭和十八年徴集、二十二歳の補充兵で、言問橋《こととといばし》附近の煙草屋の倅《せがれ》である。或る日我々が隅田《すみだ》公園で暗通聯合《れんごう》演習をやった時、彼の家の傍を通ったことがある。家は大道路から横丁を十間ばかり入っただけだったにも拘《かかわ》らず、彼はちょっと駈け込んで家族と言葉を交わして来るなんて気を起さなかった。

「震災ん時もここにいたんかい」

「そうです」

「じゃ、焼けたな」

「二つでしたから、お袋に抱かれて逃げたんだそうですが、憶《おぼ》えてませんよ」

私は関東大震災の時は十五歳である。今軍隊で同じ階級に属し、同じ苦労をしている人間が、その時二歳だったと聞いて、私は何となく感心してしまった。

私は軍隊でも収容所でも、一般に同年配の仲間を避け、この年頃の若者と馬鹿話をするのを好んだ。しかし帰還した現在はやはり同年の友と話す方が気が楽である。何故だかよくわからない。

私と富永はマニラまで一緒であったが、そこから彼は数名の暗号手と共に桜兵団の司令部へ配属された。ミンドロ島の孤立した独立守備隊に廻された私は、安全な司令部と共にある彼等を羨《うらや》んでいたが、だんだん話を聞いてみると、どうやら私の方がずっと運がよかったようである。

彼等は間もなくセブの第三十五軍司令部へ転属になった。そこで急いで「陸四」等高級暗号を習得しなければならなかった上に、周囲に高級将校が多いので、日常の動作態度が煩《うる》さく、ビンタの取られ通しだったそうである。さらに十一月には司令部と共にレイテに渡り、三月中旬パロンポンから小舟で逃げ帰るまで、あらゆるレイテの敗兵と同じ辛苦をなめたのである。

東部第二部隊以来の四名の若い暗号手中生存者は彼一人であった。一名は足首の弾創の手当不備のため中毒死、一名は飢死、一名は肺結核が進んで、食糧不足のため病院からも司令部からも見棄てられ、幾度か両者の間を往復した後、司令部の炊事場で手榴弾《しゅりゅうだん》を胸に抱いて爆死していた。

富永は小柄《こがら》でぽっちゃり肥り、さして美男子というほどでもないが、なかなか可愛《かわい》い顔をしている。レイテの惨状の中から彼だけ生き残れたのは、暗号手として優秀ではないが（それは内地教育中の成績で知っている）おとなしい人好きのする性質から、上官に可愛がられたためではないかと私は想像した。私の質問に対して彼は答えた。

「はい、自分の口からいうのは変でありますが、班長殿が食糧なんかこっそり分けてくれました。ビンタも最初一度取られただけであります」

私も彼が可愛いのである。さすが補給の整った米軍も終戦と共にどっと流れ込んだ武装解除兵に、たっぷり食糧を与えることは出来なかったとみえ、新設収容所は食事は一日二回、煙草も日に一本しか配給されなかった。私は貯《たくわ》えてあった缶詰類と煙草を柵の間から抛《ほう》ってやった。

「有難くあります。班のみんなと頒《わ》けて食べます」と彼はいった。

柵の間では何処《どこ》でも至るところ缶詰や煙草が投げられていた。ただしこれは無償ではなく、新しき俘虜は彼等が最後まで持っていた様々の私物で、古き俘虜の要求するものを投げ返さねばならなかった。主として時計であった。

懐中時計や腕時計は無論山中で錆《さ》び止っているが、古き俘虜はいずれも内地に持って帰って修理すれば、使用出来るのを知っている。相場はスイス製と精工舎を問わず、ならし煙草十個、或いは缶詰十五個である。こうして十日ばかりの間に新しき俘虜の持つ時計は全部古き俘虜の手に移ってしまった。

多くの古き俘虜が得意然と動かない時計をつけて歩き出した。「左馬」という博奕《ばくち》打《うち》の親分は、戦利品の数百個の煙草を貯えていた。彼はそれを尽《ことごと》く時計と替えたので、両手に溢《あふ》れるほど毀《こわ》れた時計の持主になった。彼はさらに一個の鎖附の金時計をぶら下げていたが、これは動いていた。煙草三十個と取替えたのだそうである。

やがて附近一帯の俘虜の氾濫《はんらん》のために、わが収容所でも煙草の配給が減った。すると新旧俘虜の間では缶詰と煙草が交換され出した。新しき俘虜は依然として飢えていたので、まず煙草から節さざるを得なかったのである。そしてその煙草ももとはといえば、時計と交換に古き俘虜から彼等の手に渡ったものであるから、結局彼等はすべてを食糧と換えてしまったことになる。

これは私が生涯《しょうがい》で見た最も陋劣《ろうれつ》な行為であった。私の心は傷ついた。私は別に自分が富永に無償で与え、毀れた時計を欲しがらなかったことを自慢するわけではないが、かつて同じ軍隊にあって共通の敵と戦った同胞の間で、一方に不足し他方に余剰があれば、無償で融通してもよさそうなものである。もともと米軍から無償で（少なくとも俘虜の現在にとっては）与えられたものではないか。

さらに私を悲しませたのは、この残酷な交易に従事したのが、「左馬」的人種だけではなく、おとなしい普通の俘虜の多数だったことである。「多数」は小市民に対して常に効果を与える。

中隊事務所で私が思わずこの感想を口走ると、傍にいた中隊長がいった。

「そんなことをいったって仕様がないよ、大岡さん。奴等《やつら》の持ってる時計がそもそも怪しい代物《しろもの》なんだ。本当に自分のものを出した奴なんか少ないいんじゃないかね。一人の下士官が五つも六つも持ってることがあるんだものね。死んだ兵隊の遺品か、住民から捲《ま》き上げたもんじゃないでしょうか」

「ぬすっとにも三分の理ですか」

「こっちばかりがぬすっとってことないですよ。とにかくこれが軍隊さ」

とはいうものの、彼も少し工合が悪そうであった。後で判明したところによると、さすがに自分では柵際《さくぎわ》に行かなかったが、部下を使って彼自身も三つばかり仕入れていたのである。十一月帰還に際して時計が各自一個しか携帯が許されないとわかると、石鹸《せっけん》をくり抜いて器用にはめ込んでいた。彼は海軍兵曹で度々上陸に際して、遠い港からの土産物などを隠すのに馴れていたのである。

どうだろう。

「これが軍隊」なのはたしかであった。戦闘以外のところでは、兵士が普通の人間以上にエゴイスチックになるのは屡々《しばしば》指摘されるところである。しかし俘虜にあっては

毀れた腕時計をつけて歩くことは、さし当って多少我々の生活の単調を破るに足りたが、交易はどうもそんな些細《ささい》な目的で行われたのではなかったようである。帰還後使用するあてがなければ、それらの財の所有は我々をそれほど楽しますことは出来なかったと思われる。交易は帰還の希望なくしては行われなかった。俘虜という状態とは関係のない、日常普通の所有欲に根ざしていた。終戦と共に、我々の間にも世間の風が吹き始めていたのである。

私は反省した。私はいかにも時計を欲しなかったが、それは私がささやかながらも家に帰れば二三個の時計の健在を予想出来る小市民の地位にあるからである。もし私にその予想がなかった場合、果して私が交易に誘惑を感じなかったかどうか疑問である。あれら残酷な交易者の中には、生れて一度もスイスの時計を持ったことのない者、或いは帰還後の生活について私の想像を超えた暗い予想を抱《いだ》いた者がいたかも知れないのである。

してみれば「これが軍隊」なのでなく、「これが世間」なのである。部下の遺品を

貯え、住民から掠奪《りゃくだつ》した下士官も、やはり帰還後の財の価値を考えればこそそんなこことをしたのである。世間の風は軍隊にも俘虜にも吹き通しに吹いているわけだ。

世間の風に吹かれながら、「旅の恥は掻《か》きすて」だ。俘虜という一時的状態にたのんで、遽《あわただ》しく多少の財を懐《ふところ》にねじ込むというのが、これらの「多数」をして、あの誅斂《ちゅうれんか》苛酷《こく》な交易行為に出《い》でしめた根拠であろうと思われる。

人の心というものは変えられないものだ。宗教が道徳を社会的制裁から内心の制約に移してから二千年経《た》つが、人心は一向に改良された形跡はない。この手段はもう試験ずみである。

これらの悪事の存在を許す社会的条件を変えるほかはないように思われる。

被害者たる新しき俘虜は怒った。最後の煙草を出しきった或る者は、交換を終った後、わが収容所の中で集団的孤立に閉じ籠《こも》っていた新しき俘虜と同じことをいった。

「お前等は俺達の敵だ」

さらに「鬼、けだもの」と付け加えた。

罵《ののし》られた二三の古き俘虜は、数本の棒切れの先に布を巻いてガソリンに浸し、火を放って柵越しに投げ込んだ。相手は素速く飛びのいたので火傷者は出なかったが、火は米監視兵に認められ、犯人は営倉に送られた。それまで大目に見られていた新旧俘虜の接触は禁ぜられ、夜哨兵《しょうへい》が柵の間を往復し出した。

こうして私は可愛い富永とも会えなくなった。一ヵ月後収容所間の往来が、一定の限度で許されることになった時、或る日彼は私を訪ねて来た。彼は依然として飢えていて、私が仲よしの炊事員に頼んで開けて貰《もら》ったコーンビーフをうまそうに食べた。

中隊事務所の卓に向い合って二時間ばかり話すうちに、私はさらにこの無垢《むく》の若者が敗軍の惨禍から得た経験を知ることが出来たが、私の印象では、彼はそういうものを熱病でもすますように、あまり傷つかずに通過していたようである。

彼はセブの山中で初めて女を知っていた。部隊と行動を共にした従軍看護婦が、兵達を慰安した。一人の将校に独占されていた婦長が、進んでいい出したのだそうである。彼女達は職業的慰安婦ほどひどい条件ではないが、一日に一人ずつ兵を相手にすることを強制された。山中の士気の維持が口実であった。応じなければ食糧が与えられないのである。

「どうだったい」

と私は笑いながら訊《き》いた。彼は少し顔を赧《あか》らめてもじもじしていたが、

「すんだら、女は『失礼しました』といいました」と答えた。

傍で聞いていた炊事員は声を立てて笑った。そしていった。

「お前はそこで『御苦労さんでありました』っていって、敬礼したんだろ」

富永は眼を円くした。

「どうしてわかりましたか。その通りでありました」

新しき俘虜と古き俘虜の軋轢《あつれき》はそれほど誇張して考える必要はあるまい。死すとも受くべきではない虜囚の辱《はずか》しめが一つの観念であり、せいぜい新しき俘虜には矜持《きょうじ》、古き俘虜には僻《ひが》みというセンチメントとなって固定しているにすぎない以上、俘虜の日常の必要、つまり労役の義務の履行によって、次第に解消する運命にあった。戦争終了と共に、今はいわば俘虜を養う無駄《むだ》の経費を埋めるため、米軍の要求する作業の日程は急がしくなり、少なくとも同じ収容所内にいる新旧俘虜は対立している暇がなくなった。それになんといっても戦争がすんでしまえば、いつ帰れるかが我々の第一の関心であり、戦争中からの俘虜であったか、大勅によって矛を捨てたかは過去の問題であった。

戦争が終ったという事実を我々に実感させたのは、八月十五日の夜から、収容所の東に聳《そび》える丘の頂上の対空監視哨舎の火が消えたことであった。

それからだんだん日本降伏の様々の状況が、「タイム」の記事や「ライフ」の写真を通して入って来た。

降伏文書調印の日程をきめるためにマニラに飛来した日本の将軍は、握手のため差し出した手をはぐらされて、空《むな》しく宙に浮かせていた。厚木飛行場の空輪部隊到着。強姦《ごうかん》は「驚くべき少数だった」というマッカーサーの声明に、私は苦笑した。

東条英機《ひでき》の自殺未遂に俘虜達は大いに笑った。

「胸なんか射《う》たなくても射つところはいくらでもあるじゃねえか。第一MPが来た途端にやらかすなんて、強盗殺人犯人じゃあるまいし、いやしくも一国の首相のやることかね」とわが中隊長はいった。

山下奉文元大将が比島で行われた日本兵の残虐行為について自分は知らない、と法廷でいったことは俘虜達を憤慨させた。

「どうせ逃《のが》れられないんなら、大将は大将らしく、部下の罪は自分の罪だといってもよさそうなもんだ」

「マライの虎《とら》」は最後まで比島の敗兵のホープであり誇りでもあったのだが、法廷の習慣に従ったこの一句が英雄を顚落《てんらく》させた。

やがて日本の新聞社が在外俘虜のために特に作った四つ切版の新聞が到着した。巻頭に終戦詔書と、マッカーサー元帥《げんすい》と並んだ天皇の写真が載っていた。前者は片足を少し前に出し、後者は九十度に開いていた。

中国地方の新聞も一緒に交っていた。呉《くれ》軍港内における天城《あまぎ》の被爆を写真入りで報じていたが、記事はさながら戦時中の敵艦撃沈の実況放送であった。「好餌《こうじ》御参なれとばかり、一発また一発、やがて空母天城は爆煙に包まれ」といった調子である。私は一つ状況を記すのに、一つの叙述法しか持たない新聞記者の筆を変に思った。

我々は今度の戦争が「敗戦」したのではなく「終戦」したのであり、その結果日本に上陸した外国の軍隊が「占領軍」ではなく「進駐軍」であることを知った。

比島の米兵は日本の俘虜待遇のいかに苛酷であったかを知った。収容所関係の米兵の態度には特に変化は現われなかったが、外業先で時々監視の米兵の個人的憤懣《ふんまん》が爆発することがあった由《よし》である。

わが中隊付サージァントのウェンドルフは到頭除隊になった。彼は通知を受け取った夜、仲間から背広一揃《そろい》を借り集め、全部着込んで眠ったそうである。

「今日から俺はサージァント・ウェンドルフじゃない。ミスター・ウェンドルフと呼んで貰いたい」と彼はいった。

彼はデトロイトの自動車工場の事務員で、穏健なアメリカ小市民である。彼の指揮は殆《ほと》んど完璧《かんぺき》で、お蔭《かげ》でわが中隊は収容所の模範中隊となることが出来たのである。

船待ちのため海岸のキャンプに移る時、彼は私にアドレスをおいて行った。彼は独身で姉の家にいる由である。私は日本へ帰ったら京都の扇子《せんす》を送ると約束したが、帰還後外国郵便が許されないままに送ることは出来ず、許された頃《ころ》には、どうも彼は結婚してほかのアドレスへ移っているような気がして、到頭手紙も出していない。ただ別れる時、彼が私に握手してくれなかったのを少し恨みに思っている。

中隊付サージァントは殆んど全部交替した。新しく到着したのは厳密にいえばサージァントではなく、みなプライヴィットであった。十八歳の少年も交っていた。彼等はそばかすだらけの顔でよく歌い、ガール・フレンドの自慢をした。

わが中隊へ配属されたのはノースという三十五歳のフロリダの農民であった。色は黒く丈は六フィートを越し、長い手足を持て余し気味であった。「マイ・ホーム」といって、私に示した写真には、よく育ったシャボテンを植えた前庭で、やたらに肥《ふと》った細君と、彼に似てひょろ長い手足を持った五人の子供が写っていた。

彼はウェンドルフの気転を持っていなかった。俘虜監督という新しい任務に戸迷《とまど》っている様子で、むしろ私の御機嫌《ごきげん》を取っていた。事務所で対坐《たいざ》していて話が途切れると、

「おい、お前にはこんなことは出来まい」

といって上下の歯をがくんと口の中ではずして見せた。総入歯なのである。

暴風警報が発せられたことがある。レイテ島は太平洋の赤道附近に発生する颱風《たいふう》の圏内にある。急遽《きゅうきょ》綱索が各中隊に配られ、我々はニッパ小屋の椰子《やし》の柱を一本々々地面に繫《つな》いだ。しかし実際に颱風が襲来すれば屋根はどうなるであろう。屋根が飛ばないとしても、腰張だけで四方が開放されている小屋へは雨が吹き込み、ベッドも被服もびしょ濡《ぬ》れになるだろう。ままよ、熱帯のことだ。濡れたものは一日干せば乾くだろう。食糧の方は心配はないからいい。みんな缶詰だ。

幸い颱風は来なかったが、十月からそろそろ雨季が始った。六月この収容所へ移ってから最初の雨季である。赭土《あかつち》はすぐぬかるみ、米軍がトラックで運ぶ砂利をいくら敷いても、みなもぐってしまう。

レインコートはなかなか洒落《しゃれ》たのが当っている。暗緑色のゴム引の矩形《くけい》の布である。その中央部に穴があって、首を通せば布は自然に四方に垂れ下って、体の前後と両腕を蔽《おお》う。なんとなくいかめしくて、これを着るとまるで我々が俘虜ではなく、巡査か兵隊にでもなったような気がする。

三千人の俘虜が劃一《かくいつ》的なこの服装で中央道路に点呼に並ぶ光景は、ちょっと壮観である。見渡す限りの濡れた暗緑色の帯が波のように揺れて、末は霞《かす》んで定かならぬ。

我々はただ待っていたらしい。帰還の日を待っていた。ただしその日はもはや商船隊を持たぬ日本政府がきめてくれるのではなく、リバーティ型と上陸用舟艇を貸してくれる米国政府の好意を俟《ま》つほかはないのである。しかし米国はまず国の除隊兵を本国に運ぶであろう。

新聞によって知る内地の状況は早く帰ったところで、あまりうまいこともなさそうである。今我々の享受《きょうじゅ》している二千七百カロリーの食糧は思いもよらない。ここにいれば昼間形式的な労働に服するだけで、夜は酒を飲み、歌を歌っていればいいのである。

家族には無論早く会いたいが、既に永年兵隊として隔離された我々にとって、ずっと保持し続けていると信じている家庭的感情も、実は一つの抽象にすぎないのである。半年や一年、早くともおそくても同じことだと思えるくらい抽象的で稀薄《きはく》である。

我々の「実存」は囚人である。新しき俘虜も古き俘虜も、否応《いやおう》なくその一色に塗りつぶされる。

二百米平方の敷地は三千人の我々にはゆとりがあるようでも、どっちへ行っても必ず柵がある。その中で我々は摺《す》れ違ったり、打《ぶ》っ突かったり、話したり話さなかったりするが、要するに顔だけは突き合わせていなければならない。

我々はほかにふりの仕様がないから待つふりをしているだけで、事実は遊んでいたにすぎなかった。

その結果我々に来たものは堕落であった。

演芸大会

青きは鯖《さば》の肌《はだ》にして黒きは人の心なり
尾崎士郎

やがて俘虜《ふりょ》は急速に堕落し始めた。

戦争が終ると共に、レイテ島第一収容所三千の俘虜の心からは、唯一《ゆいいつ》の道徳的な棘《とげ》は取り除かれた。彼等が敵中に生を貪《むさぼ》っている間に、太平洋の各地で続々命を殪《たお》しつつある同胞に対するうしろめたさが、突然なくなった。死んだ者は運が悪く、我々は運がよかった、それだけの話だ、ということになった。あとは帰る日まで日を経《た》たせるだけである。そして米軍の給与は申し分なかった。

こういう安逸の奇妙な効果は、一部の者に戦争への郷愁をそそったことである。レイテ戦一周年が近づきつつあった。塚本は十九年十月二十四日レイテ島東方海面で撃墜された神風隊員である。彼は毎夜回想記風の文章を書き綴《つづ》り、独り朗唱していた。

「大東亜十億蒼氓《そうぼう》の運命を賭《か》けて、ああ決戦の秋到《ときいた》る」

中隊長の樋渡《ひわたし》はあざ笑った。

「とっくに負けちゃった戦争に、今さら決戦はないだろう」

塚本はわが中隊の炊事員の一人である。色白小柄《こがら》の好男子で、年のわりに落着いていてよく働いた。二交替班の一方の長に任ぜられ、「班長」と綽名《あだな》されていた。或《あ》る夜乾葡萄《ほしぶどう》から密造した酒で中隊本部で内輪の酒宴を開いた時、私は彼にお世辞をいった。

「とにかく俺《おれ》は班長とは芸者買いには行かないね。班長ばかりもてて、俺達はどうせ三枚目を振られるにきまってるんだ」

彼が比島決戦の回想録を書き始めた頃《ころ》、夜私が中隊事務室で作業割を書き終えて一服していると、彼がすっと入って来て机の前へ坐《すわ》った。

「大岡さん、一緒に芸者買いに行きましょうか」

彼が私にいわせたいことはわかっている。

「いやなこった。どうせ三枚目を振られるにきまってるんだ」

二度目までは御愛嬌《ごあいきょう》でも、それから毎晩きまって入って来られて、同じ科白《せりふ》をいわせられてはいやになって来るのである。見兼ねたか中隊長が傍《そば》からいった。

「おい、班長、大岡さんは忙がしい書記さんだ。お前なんかの相手してる暇はないんだから、邪魔するんじゃねえぞ」

書記といってもどうせ俘虜の書記で、それほど忙がしいわけではない。机には向っているが、書いているのは筆のすさびの甘いシナリオかなんかである。それでも折角の感興を班長の虚栄心とのお附合で妨害されたくはない。殊《こと》に彼が自分の魅力を、私のような者にまでやたらにたしかめたいのでは、彼もさして魅力ある人物でなくなるのである。

班長もこの頃ではだんだん評判が悪くなって来ていた。俘虜の抑圧された自由の結果である愛国心と戦闘欲と一緒に、抑圧された性欲の結果であるお色気が出すぎていたからである。

米軍は我々に水虫予防のため白い粉を与えていた。それを毎日水浴後足趾《あしゆび》の間に振ることを命ぜられていたが、無論我々はそんな面倒臭いことは実行しはしない。水疱《すいほう》が出来てから初めて局所に塗るのがせいぜいで、粉は誰でもふんだんに残していた。

班長はそれを顔に塗った。ニッパ小屋の軒下の夕闇《ゆうやみ》に、色白の上にさらに白く粉を吹いた顔が、幽霊のように浮き上った。

彼はその化粧した顔で、第五中隊の進藤という有名な女情男子を張りに行くのである。進藤は十九年十一月にレイテ島西海岸に上陸した後援部隊の若い補充兵で、永らく山中で部隊長の愛顧を受けた後、遅く収容所へ来た。

進藤の名が収容所に鳴り響いたのは、戦争も終りに近く、毎週各中隊で演芸大会が催されるようになってからである。或る夜、わが中隊の俘虜達が、それぞれの流行歌やお国自慢の民謡などを聞かせた後、飛び入りで「姑娘《クーニャン》の歌」を歌った。かなり音域の広い裏声で、俘虜には完全な女声と聞えた。

「わあーっ、ちんぽの先がかゆくなって来たぞ」と聴衆の一人が怒鳴った。

以来彼は方々の中隊の演芸大会の引張り凧《だこ》となったが、終戦後演芸大会が発達して、収容所全体の綜合《そうごう》大会が催された時、世話人達は彼に女装せしめるのが、一層感銘的であると判断した。

鬘《かつら》は麻袋をほぐしたのを製図用の黒インキで染めて作った。ブラウスは白のアンダー・シャツを俘虜の中にいた洋服屋が綴り合わせ、スカートはメリケン袋を青インキで染め、やはり洋服屋が仕立てた。サンダルは下駄《げた》屋が作った。白粉《おしろい》だけは班長の場合と違って、長時間固定させなければならなかったので、大隊長のイマモロが特に米の収容所長に懇願して、ＷＡＣからクリームとパウダーを貰《もら》って来た。そして口紅《くちべに》をさし、頰紅《ほおべに》を塗った。

大隊本部前に設けられた舞台の前で開演を待ちながら、私は進藤の楽屋入りを見たことがある。夕方はまだ明るかった。彼は世話人の一人に連れられて、石のごろごろした空地を突切って来た。

私は自分の眼を疑った。私は無論これが単に女の服装をした男にすぎないのを知っている。しかし私が見る髪、顔、胸（彼は当今の女性並に贋《にせ》の乳房を入れていた）、腰はどうしても女なのである。歩き方まで、私のようにジロジロ眺《なが》める俘虜の視線を意識した、つまり完全に女の動作なのである。

以来私は我々が普段見ている女とは、実は女でも何でもないのではないかと疑っている。ただ男の通念に従って女らしく化粧した人形にすぎないのではないか。女形《おやま》が女より女らしいとは、屢々《しばしば》好劇家によって繰り返される常套句《じょうとうく》である。

女とはまず手を取り、胸に触れ、それから接吻《せっぷん》でもなんでも、諸君の好むところを、行えれば行うべきものであって、我々の網膜に投影される女の映像なぞ、女自体とは何の関係もないのではないだろうか。一目惚《ぼ》れとか、恋人の顔の美とか、その他彼女の顔面筋肉の活躍によって、我々が彼女の裡《うち》に想像する、様々の精神の諸作用なぞ、すべて我々の眼の迷いなのではないだろうか。

女がまず毎朝の化粧の手間に堪え、顔面に動物性植物性の脂肪の層を固定したまま、一日をすごし得るほど、意欲的な存在であることを忘れてはならない。

表皮から内臓に到るまで、恋人は触れてみねばならぬ。もっともそれでも我々の迷いが去るかどうか、あまりたしかではないのは、パッションは触覚によって昂揚《こうよう》するという、面倒な造化の妙があるからなのだが。

しかしこういう私の判断もすべて俘虜の気の迷いかも知れない。麻糸の鬘にメリケン粉の袋を着た人物を女と感じたのは、俘虜の抑圧された性欲その他に由来する想像力の過剰のためかも知れない。とすればあとの推理はすべて誤りである。

私は別に複雑な恋愛事件や複雑な恋愛小説を好む市民諸君の楽しみにけちをつける気はない。ただ私の遠い過去に属する俘虜時代の一経験に、私は私なりに、一般的形態を与えたいという我執があるだけなのである。

進藤は歌と扮装《ふんそう》は巧みであったが、アクションは下手《へた》であった。それでもとにかく彼女は収容所に現われた最初の女性であった。所謂《いわゆる》「おかま」があったかどうかは詳《つまび》らかにしないが、魅了された多数の「男性」が彼の周囲に蝟集《いしゅう》したのは事実である。

競争があり鞘当《さやあて》があった。わが特攻隊員が化粧し始めたのも無論競争の仲間入りするためである。彼はまたどこからか米軍のサージァント・メージャーの腕章を手に入れて来て、得意気に腰へぶら下げて歩いていた。米軍の制服制帽のほか何の変化のない俘虜の服装にあっては、何でも装飾にならないものはなかったのである。しかし塚本はあまり成功したらしくない。

歌姫進藤の影響は俘虜の一部を必要以上に男性化すると同時に、他の一部を必要以上に女性化した。後演芸大会が進歩して芝居が演ぜられるに到って出現した女形達は、いずれも進藤に倣《なら》って男子を誘惑するのを好んだ。進藤は普段でも夜は女子の服装を着用していたが、そういう女形達も出演によって得た様々の衣装をまとって、嬌声を発して密造の酒を注《つ》ぎ、隣人の膝《ひざ》に凭《もた》れかかった。それほど女性化する容姿と才能を持たない者でも、志ある者は赤や黄に染めた布をターバンのように頭に巻き、この風習は復員列車の中まで持ち越された。

大多数は無論各自、性的孤立に堪えていたが、こういういわば「男情男子」と「女情男子」の間には、時たま排他的結合が成立し、事件があり、感傷的な恋文が取交されたりした。しかし一般に記録文学で誇張されているような「おかま」沙汰《ざた》は、私の知る限りなかった。

一体男子の同性愛において鶏姦《けいかん》の行われる率を、統計は少し古いが、エリスは六％と報告している。その他はせいぜい相互手淫《しゅいん》か感傷的な愛撫《あいぶ》の域を出ないので、倒錯とか変態とか呼ぶ必要はないほどのものである。対象が見つからないか、或《ある》いはそれを誤認した青春の錯誤、もしくは強制的に同性が集団隔離された場合、対象の欠如によって止《や》むを得ず行われる救済行為にすぎない。

六％の真の倒錯者は動物にも植物にも畸《き》形《けい》というものがあるように在るであろう。宇宙的意志のあぶれ者である彼等も、その主張と習慣を持つことは可能で、多少の潜在的畸形を持つ平常人の間に、習慣は蔓延《まんえん》することもある。幸か不幸かわがレイテ島第一収容所に隔離された俘虜の間には、真の倒錯者がいなかったらしい。明治政府と共に鹿児島から全国に広がった「よかちご」趣味も、世代の交替に連れて、昭和ともなれば大分下火となっていたわけである。

一体倒錯者の主張自体根拠あるものだろうか。ジードの「コリドン」は恐らくこの世紀の大虚言者が書いた唯一の真摯《しんし》な本であるが、ここで彼は皮肉にも真摯の故《ゆえ》に過《あやま》っている。

ジードは生物学的根拠に基づいて男性愛を社会的にも正常化しようとしているのであるが、一体社会が愛情に基づいて築かれたものではない以上どんな愛情も正常化される機会はないのである。結婚とそれから派生した親子とか兄弟の愛情だけがわずかに社会に認められているが、それは結婚が元来愛の単位ではないという単純な事実によって、愛情はもしあるならば絶えず社会に裏切られ、社会はもし愛情を殺そうとするならば、逆に愛情に裏切られるという相互関係があるだけなのである。キリスト教は止むを得ず一種の普遍的な愛情を仮定することによって、この劇を緩和しようとしたが、宣伝の割には効果があがらないのは、キリスト教的愛情はあらゆる種類の愛情を薄めただけで、愛情の存在自体をなくすことは出来ない相談だったからである。だから劇はいつまでも続いている。

あらゆる愛情の実行者は個人的道徳（最近の日本ではモラルという片仮名で呼ばれる場合が多い）を考案せざるを得ないが、理窟《りくつ》はいくら精妙になろうとも、結局個人の身勝手を出ない。この意味で死ぬまでエゴチスムの原理の上に胡坐《あぐら》をかいて、社会の外に止《とど》まったスタンダールは正しく、「チャタレー夫人の恋人」のローレンスのモラルとか「コリドン」のジードのモラルとかは未練というものなのである。

自己の変質を自覚したジードは「要は癒《なお》ることではなく、病と共に生きることだ」という十八世紀の僧侶《そうりょ》の言葉を援用している。「私のようなものでも生きたい」はあらゆる「地下室」の住人の叫びであるが、こういう叫びが聞かれる根柢《こんてい》は、社会が無期徒刑囚を含めて、どんな人非人《にんぴにん》にも生きることを許すほど文明化したためである。彼等は要するに平和な社会の寛容をあてにしている。その証拠に社会が痙攣《けいれん》して個人に戦場で死ぬことを命じた時、彼等は決して「生きたい」とはいわず、羊のように従順に殺されて行くではないか。「地下室」の住民が多く保守党であるのと併《あわ》せて考えられよ。

俘虜も社会の痙攣の産物であるが、その結果現われた監禁生活の様式は、平和時の市民社会よりさらに寛容であった。例えば俘虜を養う敵国の利害に触れない限り犯罪はなく、従って刑罰もなかった。せいぜい勢力者の恣意《しい》とか個人的暴力によるリンチしかなかった。だから日常の社会には容《い》れられない同性愛も、収容所に男ばかりいたという単純な事実によって、ここでは自己を主張することが出来たのである。

制約はしかし別の方面、つまり監禁に個人的生活がないという事実から来た。俘虜の同性愛はやはり夜同衾《どうきん》するという表現を取ったが、これは無論隣席の孤独なる就眠者にとってかなり迷惑な表現である。或る日各小隊の班長が結束して中隊長へ抗議を申し出た。これは無論直属上官たる小隊長を無視した行為であるが、班長達は結局のところボスである小隊長に申し出ても、握りつぶされると判断したのである。

抗議は直接同性愛者を対象としたものではなく、炊事の改善を目標としていた。たまたま夜各小隊の女情男子を訪れたのが、多く炊事員であったので、数ある要求の項目中に、

「夜勝手に小隊小屋に闖入《ちんにゅう》して、『おかま』類似行為を働くのはやめて貰いたい」という一項が入っていたのである。

同性愛で積極的役割を果す人物は、俘虜の中でも勢力者であった。そして炊事員は珍しい食糧を愛人に与え得るという点で、俘虜中の貴族だったのである。どの社会でも愛情の主張者は必ず勢力者である。ワイルドや何とか大佐に対する「不当なる」訴訟事件を引用したジードは、ついでのことに提訴には、被告の社会的地位に対する羨《せん》望《ぼう》が含まれていることを指摘したらよかったと思う。

或る夜四個小隊十六人の班長達が、不意に中隊本部に押しかけて要求書を提出したのは、俘虜が示した最初の——そして遺憾ながら俘虜の期間が長くなるにつれ、暴力的支配が成長したため、最後の——民主的な行動であった。彼等にこの行動を思いつかせたのは、無論軍国日本が敗れたためであり、かつ勝者が民主的アメリカだったからである。

軍隊と俘虜における炊事の横暴については、これまで何度も書いたから細目は省くが、中隊長は結局炊事員の「おかま」類似行為を含めて、誰の眼にも明らかな炊事の弊害の改善を約束しなければならなかった。

解散後、班長達の間で指導的役割を果した班長を出した第三小隊長と、炊事員長は蛮刀で決闘するといい、なだめられて思い止った。弾劾《だんがい》された男情的炊事員もその班長に決闘を申し込み、これは見当が違うという理由で断られた。

炊事の改善は実際或る期間或る程度行われた。ただ「おかま」類似行為の方は、女情男子の方で炊事場を訪問するという風に改められた。

悲劇はより善き者を描き、喜劇はより悪《あ》しき者を描く、というのがアリストテレスの説だそうであるが、俘虜より悪しき者はないわけであるから、俘虜の芝居は全部悲劇であった。あわれはかなきやくざの運命を描いた股旅物《またたびもの》から、忠臣蔵の復讐《ふくしゅう》物語、或いは俘虜の唯一《ゆいいつ》の新劇人によって書かれた敗戦軍人の家庭悲劇に到るまで、悉《ことごと》く俘虜の生活の「上」にあるものばかりで組立てられていた。しかし怠惰な俘虜がカタルシスを求めた形跡はなく、すべて見世物の域を出なかった。

俘虜の娯楽はまず角力《すもう》から始まった。これは彼等の中になお残っていた兵士の戦闘意識を快く擽《くすぐ》るという意味で、彼等の最も愛好する遊戯であったが、俘虜の経歴が進むにつれて、歌を聞くという受身の快楽が発達した。多くの花形歌手が各中隊に生れたが、それ等の美声が最初から著しく女性化していたのは、既に進藤の出現を予想せしめるものであったということが出来よう。花井という若い上等兵はイマモロに愛せられ、「花子」と呼ばれた。進藤の出現後、彼は無論負けずに女装したが、少し丈が高すぎかつ太りすぎていたので、イマモロの忠告によってやめてしまった。

これらの俘虜の遊戯がショウ化したきっかけは、米兵の好奇心である。戦争がまだ終っていない頃であった。角力大会を米兵の前で演ずるについて、大隊副長のオラが演説をした。

「諸君の中には米兵の曝《さら》し物になるのを潔《いさぎ》よしとしない人がいるかも知れないが、この際大乗的見地から成心なく闘って貰いたい。収容所長から特に賞品も寄贈されています。こうして日米交歓の気運が熟して来れば、そのうち映画も見せてくれるそうであります」

競技は各中隊競争となったので、応援団は様々な観光的衣装を凝らして踊った。中入には二人の柔道師が巴投《ともえなげ》を演じて喝采《かっさい》を博した。

間もなくソニヤ・ヘニイの天然色のスケート映画が、或る夜大隊本部前に張られた白幕に映写された。キッス・シーンがクローズ・アップされると、唸《うな》るような喚声が観衆の間に湧《わ》き起った。批評家によって暗闇で個人的に観賞すべきであるとされているこの芸術には、こういう観賞法もあったのである。無論これは日本語の科白が刷り込まれてなかったため、観衆は劇を理解せず、画面が完全なショウとなった結果である。

こうした集団的な演技と観賞の習慣は、終戦後呑気《のんき》な俘虜に芝居をやることを思いつかせた。一中隊と二中隊中間の広場に、板を並べた舞台が設けられ、三方をテントの古で囲い電線を引いた。興行は一夜、やはり各中隊が競演となった。役者は俘虜の中で多少とも自己を見せびらかす趣味を有する者が申し出た。作者は、うろ憶《おぼ》えの映画や劇の筋に従って、簡単な一幕か二幕の葛藤《かっとう》を案出した。

演《だ》し物は悉く時代物であった。それも大抵は股旅物で、「春雨街道」「源三時雨《しぐれ》」等々題は異なれ、奇妙なことに、やくざの仁義で打ち果した相手の臨終の願いで訪れた、相手の許婚《いいなずけ》とか妹とかと恋に陥るという筋が圧倒的に多かった。同時に出すのはまずいという世話人の意見で、抽籤《ちゅうせん》にしようということになったが、すると籤《くじ》に落ちた中隊ではもう準備を終っていて、今更替えることも出来ないという始末で、結局女が許婚か妹かという違いだけの芝居が、一夜に三本も上演された。

この筋が日本の股旅物に入って来たもとはたしか「私が殺した男」というアメリカ映画である。アメリカ映画では殺し場は戦場であったが、一飯の仁義によって、恩も怨《うら》みもない人間が殺し合うのは、戦争もやくざの世界も似ている。こういう非人間的な事件の結果、恋愛が起る。この組合わせは余程我々のロマネスクの趣味に合うらしいが、こういう非人間的な刺戟剤《しげきざい》とマッチするところを見ると、恋愛にはもともと非人間的なところがあるかも知れない。

「春雨街道」「源三時雨」の結末は、殺人者が犠牲者の妹とか許婚に襲いかかる悪漢共を撫《な》で斬《ぎ》りにし、とど、自分が彼女の仇《かたき》であることを明かして、悲しくしかし颯爽《さっそう》と旅に上るというのがおさだまりである。これも甚《はなは》だ非人間的な解決である。惟《おも》うに股旅物の流行の根柢には、こういう非人間的な状態に対する憧《あこが》れがある。多分我々平凡人が普段、人間的なあまりにも人間的な苦労に煩《わずら》わされることが多すぎるからであろう。

わが第二中隊の演し物で殺人者に扮した大阪の女学校の体操教師は、帰還後生徒に傷害を与えて解職された。犠牲者に扮した神戸の船員は、帰還後二年目に強盗殺人犯として全国の新聞に手配写真が載った。この非人間劇の主演者が共に犯罪者となったのは奇妙な暗合である。

第一中隊の演し物は「忠臣蔵」で、刃傷《にんじょう》から腹切までをやった。これがやはり一番喝采された。判官に扮した浄土宗の僧侶は、劇が終ると白装束のまま幕の前に現われ、深く叩頭《こうとう》していった。

「今日私共が拙《つたな》き忠臣蔵を御覧に入れました所以《ゆえん》のものは、この皆様御馴染《おなじみ》の古典劇が、国敗れた今、新しく皆様の胸に或るものを訴えると確信しているからでございます。何卒《なにとぞ》皆様、帰国後も忠臣蔵の精神を忘れずに、祖国再建のために尽して下さるよう座員一同に代り、この席よりお願い致します」

復讐奨励の言葉を僧侶の口から聞くのは、まず俘虜の演芸大会でもなければ、出来ないことである。

僧侶は中国地方のかなり有力な一寺の住職であった。丈は低く円顔でよく肥《ふと》って、いつもにこやかに笑っていた。坊主であるから当然話がうまく、夜彼の周囲には常に四五人の聴講者があった。もっとも彼は俘虜に仏を説くような馬鹿な真似《まね》はしなかった。ただなんとなく世間話に藉《か》りて、処世訓のようなものを喋《しゃべ》ったのである。御色気の話にもこと欠かなかった。

彼は私のインテリ臭い様子に目を留めたらしく、眼で一種のサインを送った。しかしスタンダールの耽読者《たんどくしゃ》である私は、聖職者に対して偏見がある。学生の頃野尻湖の桟橋《さんばし》で耳に挿《はさ》んだ土地の人の話を憶えていた。

「何々村の誰それさんは譬《たと》え話がうまいから坊主になればいい」

これは私には日本の人民が僧侶の最低の効用について考えるところの端的な表現と映った。或る日私は俘虜の僧侶にこの思い出を語った。私の無神論をいつもにこやかに聞いていた彼が、この時だけはいやな顔をした。

私は無論彼が収容所で俘虜に復讐を説いたと同じように、現在日本の人民に、デモクラシーと義勇兵を説いていることを疑わない。

演芸大会は大いに俘虜の気に入り、ほぼ毎月二回催された。そのうち半玄人《はんくろうと》も名乗りを上げて来て、各中隊選抜の大一座も組織され、「肥後の駒下駄《こまげた》」まがいの、かなり筋の立った長いものが演ぜられるようになった。衣装も海岸のシビリヤン・キャンプから日本の着物を借りて来たが、女の着物の尻《しり》には赤い汚点があった。

玄人劇団の誕生は同時に、後収容所に私的政権を打ち樹《た》てた刺青《いれずみ》組の誕生を意味した。上膊《じょうはく》に竜の刺青したわけのわからぬ男が、舞台と楽屋をうろうろしだした。彼はいつの間にか大隊本部員の一人になっていた。

遊楽のあるところ、必ずこの種の暴力団が生れるのは娑婆《しゃば》も収容所も同じである。我々の大多数が帰還を許された二十年十二月までは、暴力も過度に到らなかったが、残された戦犯容疑者の間で、彼等は次第に組織と勢力を拡大し、党員は腕にインキで竜の刺青を強制されたそうである。

竜の模様は「ブラック・ドラゴン」の先入主を持つ収容所長の目に留り、親分は取調を受けたが、やがてただの請負師にすぎないことがわかって釈放された。

演技は歌舞伎の型が或いは崩れ、或いは誇張された、要するに田舎芝居であったが、これが米軍兵の好奇心を惹《ひ》き、或る夜附近一帯のキャンプの米兵が観《み》に来ることになった。さらに愉快なのは日本の看護婦も来るということである。

従軍看護婦は終戦後一カ月目からぼつぼつ比島の各地から集って来て、わが第一収容所の向い側の俘虜病院に附属させられた。ＷＡＣの制服を着た大きなお尻が、たどたどしくトラックから降りる姿が遠く見られた。

これは無論我々が俘虜になってから初めて見る日本の女である。以来俘虜病院の作業は、俘虜の間で争奪されたが、作業者は或いは憤慨し、或いは喜んで帰って来た。

無論差し向いでゆっくり話すなんてうまいことはない。向うはテントの中で薬棚《くすりだな》の掃除なぞし、こっちは外で道をつけたり溝《みぞ》を掘ったりしているので、監視の米兵の隙《すき》を覗《うかが》って、遠くから素早く言葉を交わすだけである。

或る看護婦は向うから声をかけたそうである。

「あなた方の方は、いかがでござあますか」

「どうもこうもねえです。俘虜になぞなって、まったく面目次第もねえ」

因《ちなみ》に看護婦に戦争中からの俘虜はなく、終戦後集団的に米軍の保護の下に入った者ばかりである。

「あら、そんなことござあませんわ。今度の戦争はみんな軍部が悪いんですもの、ちっとも卑下なさる必要ございませんわ」

別の看護婦はしかし別の俘虜を「ほりょ、ほりょ」とからかった。こっちはいい返した。

「何だと。憚《はばか》りながら俺《おれ》達ゃ最前線で命の瀬戸際《せとぎわ》を潜《くぐ》って来た体なんだ。山ん中で将校といちゃついてやがった手前達に、俘虜の何のっていわれる覚えはねえんだ」

すると相手は石を抛《ほう》って寄越したそうである。

しかし、とにかく異性の日本人を見た彼等は果報者である。中隊の通訳でいつも事務所に詰めていなければならぬ私には、そんなチャンスはない。その大和撫子《やまとなでしこ》が向うから大挙して押し掛けて来るというのであるから、あに欣喜雀躍《きんきじゃくやく》せざるべけんやである。

彼女達は二十人ばかり、舞台前面の特等席に目白押しに収まった。婦長とおぼしき三十がらみの一人を除いては、みな二十代の若い娘達ばかりである。しかし正直にいうと、この一年振りで見る大和撫子の印象はあまりぱっとしなかった。化粧をしていない彼女達が、陽灼《ひや》けのした顔をむき出しにしていたことを割り引いても、眼が小さく頬《ほお》が広い平ら顔に私はがっかりした。

婦人の読者の憤慨を回避するため、私は急いで付け加えるが、帰還後五年の今日、私はこの種日本女性の一般型を決して醜いなぞとは思っていない。むしろ美しいと思っているくらいである。ただ監禁一年のこの時、私が彼女達に落胆したのには、それ相当の理由があった。

収容所で我々の眼に触れる女の顔は、米国の雑誌類に載った写真に限られていた。主としてピンナップ・ガールと呼ばれ、戦争と共に誕生した新型モデルの写真で、米兵の枕頭《ちんとう》に飾られて、彼等の孤独を慰める目的に適《かな》ったポーズを取る。気取って立った海水着の小娘から、だらしなく仰向きに寝て、誘惑的な眼差《まなざし》をカメラに向けた大年《おおどし》増《ま》にいたるまで、米兵の様々な年齢と体質に合った、あらゆる種類のニュー・フェイスが生れていた。これが同時に我々俘虜を慰める唯一の「女」だったのである。

我々も米兵なみにそいつを切り抜いて、枕頭に貼《は》りつけたが、或る日将校の巡視があった後、全部取りはずしを命ぜられた。負けた国の男は勝った国の女まで鑑賞する権利はないのかと、我々は憤慨したものだが、これはどうやら我々の僻《ひが》みであったらしい。中隊付のサージァントに訊《き》いてみると、米兵でも将官の巡視の時ははずさねばならぬそうである。そこで我々も巡視がすむと、また貼り出す許可をきわどく獲得した。

アメリカの美人達はいずれも人に見せる顔をしていた。或る美人は眉《まゆ》を大きく釣《つ》り上げて無意味な放心を示し、別の美人は口角を小さく釣り上げて無意味な笑いを浮べていた（こういう見せるための顔面筋肉の運動が、すべて上方に向っていることは注意を要する。その完璧《かんぺき》な形式は恐らく般若《はんにゃ》の面である）。

一体美人とは何だろうか。無論美しい女にきまっているが、我々は何によって或る女を美しく、他の女を醜いと思うのだろう。美学者は無論鼻の高さとか、額と頰の釣合とかについて、シンメトリーや黄金分割の法則を提示するだろうが、もし我々が全くそういう法則に反した女ばかりの国に生きていたとしたら、我々はやはり周囲の女を醜いと思うだろうか。

してみれば女の容貌《ようぼう》の美に関する我々の観念は、要するに文明の結果で、つまり我々の贅沢《ぜいたく》に発しているのである。美人を獲たいという欲望は恐らく現代のあらゆる男性に行きわたっているが、それには印刷術の進歩による美人画や美人写真の伝播《でんぱ》が与《あずか》って力があると思われる。多分昔は近郷一の美人の評判ぐらいがせいぜいで、それもわざわざ出掛けでもしなければ見る機会なぞなく、旅費と暇のない人間は、女房が一番美人だと思っていればよかったのである。

美人画の正確な起源は無学な私の知るところではないが、文化の中心地で作成される画家の理想画によって、美人の通念が普遍すれば、人は自分の女房や恋人がそういう画に比べて美しくないと思わねばならぬ。つまり美人画の効用は男を絶えず不満の状態におくということかも知れない。

美人写真とても同じことだ。写真も現代のように進歩して来ると、なかなか「真を写す」どころではなく、現実にはあり得ない照明を工夫したり、修正を加えたり、浮世離れのした色をつけてみたり、理想化の手段を凝らして来る。しかもその土台はモデルが実生活では絶対にすることのない見せ顔なのである。

私が俘虜の大和撫子を見てさっぱり感服しなかったのは、ほぼ以上の次第で、つまり私がアメリカの美人写真に中毒していた結果である。私は現代のアメリカ映画のスターに悩殺された恋人達が、互いに相手に無益に失望されないことを望む。

同胞の女の前では芝居は一段と熱演であった。立役はなかなか好男子で、鬘《かつら》も化粧も進歩し、水のたれるようなといってもいい男振りであった。彼が花道へ現われると、大和撫子の顔は一斉《いっせい》にそっちを向き、私の方からは後頭部しか見えなくなった。再び婦人の読者の憤慨を冒していえば、この二十数個の黒髪の示す機械的な運動はちょっと壮観であった。俳優が動くにつれて、黒髪も一斉に動いた。彼女達が俳優の扮装《ふんそう》に化かされていることは、我々が美人画に化かされているのと、大差はないようである。

劇の間に歌謡曲も入り、進藤を初め数人の女情男子が女装して舞台に現われた。彼女達の扮装も進歩して、この日はストリップ的ズロースを穿《は》き、足首まで軽羅《けいら》を垂らすという凝り方であった。ただどうにもならないのは股間《こかん》の一物である。「進藤の奴《やつ》、大きなまらしてやがんな。興醒《きょうざ》めじゃ」と或る男情男子が聞えよがしにいった。

贋《にせ》の女子は真の女子の前で足をあげ尻をまくり、大いに踊った。真の女子は互いに隣人の肩に顔を埋め合って笑った。彼女達はそれきり俘虜の演芸大会に来なかった。

劇と舞踏を諸芸術の淵源《えんげん》におく説がある。よくは知らないが、とにかくこれが、俘虜という一種の野蛮状態から最も繁栄に赴いた様式であったことはたしかである。ただし自分で踊る舞踏の方は盆踊が一度興行されたきりで、なんとなくおしまいになってしまった。踊り狂う根拠は俘虜の生活の何処《どこ》にもなかったからである。

そのほか俘虜の閑暇の間に蔓《はびこ》った芸術のジャンルは、すべておのずから俘虜という条件に制限されていた。

例えばレアリスムというものが俘虜の芸術に絶えて現われなかったのは、彼等の囚人の条件の結果であった。絵画芸術の根柢《こんてい》には、ここに書くには長すぎる理由によって、レアリスムがあると私は信じているが、俘虜の画家で我々の現在の姿を写した者はいなかった。画家自身を含めて、我々の中で我々の現実を画面に見直したいと思う者は一人もなかったからである。

画家は専《もっぱ》ら富士山とか舞妓《まいこ》とか竜を描いていた。これとても俘虜のためではない。スーヴニール好きの米兵に売るためである。彼等が我々のために描いたのは春画であったが、周知のようにこれは歌麿《うたまろ》以来最もレアリスムから遠ざかったものである。そして画の性質上、我々はそれを壁に掲げて始終眺《なが》めるという、正規の鑑賞を行うわけには行かなかった。

建築は材料と様式が予《あらかじ》め決定されているという理由によって、最も工夫の余地が少なかったものである。ただリスター・バッグという貯水袋を吊《つ》るす小屋に、古い井戸屋作りの様式の一端が窺《うかが》われただけである。袋から垂れる水を受けるため一尺四方を割竹で囲い、中に大粒の砂利を並べたものも、日本的造園術の遥《はる》かな反響である。

俘虜という状態には何等記念すべきものもなかったので、彫刻は当然一つも造られなかった。

浮動する音楽が俘虜には一番性に合っていた。そして持合わせの肉声がその唯一の手段であった。歌詞は我々の生活に少しも関係のない古い軍歌と流行歌であっても、多くは悲しいそれらのメロディーによって、歌はどれでも我々の囚人の気分に合ったのである。

愉快なメロディーは殆《ほと》んど「富士の白雪きゃノーエ」唯《ただ》一つであったといってもよい。しかしこれが歌われるのは、我々の密造の酒が出来上った時に限られていた。どんな悲しい野蛮人でも酒の歌は持っていなければならぬ。私が何気なく歌った古い「乾杯の歌」のむずかしい半音階的進行を、俘虜は苦心して覚え、忽《たちま》ち流行した。

私も俘虜の歌う流行歌をいくつか覚えた。流行歌のメロディーは悉《ことごと》く悲しい、それが特徴である。俘虜でなくても、日本人は悲しい国民だったのだ。これはただ通俗といってすまされる代物《しろもの》ではないのである。

私は「黒田節」に雅楽の痕跡《こんせき》を発見し、「ジャバのマンゴ売り」にリムスキー・コルサコフの影響を認めた。私がもっと博学であるならば、これ等流行歌の根柢にある真面目《まじめ》な音楽の特質から、流行歌の流行の理由は尽《ことごと》く解読し得ると信じている。

俘虜の芸術の中で浪花節《なにわぶし》もまた無視することが出来ない。最初は少数の蓄音機名人がさわり？　を隣人に聞かせる程度であったが、演芸大会をきっかけに「喉《のど》自慢」程度の半玄人が続々掘り出されて来た。

いかにも浪花節に展開される義理人情は封建的で、現代社会と相渉《あいわた》るところ最も少いものであるが、それは少くとも俘虜の聴衆を最も静かならしめる魔力を持っていた。

かつてこの俗曲は「武士道鼓吹」と宣伝されたことがあり、屢々《しばしば》「反動」の先駆のようにいわれているが、事実は流行の理由はそんなところにはなく、この譚詩《たんし》の一種の叙事詩的進行に、「平家物語」以来の日本人の外的事件に処する態度と、うまの合うものがあるからかも知れないのである。

「清水次郎長伝」に比すべき大小説は大正以来書かれていない。智《ち》仁勇備わったゼウス次郎長の下に、怒れる大政《おおまさ》や考える小政があり、さらに悲劇的な吉良《きら》の仁吉《にきち》にも、喜劇的な遠州森の石松にもこと欠かない。私自身を含めて「馬鹿は死ななきゃ癒《なお》らない」人物はそこらにうようよしているのに、何故《なぜ》現代小説はそれを書かないのであろうか。要するに「死んで癒して参りやす」の如《ごと》き事件を発明する態度を失ったからではあるまいか。

もう一つ浪花節で私が気がついたのは、事件を自然の中におくことを知っていることである。例えば私が憶えた玉川勝太郎「天保水滸伝《てんぽうすいこでん》」の冒頭は次の通りである。

千早ふる、神代からなる不二筑波《つくば》、あいを流れる坂東《ばんどう》太郎、懸け渡したる虹《にじ》の橋、足掛け十年、血で血を洗う、利根《とね》の逆浪《さかなみ》、男の意気地、されば天保水滸伝。

大して名文でもなく、不二と筑波の対照も少し滑稽《こっけい》ですらあるが、とにかくここには自然と人事が、観照を通じて一致している。これこそ「破戒」を最後として、日本の小説が失った最大のものではないだろうか。私小説の自然は要するに葛西《かさい》善蔵の「椎《しい》の若葉に光あれ」の袋小路を出られないのである。

そういえば「大菩薩峠《だいぼさつとうげ》」以来大正の大衆小説の成功も、大きな自然を背景としているからである。「鳴門秘帖《なるとひちょう》」「富士に立つ影」また然《しか》り。股旅物が喜ばれるのは、主人公が歩行という非現代的な手段で、ゆっくり自然の中を行くからではあるまいか。さらに映画化されて、美人写真と同じ理由で、生の自然よりさらに美しい浅間の煙や、富士の白雪をふんだんに見せつけられては、一層こたえられないところであろう。ルソー以来西欧の自然讃美《さんび》はラスキンに拠《よ》れば一種の感情的錯誤の由《よし》であるが、もし日本人にギリシャ精神でもキリスト教精神でもない、独特の肉体的な自然観照の伝統があるならば、この宝庫を利用しないのは、日本文学にとって惜しむべきではないか、と俘虜の隣人から浪花節を教わりながら、私は思ったものである。

芸術の次には芸術家を語る順序であろう。歌手と俳優について既に触れて来たが、要するに歌手は流行の専門家に似ようとし、俳優は彼等が人間と信ずるものに似ようとしていた。そして見物しようとしているにすぎぬ俘虜の観衆にはそれで十分であった。

劇作家が一人いた。迫田《さこだ》は戦時中の移動劇団員である。頬の豊かな小男で、中野辺の喫茶店のマダムに愛されていたそうである。マダムは樋口《ひぐち》一葉に似た美人だった由であるが、彼の語る太平洋戦争下の恋物語が、十五年前私の学生時代に流行した中央沿線の喫茶店情話と、寸分違《たが》わないのには私は少し驚いた。

彼は遥かに想像した敗戦日本の世相を舞台に載せた。これは浄土宗の坊主の「忠臣蔵」と共に、俘虜の演芸大会に現われた真面目な意図を持った作品の双璧《そうへき》であった。

題は「鷺《さぎ》」、参謀本部付中佐が復員した自由主義者の青年に不本意ながら娘を与えて自殺するという筋である。夜幸福なる恋人達は海岸で不吉な鷺の叫声を聞き、中佐の自殺を予感するという幕切れであった。

三人の人物はそれぞれ新劇の有志が演じた。中佐には私に映画の知識を与えた亘《わたり》が扮した。彼は学生時代映画の進歩的理論家で、「窓」というシナリオを空想していた。それは或るアパートの窓々をカメラが歴訪し、その一つ一つの室の住人の生活の歴史が、四巻の短編に纏《まと》められるはずであった。ただ彼はその空想を十年あたためているだけで、遂《つい》に書き上げていなかった。

娘は迫田が自ら演《や》った。彼の移動劇団の経験には無論女形の技術を習得する機会はないはずであったが、俘虜ではほかになり手がなかったので、彼は精密な研究と倦《う》まざる練習の結果、とにかく受動的性の感じだけは出すことが出来たようである。中野の喫茶店のマダムとの受動的恋愛の経験がものをいったのであろう。

好奇的俘虜の目の前ではこの真面目な演劇は完全な無償の行為であった。観衆は絶えずざわざわし、対話は聞きとれなかった。それにも拘《かか》らず劇は一種の感銘を与えたようである。俳優は曲りなりにも、祖国の日常の衣服らしきものを身につけ、畳らしきものの上で卓子《テーブル》を挟《はさ》んで端坐《たんざ》していた。

「早く帰りたいなあ」と観客の一人が呟《つぶや》いた。

それに舞台上の人物は、収容所内で真面目に話して動作している唯一《ゆいいつ》の人間であった。私はこの無償の行為が或る意味で成功したと思っている。

作曲家もいた。東京の或るダンシング・チームの楽士で、流行歌作曲に志を持っていた。彼は何でも歌にした。

前の収容所で四人の航空兵が脱走に失敗したことがある。彼等はマニラへ送られて銃殺されたと噂《うわさ》された。彼は早速脱走者の勇気と死を讃《たた》える歌を作ったが、流行しなかった。

終戦後彼の作った歌は次のようなものであった。

椰子《やし》の木蔭《こかげ》の鋪道《ほどう》を
軽くウインクに紅さして
ヤンキイ娘がサージァント
ハンド・イン・ハンドで颯爽《さっそう》と
いつも朗かに口ずさむ
歌のメロディ
ラタラタ、ラ。

あらゆる流行歌詞と同じくこれは殆んど無意味に近いが、米兵に対する阿諛《あゆ》だけははっきり出している。旋律は甘く平易であったが、これも流行しなかった。

画家に西洋画家のいなかったのは偶然であったが、日本画をかじった者が二人もいたのは、レイテ島を防衛したのが十六師団で、つまり京都市民が多かったからである。しかし彼等が手本によって学んだ画は米兵を喜ばすだけで俘虜を少しも慰めなかったことは前に書いた。

彼等はそのうち春画も描いたが、このジャンルはやがて俘虜の間にどこからともなく現われて来た線画に圧倒された。源を遡《さかのぼ》って判明した線画家は鳶職《とびしょく》とか洋服屋とか、あまり絵とは関係のありそうもない人物ばかりであった。彼等はただのジャンルに対する異常な嗜好《しこう》によって、恐らく永年同じ絵を描き続け、俘虜の孤独にあっても、紙と筆さえあれば随時再現出来るほど熟達していたのである。そして彼等は奇妙に傲慢《ごうまん》であった。

かく申す私は俘虜の中の最初の文士であった。映画理論家亘の指導により、退屈ざましに書いたシナリオは、収容所内に現われた最初の日本語の読物であったから、莨《たばこ》一本の読料でかなり広く読まれた。私はまずオーヴァシー版の探偵《たんてい》小説の好《い》い加減な飜案《ほんあん》から始め、次第に昔からの文学青年の空想を、シナリオという安易な形式に定着するのに興味を覚えるようになった。

中身は空疎《くうそ》なロマネスクである。古い恋愛の葛藤《かっとう》を選んで、毎夜ベッドの暗闇《くらやみ》で鼻歌まじりに考案した場面を、翌《あく》る日書き記すだけである。そういう主題が私の気に入り、また俘虜の同類にも気に入られたのは、専らそれが俘虜の現在の生活となんの関係もないためである。二千七百カロリーの豊かな米軍の収容所では、我々に恋愛を夢みる暇もあったということである。

私のシナリオが読まれ出したのは、まだ戦争中で最初の歌手花子が妙《たえ》なる美声を大隊本部前で転がし始めた頃《ころ》であった。思えばこれが既に我々の堕落の最初の徴候であった。

終戦後所内に春画が現われ出した時、私は多くの俘虜から春本を書くことを頼まれた。文士は何でも引き受けた。学生の頃仏語訳で読んだ「チャタレー夫人の恋人」の樹下の媾合《こうごう》の比喩《ひゆ》的描写を思い出し、「田園交響曲」なる一本を書いた。

本は成功した。シナリオの莨一本の読料には屢々不払があったが、春本は五本前払いで争って借りに来た。しかしシナリオは必ず返って来て、いつまでも私の莨の資源となっていたのに反し、春本はやがて行方不明となり、総体において私はあまり儲《もう》からなかった。

慰安婦にすら快楽を与えたと自称する或る見事な男根の持主は、興奮して一晩寝られなかったそうである。この成功はしかし当然原作者ローレンスに帰せられるべきである。

私はさらに求めに応じてピエル・ルイスの「アフロディテ」中の最高の恋人同士の媾合の場面を引き延し、女の快楽の頂上を分娩《ぶんべん》の苦痛と結びつけてみたが、この解釈はあまり成功しなかった。この罪は当然ルイスに引き受けて貰《もら》いたい。

いかに俘虜とはいえ、春本を書いた私を汚《けが》らわしい奴《やつ》と人はいうかも知れない。しかし私は何も俘虜でなく春本を書かなくても、汚らわしい人間かも知れないのである。そういう人は、一度米軍の俘虜になって、一年コーンビーフばかり喰《く》わされてみるといい。

性交に関する現代の観念は誇張されている。人は各々《おのおの》その社会的地位と能力が異るように性的能力も異るのだから、各々その能力に従った性生活を営めばいいのであって、エロ小説家の法螺話《ほらばなし》や、性学者の集めた不正確な証言によって、無駄《むだ》な望みは起さない方がいいのである。夫婦が閨房《けいぼう》とは別の条件で結ばれている以上、その幸福は純然たる道徳の問題である。「完全なる結婚」は不幸な結婚を癒《いや》すよりも、幸福な結婚を毀《こわ》す率が多いのはまず間違いない。

女が男の肋骨《ろっこつ》から造られたという説は疑わしい。精液の袋にすぎない雄を多数生殖器の周囲に附着させている下等動物がいる以上、むしろ男が女の生殖器から造られたという方が、比喩としても適切であろう。生物学的には女の部分品にすぎない男は、狩し戦い考えて、政府を作り、女を所有することを覚えた。そこで女は美人というものに化けて戦争や三角関係を起し、或《あ》るいは山の神となって復讐《ふくしゅう》を遂げるのである。

この間の事情はとても性交なぞという簡単な習慣に基《もと》づいて片づけられるはずはないのであって、そこのところをよく考えれば、人は人生において性交の占める位置を、徒《いたず》らに誇張せずにすむのである。トルストイのように夫婦は交わるべからずと説く人もいるくらいである。

あとは「チャタレー」も「アフロディテ」も小説である。デモクラシーと共に女性化した現代の男性が、再び女の生殖器にぶら下る夢を見ているだけでの話である。私は「チャタレー」が猥褻《わいせつ》文書という説に賛成である。ただ起訴はしなくてもいい。この本が社会に流す害毒とやらは、社会が別の法則で動いている以上、たかの知れたものだからである。

政府を戴《いただ》いた現実の社会にあっては「チャタレー」も検事の職業意識を刺戟《しげき》するかも知れないが、俘虜という無政府状態にあっては、私の「田園交響曲」は立派な合法的存在であり、書く私を含めて、多くの俘虜に慰安を与えたのである。この事実の無意味さに比べれば、チャタレー問題など糞喰《くそくら》えといいたいところだ。

ただ「チャタレー」の流行が敗戦日本の収容所化を促進するから悪いというのなら、問題はまた別である。

俘虜演芸大会はますます隆盛に赴いた。成功に気をよくしたイマモロは一夜興行ではものたらず、三晩にわたる大々的大会を計画した。本部前の広場では間に合わないと考え、収容所後部の広い空地に舞台が移された。

各中隊は三つ演《だ》し物を作らねばならなかった。わが中隊の演芸委員長たる炊事長に脚本を依頼されて、私は「人参《にんじん》」という猥褻喜劇を書いた。筋はここでは省略するが、喜劇は成功し、私の帰還後も長く演芸大会のレペルトアールに載っていたことが、やはり作者の自慢である。これは俘虜の芝居で唯一の喜劇だったのである。

舞台は広く電燈は明るくなった。歌謡曲にはマイクロホンまで持ち出された。松井翠声張《すいせいば》りのおっちょこちょいが出現して、ポーランド娘に扮した女情男子を推薦した。十中隊へ新しく入った兵曹長《へいそうちょう》はカスタネットを鳴らして「ハバネラの歌」を歌った。米兵も今は観《み》るだけでは満足せず、アコーディオンを抱えて舞台に上り、悲しい望郷歌を奏《かな》でた。

三晩のうち一晩は全部田舎芝居劇団の通し狂言によって占められた。刺青《いれずみ》の親分がどこからか呼笛を手に入れて来て、開幕閉幕を合図した。立女形《たておやま》の女情男子は彼によって所有されているという噂であった。多くの俘虜が「とんぼ」を切ることを仕込まれ、立ち廻りは一段と華やかになった。

新劇団の迫田は今度は「烏《からす》」という三幕の新作を発表した。復員者が死んだ戦友の遺族を歴訪して、その様々の運命を知るという、明らかなシナリオ「窓」の空想者亘の暗示に基くと思われる筋であった。復員者が遺族の家へ入る時、必ず屋根で烏の啼《な》き声《ごえ》がするのが「烏」という題の因縁であった。

自作の猥褻劇を見棄《みす》てて私は中隊へ帰って来た。演芸大会はもう沢山であった。殊《こと》に自分の書いた猥褻劇を観るなどは。わっわっという歓声は私の作品を俘虜が笑っている声であった。私にはそれが私自身に向けられた笑声と聞えた。誰もいない中隊事務室で、私は彼等を笑い返していた。

炊事場から密造の酒を取って来て飲んでいると、奥の暗いベッドから意外に人影が現われて来た。中隊給仕の吉田であった。

「何だ、何故見に行かないんだ」

「つまんないからね。演芸大会なんか見に行く奴は馬鹿さ。俘虜になって何がそんなにうれしいのかね」

十七歳の少年に非難されては、私はつい俘虜の肩を持つ気になった。

「うれしくねえから、ああやって遊んでるんじゃねえか、生意気いうもんじゃねえ」

「生意気なら生意気でもいいけど、本当のことは本当だ」

彼もコップを手にしていた。私は彼も酔払っているのに気がついた。

「まあ、そりゃそうさ。俺《おれ》もつまんないから帰って来たんだ。一緒に飲むか」

私は陰気な信州の少年が好きであった。彼は農村の孤児で、幼時から親類の厄介《やっかい》になって苦労していたのである。「他人の飯も、三年ひとところで食えば、他人の飯じゃねえからね」と彼はこの晩も得意の哲学を繰り返した。そして二人は完全に酔払ってしまった。

私の劇に女形を演じた役者が興奮して帰って来た。

「こんなに受けたのは初めてだ」

「春雨街道」では斬《き》られ役を振られた役者である。彼は女情男子の美貌《びぼう》がないにも拘らず女形を望んで、今夜がその初日であった。それが受けたので有頂天になっているわけであるが、私の喜劇は元来、女形が女らしくてもなくても、どっちでもいい種類のものであった。

いつ私が十七歳の吉田と喧嘩《けんか》になっていたか憶えていない。彼は女形に抱き止められていた。

「やい、生意気っていやがったな。一丁やるか。どうせ一度は捨てた命だ。どっからでもかかって来い」と彼は喚《わめ》いた。

私はこの時初めてこの不幸な少年が酒乱であるのを発見したが、遅かった。私は彼と少しも喧嘩したいのではなかった。俘虜の演芸大会がつまらないという意見では、全く彼に賛成であった。その同意見の三十六と十七の男が、酔ったとはいえ、どうして喧嘩しなければならないのか、さっぱりわけがわからなかった。

要するに監禁されていた我々には、楽しむのでなければ、喧嘩でもするほかはなかったのである。

俘虜演芸大会はいつ果てるとも知らず、遠く潮騒《しおさい》のような歓声を、暗い中隊小屋まで送って来た。

帰還

予言者というものはいつどこにでもいるものだが、俘虜の中にもいた。彼は戦争の終了を八月十七日と予言した。これは二日の違いでしかない。ただ勝者と敗者が入れ違った。彼によれば、日本はあくまで米国に押され続ける。しかし押されきった最後の瞬間にでんぐり返って、日本の勝ちになるはずであった。

終戦後俘虜の関心は専《もっぱ》らいつ帰れるかということであったが、彼はそれを十月二十八日と予言した。俘虜はもう彼の予言なぞあてにしていなかったが、予言は奇妙な適中の仕方をした。つまり正にその十月二十八日の夜、我々は収容所長から十一月十五日に帰還の通達を受けたのである。

我々の歓喜は要するに筆紙に尽し難《がた》いというところであろう。それは我々の囚人の悲哀の根本のところは、心理的に表現することが出来ないという事実と裏腹の関係にある。こういう喜びには何等ロマネスクなものはないから、ああ思ったとか、こう感じたとかいっても始らない。ただ我々は何をしたかを書くほかはない。では我々は通達を受けた晩、密造の酒で大饗宴《だいきょうえん》を開いたのである。一時すぎまで各棟に灯《ひ》が連り、放歌の声が響き渡った。或《あ》る者は翌日からボール紙を GO HOME と切り抜いて、色鉛筆で赤く塗り、枕元《まくらもと》の棚《たな》へ貼《は》りつけた。そして一日中その下に寝そべっていた。

準備が始った。輸送編成はこれまで日本人代表者が任意にきめた中隊編成とは別である。各自の俘虜となった日附順による俘虜番号により、厳密に乗船人員を切って編成される。これまでの俘虜の間の親密も友情も考慮されない。

GIが誰でも持ってる大きな袋が渡され、持物一切を詰め込むことになった。被服に全部もう一度PWを捺《お》すことをいい渡された。しかし俘虜はみな米軍の上質の被服に未練がある。それまでも彼等はPWを捺すのを出来るだけさぼっていた。最初この屈辱的な文字を背負いたくないという自尊心から出ていたが、終戦後は何とかしてPWなんて不体裁な字で汚れていないものを持って帰り、日本で使いたいという我欲ととって替った。

被服とは木綿地の衣服上下二揃《そろい》、シャツ、ズロース、純毛靴下《くつした》各四点、帽子、雨衣、靴、それから濠洲《ごうしゅう》の毛布である。熱帯から温帯の冬にうつるのであるから、特にジャンバーと、戦争終了と共に不用となった迷彩ジャングル着各一着が支給された。このジャンバーは特に俘虜がPWを捺したがらない代物《しろもの》であった。日本代表者イマモロは検査で引掛ると止められるぞ、と脅かしたが、俘虜は実はあんまりイマモロの言葉を信用しない。それほどこの外国製の着物に対する執着は強いのである。

その他外業先で海軍用語で「銀蠅《ぎんばえ》」、つまり盗んで来た品物が沢山ある。スウェーター、手袋、靴、その他俘虜規格外の品物がふんだんに有る。俘虜もさすがにこれだけは米軍の検査官の前に出す勇気がない。

米軍もこの種の品物の存在を知っていた。中隊付の米兵ノースは私にいった。

「君達が多少倉庫から盗んだものを持っているのを我々は知っている。しかし既往は問わないから、みんな出してくれないか。我々は日本の罹災民《りさいみん》に贈るつもりだから」

中隊長にその意を伝えると、彼はせせら笑った。

「うまいことをいやがって、どうするかわかったものか。焼いちまえ。焼いちまえ」

「焼かなくてもいいでしょう。たとえ比島人に払下げられたとしても、それだけ比島人がうるおうわけじゃないですか。焼いたんじゃ、折角使えるものが灰になるだけでも損じゃないですか」

中隊長は答えなかった。そしてさっさと小隊長に命じて、員数外の被服を敷地裏に積み上げさした。そしてガソリンをぶっかけて火を放った。他の中隊長もみな同じ意見であったとみえ、火は各中隊で三日三晩燃え続けた。これが軍隊であった。

それでも誤魔化してスウェーターと手袋を船まで持って来た者を私は一名知っている。或る者は際《きわ》どいところで、貯《たくわ》えてあった煙草と毛布を取り替えていた。大きな被服は全部内地に到着と同時に返納するはずであったが、比島の米軍と日本の米軍の方針は自《おの》ずから異り、日本でも上陸地によっては取り上げたり、くれたりした。浦賀は全部くれた。博多は取り上げられた。

別離は我々の間を別の感情で彩《いろど》った。長い監禁の期間に形づくられた習慣の合間々々に、我々の語り合う口調、ふと合せる眼のうちに、我々はこれまでとは違った色合を認めた。

我々が別れを惜んだといっては誇張になるであろう。俘虜になった最初から、いつまで続くかはわからないが、これが一時的のものであり、いずれ我々がそれぞれ各自の生活に戻って行くことはわかっていた。だから今その別離が来た時、我々には単に来るべきことが来たとして迎える用意があったわけであるが、互いに見慣れた習慣的動作の間に、発作的に帰還準備の動作が混って、早くも各々《おのおの》自分の中に閉じこもったような色合が、互いの胸を傷つけたのである。

十カ月の間には私にも友達が出来ていた。映画とシナリオを教えた亘《わたり》、始終私に煙草を供給してくれた衛生兵の平野、その他炊事員の若い無邪気な水兵と私は仲が好《よ》かった。彼等もそれぞれ小市民的或《ある》いは農民的生活を持っていて、これからそこへ帰って行くわけであるが、収容所の退屈にあって、たとえひと時にせよ、我々の最も動物的な部分で馴《な》れ親んでいたのである。

「大岡さんはそうやって始終冗談ばかりいってるが、ほんとはなかなかよく考えてる人だと思うね」

と若い炊事員の一人が御世辞をいった。私は笑った。

「馬鹿だな。誰だって、冗談をいう時は冗談のことしか考えていないもんだよ。人前は冗談にまぎらわしているが実は、なんてのは、歌舞伎《かぶき》にしかない。一日の中で笑ってる時間が多ければ、それだけその人は面白おかしく浮世を送ってるのさ、始終酔払ってる奴《やつ》は、要するに酔払いさ」

彼等の間にもそれぞれ仲好しがあった。所謂《いわゆる》「おかま」ではあるまいが、特別な排他的な友情で結びついて、裏切ったとか、裏切らないとか、心を察してくれないとか、くれたとか、酔うと抱き合ってよく泣いていた。

いよいよ船待ちのため別々のキャンプへ移って、彼等と別れることになった時、彼等の一人はいった。

「なあ、大岡さん、あんたはどうせ内地へ帰れば課長とか重役とかいうんだろう。俺達がいっても、へん、俘虜の仲間なんて御免だよ、なんて玄関払い喰《く》わさないでくれよな。きっと訪ねて行くからね」

「俺《おれ》は課長でもなければ、重役でもない。第一課長と重役では、大変な違いだよ。わかった。もし俺んちに玄関があっても、玄関払いなんか絶対に喰らわせねえから、いつでも訪ねて来ておくれ。それよりお前がきっと来るという約束の方を、しっかり守って貰《もら》いたいね」

「行くとも、きっと行く」

「じゃ、待ってる。あはは、そんなけろけろした顔をしねえで、何故《なぜ》泣かないんだい。涙はこういう時使うもんだよ」

「おい、おい」

彼等は泣く真似《まね》をした。一人は眉毛《まゆげ》の尻《しり》が薄いので、刺青《いれずみ》で補っていた。どういう気でそんな化粧をする気になったのかわからない。そして彼等は結局来なかった。

我々の間で別れたくないばかりでなく、比島そのものと別れたくない人達もいるのである。副島《そえじま》老人はもう六十二のミンダナオの玉蜀黍《とうもろこし》園主で、比島在住四十年、比島人の妻との間には五人の子供があり、孫もある。生れはとにかく福島県であるが、もともと孤児であった彼には、帰っても行くところがないのである。二三の親類もとうに郷里を出てしまっているはずで、行く先はわからない。

彼が我々兵士と一緒に収容されているのは、軍の食糧蒐集《しゅうしゅう》の斡旋《あっせん》をし、米軍上陸後軍と行動を共にしたという理由だけであった。一般邦人は別の収容所があるので、五月入所以来彼は絶えずそっちへ移りたがっていたが、一旦《いったん》米軍の帳簿へ軍属として載ってしまえば、なかなか改められない。それに実際調査の方法もないのである。

彼の焦慮は帰還ときまると深刻になった。なんとか所長に事情を話して、軍属を取り消して貰いたいと中隊長に懇願し、イマモロにも直接上申に行ったが、もう半分国へ心が向いている彼等には、所内の業務を忠実に遂行する気はなく、放っておかれた。

私はこの老人にスペイン語を習った恩があり、(ああ、私は暇つぶしに何でもやったものである。しかしテキストがなく、比島人の日用のスペイン語だけしか知らない彼から、筋道の立った授業はとても受けられなかったので、すぐやめてしまった)せいぜい四十歳を最年長とする我々の中で、ひとりしょんぼりとして、老人らしい克明さで何やかや身の廻《まわ》りを片付けている様子を気の毒に思ったので、直接米人の収容所長に懸け合いに行った。

「シビリアンの収容所へ移ってどうしようというのか」

「彼はそこなら比島に残る手段を講ずることが出来ると思っているのです。家も家族も財産もみなミンダナオにあるだけで、日本には何もないのです」

「気の毒だが、シビリアン収容所でも帰還を免《まぬか》れる機会はないといってくれ。一旦は日本へ帰って、講和条約が成立した後、彼になおミンダナオへ来る意図と手段があれば、その時はまたその時のことだ、といってくれ」

副島老人は低く「わかりました」といっただけであった。丈は中背で、額も頬《ほお》も胸も、すべて顔の突出した部分は厚く、陽に灼《や》けて固かった。肩も広く、胸は厚かった。

タクロバンで十六師団の通訳をしていた相沢は三十二歳で外語のスペイン科出身、米系混血児の妻との間に一人の子があった。彼は米軍上陸と共に投降したが、軍属として我々と共に監禁され、妻は米軍の看護婦となった。

彼は妻が彼に何か便宜を与え得る、端的にいえばこの収容所から解放し得るものと信じ、再三所長を通じて手紙を送ったが、返事がなかった。彼は妻がわざと手段を講じないで、自分を閉じこめ、別れるつもりだと思っていた。そして帰還命令で遂《つい》に妻は完全に目的を達すると信じた。

彼の言動はだんだん変になった。深夜柵《さく》の附近をうろついて、監視兵に咎《とが》められた。不意に中隊本部へ入って来て「みんな俺のことを気違いだと思ってるな」と怒鳴って、通り抜けて行ったりした。

或る夜彼は小屋でおそくまで起きていた。私が通りかかると呼び止めて、

「これあげましょう」

といって、その持っている英語の雑誌や本などを全部くれた。

収容所で英語の出来る者の間には、自然一種の反目があったものである。私は中隊の正式通訳であるが、彼は平の小隊員で、時々外業隊に通訳として付いて行くにすぎない。我々はそれぞれ接触する米兵から貰った乏しい本を貯えていたが、相手から特に要求されない限り、融通し合ったりはしない。

この時彼がその蔵書の全部をくれようといったのを、私は変に思った。しかも帰還の間際である。しかし別に断る筋もないので、私の蔵書と重複しているものを除《の》けて、礼をいって貰って来た。彼は机の前に坐《すわ》り何か書き物をしていた。

夜一時をすぎても彼の席にまだ灯《あか》りがついているのが見られた。明け方彼の隣人は呻《うな》り声によって眼を覚ました。彼はベッドに突伏し、腹を抑えて苦しんでいた。「衛

生兵を呼ばないでくれ」と彼はいったそうである。

しかし彼は衛生兵の手当に従順に服した。黄色いどどろのものが口から一杯出た。それはアダブリンという米軍がキニーネの代用に発明したマラリアの薬で、いくら嚥《の》んでも決して死ねない代物である。

十枚にわたる遺書には妻への怨《うら》みが蜿蜒《えんえん》と書き連ねてあった。しかし衛生兵は彼が狂言自殺で妻を脅かそうとしたのだと思っている。この観察は一見私に蔵書を遺贈した行為と矛盾しているようだが、私はやはり衛生兵が正しいと思う。相沢は嚥下物《えんかぶつ》を吐かせようとして喉《のど》へ突込まれた指を嚙《か》まなかったのだ。自殺は狂言であればあるほど、決行直前の行為は条《すじ》が立っていることがある。

相沢は病院へ移された。彼は遂に脱走に成功し、小舟に隠れていて射殺されたと噂《うわさ》されたが、後戦犯容疑で二三月我々より帰還がおくれた衛生兵は、或る日病院へ連絡に行って、すっかり元気でにこにこ笑っている彼を見出《みいだ》したそうである。妻は遂に彼を見舞ったのだ。しかし彼はやはり最後には、規則通りひとりで日本へ帰らねばならなかった。

相沢の自殺未遂は夫に棄《す》てられた妻の状態にかなり似ている。私は無論彼を軽蔑《けいべつ》したが、俘虜という囚人の状態では、人間は誰でも多少女性的たらざるを得ないのである。男性的女性的という言葉によって人の空想するものは、とかく男女性別による相違もあるが、実は社会的条件によるそれにほかならないのではないかと私は疑っている。

俘虜の懸念《けねん》は帰ったら祖国の人々がどう自分達を迎えてくれるだろうか、ということである。敗戦と同時に「死ストモ云々《ウンヌン》」は空言になったはずであるが、俘虜は内心の感情によって、なかなかそうとは思っていないのである。

私は多少西欧の俘虜の例も知り、さほどインフェリオリティ・コンプレックスに囚《とら》われていない方である。帰ったらどうだろうかと、くどくどいいに来る俘虜の一人に私は答えた。

「帰ったら俘虜だかどうだか、見分けなんかつきやしないさ。町にごたごた人がいる中でね」

「ところが私の郷里は丹波の山奥の小さな村なんです」

「そいつはまずいな。東京とか大阪とか、大都会だったら、アパートの壁一つ隔てりゃ、俘虜だろうが何だろうが知ったこっちゃないが、狭い田舎じゃね。そりゃ普通の人はなんでもないだろうさ。だけど、例えば君んちの隣りに今度の戦争で息子を失《な》くしたおっかさんがいたとして見給《みたま》え。おっかさんは君を見たらあんまりいい気持はしなかろうぜ」

「わたしも京都へ出て働くことにします」

「それがいいだろうね。帰っても我々のいるところは、多分都会よりないだろうね」

しかし私もよほど被害妄想《もうそう》にかかっていたわけである。私の復員したのは妻の疎開先の農村で、周囲は息子を失くした父親とか、夫を失くした妻に充《み》たされていたが、彼等は少しも私が生命を永らえて帰ったことを怨みはしなかった。むしろ一人でも余計に助かったことを喜んでくれたのだ。

俘虜の劣等感と被害妄想は帰還に際して幻想を抱かせた。或る日大隊本部に奇妙な貼紙がしてあった。

「帰還後の吾人《ごじん》の生活について重大なる問題あり、起死回生の手段を講ずるはわが方寸にあり。有志は今夜午後七時、本部前に集合されたし」

何事かとその晩集まった者は五十人であったが、次回の時は二十人に減った。問題が重大に見えたのは俘虜の被害妄想であったが、妄想から発する「手段」はあまりにも空想的だったからである。

発起人は大隊長のイマモロと副長のオラであった。会は「起死回生」の頭尾を取って「起生会」と名づけられた。会費は毎月百円。会員は甲乙丙の三種に分たれる。甲種会員とはつまりイマモロとかオラとか、指導的任務を持った幹部で、乙種は平の会員、丙種は戦傷の結果不具となったものである。

この会は内地に帰還しても、俘虜は帰っても尋常社会には容《い》れられないだろうという推定から出発していた。親兄弟は家へ入れてくれないであろう。入れて貰ってもなまじ惨《みじ》めな思いをするよりは、独立独歩で働いた方がましだ。兵隊、俘虜とどうせ長年一人で生きて来た身ではないか。家族にはこのまま死んだと思って貰って、今後も一人きりで生きて行こう。そういう気持を持った同志が集って、お互いに助け合って、生きる道を見つけて行こうじゃないか。

大体以上が重大問題のために集まった俘虜の好奇者の前でイマモロが演説した要旨であった。具体策は次の通りである。

同志は内地へ上陸しても家へ帰らない。上陸地はイマモロが得た情報によれば大竹である。集合所は海軍出のオラが馴染《なじみ》の或る旅館に定める。そこへ会員の集合を終ったら、イマモロとオラは東京の聯合軍《れんごう》総司令部へ交渉に行くはずである。

聯合軍が進駐して色々仕事があるはずである。イマモロが収容所長から紹介状を貰ってある。出来れば米軍関係の土建事業を請負いたい。資材は特に米本国から送って貰う。

この際実際労働するのは中間の乙種会員である。働いて例えば一日三十円儲《もう》けるとすれば、十円は会の費用に、十円を自らの生活費に、残りの十円は不具者に与えようというわけである。

趣旨は甚《はなは》だ結構であった。俘虜の相互扶助の精神がこれ以上明瞭《めいりょう》に提唱されたことはない。ただ一個の傍観者たる私にとって、危く思うのは音頭《おんど》取りがイマモロなことだ。

彼の地方における生業は運送業で、普段から人夫を扱うに馴れ、凡《およ》そ人を人夫としか思わないのではないかと思われる節がある。さらに面白くないのは、俘虜の間で演芸大会が催されるようになってから、急に幅を利《き》かせ始めた刺青組が加わっていることだ。彼等の一人は関西の家柄《いえがら》の財閥の御曹子《おんぞうし》の親友で、いざとなったら、その坊ちゃんと連絡して、会の運行に渋滞なからしめるそうである。これはまず由比正雪《ゆいしょうせつ》における紀伊大納言《だいなごん》虎の御判の如《ごと》きものである。

「どうもその財閥の名前が出たところがおかしいと思いますね」

と私は俘虜の友人で、本気でこの会に加入しようとしている人物にいった。彼は二十五歳の青年で無論乙種会員として、大いにその肉体的能力を捧《ささ》げようと思っているのである。

「いざとなったら、なんてことが、初めから出るような計画はまず駄目《だめ》なもんですよ。イマモロは運送屋です。内地へ帰っても先生の縄張《なわば》りはなくなっていると見ていい。そこで現在彼奴《あいつ》の握ってる唯一《ゆいいつ》の便宜、つまり米軍と接触があるということを利用して、諸君をこき使おうっていうんじゃないですか」

「でも、僕達は傷痍《しょうい》軍人を助けたいのです」

「それだけの力はこの会にないと思いますね。早い話、実際に働く乙種会員は何人ですか」

「七人です。しかし僕達の気持がわかれば増えて行くと思います」

「七人で二十人を背負って行けるはずがない。中には君みたいな純情家じゃなく、とにかく入っておいて、あとはまた勝手だという人がきっといますからね」

相手はだんだんいやな顔をした。

「とにかくやらして下さい。僕達は固く団結しているんですから」と最後にいった。

「起生会」の団結はまず輸送編隊が俘虜番号によるということによってひびを入れられ、さらに上陸地が一定しなかったことによって破られた。それでなくても終戦直後の食糧事情で、内地の旅館に籠城《ろうじょう》などということは夢だったのである。

俘虜の空想を嗤《わら》わないでいただきたい。いかにも起生会は運送屋イマモロの搾取《さくしゅ》計画としても空想的であったが、彼にそういう空想を抱かさせたほど、俘虜はインフェリオリティ・コンプレックスに囚われていたのである。

帰還の期日決定の日附について、予言者の言葉は的中したが、期日そのものは少し遅れた。二日後の十一月十七日我々はやっと船待ちのため別の収容所に移ることになった。先立つ数日は忙がしい日々であった。我々はもはや中隊本部も炊事もなく、ただ俘虜番号によって区切って集められた。各自それまで身の廻りにつくっていたこまごました造作は全部破却され、ただ裸の折畳式ベッドに合切袋《がっさいぶくろ》を枕に眠るだけが我々の生活となった。

新しい輸送編成にも、長や事務員を選ばなければならなかったが、私は通訳を断った。偶然わが輸送小隊長に選ばれた第四小隊長上村は私の引退に不服で、

「大岡さんはひどい。いざとなって投げ出すなんて。ついでにおしまいまでやり通すもんだよ」

といったが、彼はこれまで私が米人と日本人の間に立って、どれだけいやな思いをして来たかを知らないのである。米人の前で劣等感を一番痛切に味《あじ》わねばならぬのは通訳である。その通訳に対して彼等は裏返しされた劣等感である倨傲《きょごう》と憤懣《ふんまん》を主張し

通しだったのである。

十字架山麓《さんろく》の基地抑留中央事務所第一収容所から出られた者は収容者の全部ではなかった。比島人が訴えた戦犯者は、名前によって比島の全島から通牒《つうちょう》され、該当者は全部は一応残されることになった。俘虜は多く偽名を使っていたので、これは全くの災難であった。私は本名を名乗っていたため、そういう人達の後悔は持たなかったが、大岡がいかに稀《まれ》な苗字《みょうじ》とはいえ、比島で一人でも同じ苗字の人間が何かをやっていたとしたら、私も残されるところであった。

私がこれまでに屢々《しばしば》引用した歌人、つまり狂歌「あめりかの恵み尊しかくばかり肥《ふと》りしことは未《いま》だあらなく」等の作者古田は、信州の神官の息子で船舶工兵であった。齢《とし》は三十歳くらい、色黒く鼻高く、ズボンの切れ端で古風なお唐頭巾《ずきん》を縫ってかぶって歩いた。我々は一緒に百人一首を思い出し、運座みたいなものを開いたりした。彼は私が収容所で会った最も穏健な俘虜の一人であった。

彼が戦犯容疑者に加えられた根拠は無論同姓のためであろう。しかし偶然私と対談してその報知を受けた時の顔は少し妙であった。

周知のように船舶工兵の任務は主に大発で兵員や資材を近距離の海上輸送を行うことである。彼等は三千あるといわれる比島の島々を往来し、その場限りという考えから行く先々でとかく海賊的行為が起りがちであった。かつ戦争末期は島によって違う物価を利用して、貿易にも従事していた。彼等の下士官は大抵数千ペソを動かしていた。

私は古田には実際そういう海賊的行為はなかったと信じたいが、僚友と行動を共にしていれば、どんな事件に巻き込まれていたかわからない。とにかく通知によって急変した彼の顔は、明らかに「有罪」を語っていた。誠実であるだけに、そういう気持の隠しようがなかったのである。

「僕は自分の良心に照らして、何も疚《やま》しいことはしていない」

「そりゃそうだろう。どうやらフィリッポの女や子供のうろ憶《おぼ》えの名前だけで残しているようだから、なに、ちょっとした首実検ですむさ」

「その時うろ憶えで、こいつだっていわれたら最後だな」

結局私に慰める言葉はなかった。戦争などにあっては良心に疚しいことはなくとも、罪に該当していることがあるとはいい兼ねた。

この時残された者は約五百名であるが、三月から一年遅れただけで、大抵は無事帰還している。私は古田もその中に入っていることを祈っている。

いよいよその日となった。昭和二十年十一月十七日我々は半年住み馴れたニッパ小屋を捨てた。小屋はすべて我々が建てたものである。建造当時はまだ戦争中で、俺達を欺《だま》して建てさせて、比島軍の兵舎に使うんだなどとデマが飛んで、中には本気で建築をさぼった中隊もあったくらいだが、戦争が終ってみれば、それはもうどうでもいいことである。

古い俘虜六個中隊三十のニッパ・ハウスには、暫《しばら》く戦犯容疑者が残っていたが、やがて親日でも親米でもないゲリラが進出して来て、海岸の方へ移らなければならなかったそうである。

我々はよいしょと米軍規格の合切袋を担《かつ》いだ。被服もすべて米兵並で、兵器を持たず、背中にPWを背負っているだけの違いである。

「さよなら、さよなら」

ニッパ・ハウスの軒に佇《たたず》んで手を振る戦犯容疑者に大声で呼びながら、我々は中央道路を行進する。

「さよなら、さよなら」

しかしいうのは口の先だけである。この赤土と椰子《やし》と砂利と我々はただ縁を切るのである。残された者には気の毒だが我々はいずれ別れねばならぬのだ。

燕《つばめ》が行進する我々の列に沿って低く長く飛び、身を飜《ひるがえ》して逆行して来る。構内のすべて広い空地には、彼等が忙がしく交錯して飛んでいる。彼等の中に今日本から到着した者もいるだろう。我々はこれからそこへ帰るのだ。

門を出て向いの第二収容所に入った。ただやたらに平らだったわが第一収容所とは違って、ここは谷あり川あり、地勢が作る谷底や尖端《せんたん》には姿よくテントが建って、何となく郊外の学校か病院に似ている。実際敷地の一部は仕切られて俘虜のための病院となり、日本の看護婦が勤務している。

谷底のテントに導かれた。附近の先住者はすべて終戦と共に武装解除された俘虜ばかりである。給与は忙がしい際で十分とは行かず、山中の衰弱の跡を残した兵が、各自米軍の軍帽の正面に、一つ目小僧のように階級章をつけてうろうろしている。

彼等の眼には光がなかった。突然来た敗戦という新しい状態に彼等が馴れることが出来なかった。戦争中から俘虜になったため、予《あらかじ》め気持の準備をすることが出来た我々は倖《しあわ》せであった、と私は思った。

彼等の間にはまだ旧軍隊の階層組織が維持されていた。終戦と共に無意味となったはずであるが、依然として集団生活を送る以上、ほかにやりようもなかったのであろう。下級者はそう思って諦《あきら》めていた。上級者は、例えば「敗けても日本精神を失ってはならんぞ」と称して、特権を維持していた。

ここでも炊事員だけはよく肥っていた。半年の一日二千七百カロリーですっかり飽食した我々は、正確にその時々の胃の腑《ふ》の要求する量しか要求しなかったので、彼等の気に入られた。

「古い俘虜さんは行儀がいいな」と残ったごった煮的料理を掻《か》き廻《まわ》しながらいった。

「あまりを病人に頒《わ》けてやれる」

しかし彼等がそれを彼等がさらに肥るため、自分達の間で分配するのを我々はよく知っている。

便所は汚なかった。雨が降ると汚水が流れ出て泥《どろ》と混った。前から俘虜となっていた我々には建設する暇と余裕があったが、これら大勅によって一斉《いっせい》に虚脱した新しい俘虜には、生活にちょっとの工夫を凝らす意力も欠いていた。

金を貰《もら》った。月三弗《ドル》の俸給《ほうきゅう》は酒保品で支払われたが、外業に出れば、一日八仙《セント》の手当があり、それが積み立てられてあったのである。日本へ現金を持ち込む限度二百円を超えた分は、日銀宛《あて》の手形もしくは支払指令書(正確に何と呼ぶべきかは知らない)が与えられる。計算のため米収容所事務所は三日間徹夜したそうであるが、それでも誤りがあり金額は著しく不公平であった。

俘虜は一列に並んで受け取った。金は将来各自の勝手の用に使われるものであり、我々は既に集団ではなく個人であった。カイゼル・ウィルヘルムに似た支払官は始終「うっふ、うっふ」と笑っていた。

我々はそこに五日いた。絶えず第一収容所から連絡があって、新しい戦犯容疑者が抽出されて行った。我々は不安であった。いよいよ海岸へ向うために、正門に向って整列している中からも、また抜かれて行ったので、不安は実際船が出てしまうまでは去らなかった。

道に沿って板塀《いたべい》があり、その向うは病院で、日本の看護婦がいるはずである。俘虜達は節穴の一つ一つに取りついた。私ものぞいて見た。成程いる。すぐ前の小さなテントにWACの制服を着た日本の女が二人坐《すわ》り、何か低声《こごえ》に話している。

「ちぇっ、気取ってやがら」と俘虜の一人が聞えよがしに呟《つぶや》いた。

女達はたしかに気取っていたのであろう。節穴が尽《ことごと》く俘虜の好奇的な眼で塞《ふさ》がれた板塀の前で、ああ平然と対談出来るはずがない。我々は塀を叩《たた》いた。女達は立ち上り視界から消えた。

米兵が駈《か》けて来た。「ユー・ファッキン・云々《うんぬん》」と拳骨《げんこつ》を振り廻した。或る者は蹴《け》飛《と》ばされた。我々は急いで隊伍《たいご》を整えた。ままよ、蹴飛ばされたぐらいなんだ。まさか日本の看護婦をからかったために、輸送名簿から削られることもあるまい。要するに帰れさえすればいいのである。

遂に門を出た。午後一時頃《ごろ》だったろう。約千名。既に門前に並んでいるトラックにばらばらと飛び付く。米軍のトラックに八方から乗るのも俘虜の得意の芸当の一つである。

出発。十字架山に沿った道を行く。沿道の平地はいつの間にか、数々の収容所が建っている。わが輸送編隊とは別の一隊がやはり船待ちであろう、収容されている。右翼過激派の広田のちょび髭《ひげ》が手を振ってる。田辺哲学奉仕者の学徒兵もいる。みんな手を大きく頭上で振り廻している。何だ、奴等《やつら》まだあんなところでまごまごしてやがるのか。

濁った川のほとりの朽ちた比島の家、洗濯《せんたく》する女達もこれが見収めだ。パロの教会は相変らず長方形のクリーム色の壁に雨滴の汚点をつけている。つばの広い帽子をかぶった裸足《はだし》の比島人が往来している。戦争がすんだ今、彼等ももう我々を嘲笑《ちょうしょう》しない。トラックの上からハイルするのは、むしろ我々の方だ。

会堂正面の楼上では鐘が鳴っていた。してみると、これは日曜日だったかも知れない。

それから沿道の風景なぞ憶えていない。我々はいつかタクロバンの砂浜に腰を下し、船を待っている。ここでまた所持品の検査があると脅かされて来たが、収容所のサージァントから我々を受け取った港湾のサージァントは、もうそんな面倒なことをしなかった。ただ俘虜という厄介《やっかい》な代物《しろもの》を船に乗り込ませ、船長に引き渡してしまえばよかったのである。

海は曇っていた。翳《かげ》った陽《ひ》の下にもしるく、米軍の各種艦艇が空色の船体を並べている。沖にも黒々と船がいる。我々の乗るのはどれだろう。

やがて小さな桟橋《さんばし》を伝って、十間四方もあろうかと思われる巨大な筏《いかだ》に導かれた。各自合切袋をおき、その上に腰を下すと、寸分の隙《すき》もない。一間四方ばかりの曳船《ひきぶね》が近づいて来て繋留《けいりゅう》した。そしてのろのろと曳《ひ》き出した。

水は平らである。比島人の男女が静かにバンカーを操っている。内火艇に目が醒《さ》めるような紺の服を着た米水兵が乗って進路を横切る。俘虜達はハイルしたが、向うは手を払い落すように振って行ってしまう。収容所附の米兵達の任務による親密に馴れた俘虜達は、自分達が結局真珠湾のジャップの延長にすぎないのを忘れているのである。

沖へ出てだんだん筏は孤独になった。我々は曳船の進む方向によって乗るのはどの

船かと探している。曳船を操縦しているのは二人の比島人である。訊《き》いてみると、

「ダット・オーベルデア That overthere」（比島語に th の発音はない）といって、ああまり遠くない一隻《せき》を指差した。

船は沖に数ある船の中であまりましな方ではないようである。リバーティ型に乗るものと予想していた我々は少しあてがはずれた。

だんだんその船に近づいて行く。船尾に旗が垂れ下っている。海風で黒くよごれた白だ。その真ん中は赤だ。

沖縄で投降勧告ビラを拾った或る飢兵は、最初そこに色刷られてある赤や黄の集団が何を意味するかわからなかったそうである。赤が鮪《まぐろ》の赤であり黄は卵の黄で、つまり全体がすしの絵であると納得するまで、一時間かかったといっている。

私がこの復員船の船尾の日章旗を見た時の感じはほぼこれに近い。

「白地に赤く」、俘虜となって既に十カ月、我々はこの旗を比島の空の下で見る機会があろうとは思っていなかったのだ。

筏にぎっしり詰った俘虜達の間にざわめきが起り、嗟《さ》嘆《たん》の声が揚った。

「なんだ、日の丸じゃねえか」

「日本の船だ。日本の船だ」

しかし「ちぇっ、またお蚕棚《かいこだな》の御厄介かよ」という者が出て、大笑いになった。

船尾に誌された船名も漸《ようや》く明らかになって来た。

「信濃《しなの》丸」

はて、どこかで聞いたような名前だが——俘虜がこれぞ即《すなわ》ち日本海海戦の前夜、最初に「敵艦見ゆ」の無電を放ったあの有名な信濃丸であると合点したのは、上船した後だった。

この以前の日本海戦史の花形は、当時復員のために就航している二隻の中の一つで、戦時中ずっと日魯《にちろ》漁業の鮭《さけ》工船に使われていたが、終戦時日本海にあって撃沈を免《まぬか》れた。一度千島から俘虜を運んでこれが二度の務めであるが、南方へは日本船の第一陣の由《よし》である。

甲板《かんぱん》に並んでこっちを見ている人間の姿もだんだんはっきりして来た。みなぼろぼろの旧日本軍の軍服を着、痩《や》せている。ミンダナオの俘虜と後でわかった。我々は大いにその惨状を哀んだが、彼等の方でも、米軍の制服制帽の颯爽《さっそう》たる俘虜が、十間四方の筏にぎっしり詰まって近づいて来るのは、随分変な光景と映ったろうと思う。

重い合切袋を担いで、船側の階段を上るのに手間取った。曳船の運転手は私の見る最後の比島人になるだろう。

「どうだい。日本人を君はどう思う」

「或る日本人は善く、或る日本人は悪い」

と四十がらみの混血児らしい運転手はいった。マニラ、バタンガスの惨虐《ざんぎゃく》を知っている彼等が、こういってくれたのを私は感謝している。

「君達は全部善い」

と御世辞をいって別れた。

甲板に整列すると、ミンダナオ組の頭株とおぼしき男が来て点呼を取った。

「気を付け。右へならい。番号」

号令は甚《はなは》だてきぱきしているが、当人は変な茶色のシビリヤンの服を着て、髭を生やしている。俘虜の頭株なんて大抵怪しいものだ。それだけ彼が俘虜になって古いということである。

我々は彼が戦争中からの俘虜であることを一眼で見抜いた。我々はみな俘虜ぼけがしていたが、相手が俘虜であるかないかだけは一遍でわかる。声の抑揚、頬《ほお》のあたりに浮んだ変な微笑、その他いわば匂《にお》いでわかるのである。

ミンダナオ組は後甲板、我々には前甲板が割り当てられた。船艙《せんそう》には案の定お蚕棚がこさえてあった。ただし往路のように一坪に十五人ではなく三人で、毛布を敷いて長々と寝られる。船長は少しでも早く復員者を日本へ送りたい一心から、収容人員五千人と申告したが、米軍が二千人に限ったのだそうである。これはとにかく我々にとっては有難い。

晩飯には特に味噌汁《みそしる》が出た。薄い汁に麩《ふ》が一つ浮いているだけであるが、二年振りで内地の朝の味は悪くない。金鵄《きんし》が航海十日、一日三本の割で配給された。日本の煙草《たばこ》を吸うのは一年振りである。船員がポータブル蓄音機を持って来てくれた。収容所で男の肉声と板と針金で造ったギターの音楽しか聞いてなかった我々は、「長崎小唄《こうた》」の妙《たえ》なる女声と複雑な和声にうっとりした。

食糧は内地の人民並に一日二合三勺《じゃく》である。いくら飽食した俘虜でもこれでは足るはずがないので、米軍は特に副食の名目で、Cレーションを一人一箱半四十五食分をくれた。この辺からミンダナオの俘虜とレイテの俘虜の間に争いが起った。

ミンダナオ組は先客で、三四人の幹部は後部船橋上の一室を陣取っていたが、レイテ組の幹部はお蚕棚へ普通の俘虜と同居である。これがまず面白くない上に、Cレーションの分配に、ミンダナオ組の幹部が介入したのがわかって問題になった。

一人一箱半であるから、多くの箱を開けて分けねばならぬ。その時一箱に約三十本ついている煙草を、ミンダナオ組が横領してしまったのである。レイテ組幹部が気がついて怒鳴り込んで行った時、彼等はもう吸ってしまった後であった。

「いけねえんならその時すぐいえばいいのに。もう吸っちゃったよ」

「吸っちゃったですむと思うか。返せ」

「おい、お互いに俘虜の幹部をやってれば、これがどういうことかぐらいは、わかってるはずだ。野暮いいなさんな。君達はどうも俺達よりよほど待遇がよかったようだ、煙草だってしこたま貯《た》めこんでるだろう」

「俺達が貯めてようと貯めてまいと大きなお世話だ。俺達だけならいいけど、俘虜はみんな知ってる。俺達の顔をどうしてくれるんだ」

その顔は船長が立てることになった。つまり金鵄が三十本余分に配給されたのである。

船員がCレーションの箱を担いで、舳先《へさき》の溜《たま》りに持ち込むのが見られた。Cレーションは米軍によって正確に人数割に支給され、員数外はないはずである。

「船なんてとこじゃ随分不思議なことがあるもんさ。しょうがないですよ」と海軍出の俘虜がいった。

我々は既にCレーションに飽きているので、やたらには開けない。二食二合三勺の合間に一組食べる予定である。ところが朝晩の飯がどうも少ないのでだんだん沢山開けるようになる。俘虜はレーションを残して家へ持って帰ろうと思っているので、飯の少ないのが問題になった。米を船員が横領しているんではないかという嫌疑《けんぎ》である。船員共はもっとうまくやってるんじゃないだろうか。味噌だって鰯《いわし》だって怪しいもんだと、疑い出せばきりがない。

どうでもいいではないか。命を拾って帰る十日の船旅の間のことだ。その間食物にこと欠かなければ、いいではないかと思われるが、どうも他人が占める利得は、我々がそれによって被害を受ける受けないに拘《かかわ》らず、気に障るものらしい。

いかに光輝ある信濃丸とはいえ、日本船に乗ったばかりに、こうして丁度船旅の間だけ早く、我々は娑婆《しゃば》の風に当らねばならなかったのである。

我々を載せれば二千人の定員は満了である。早く出ればいいと思うが、船はなかなか出ない。三日目に動き出しタクロバンの海岸も、遠い十字架山も見えなくなったが、サマール島らしい陸に近く、また停《とま》ってしまった。水を待たねばならぬのだそうである。

岸は山が迫り、一面に緑が栄《は》えた上の方に、細い滝が白く懸っている。柔い比島の緑もこれでお別れと思えば懐《なつか》しさは格別である。しかし船はまたそうして幾日も動かず、毎日同じ景色ばかり見さされては飽きて来た。

水はなかなか来ない。そのかわり大きな木の箱が六つばかり前甲板に積み込まれた。救命筏らしい。心細いことである。

収容所からは先発であったが、結局日本船であるため水積みの順位が遅れて、他のリバーティ組に先を越されそうである。ついでのことに、米船に日本まで持って行って貰った方がよかった。

リバーティが一隻静かに近づいて来た。甲板はぎっしり裸の日本人で埋っている。緑色の猿股《さるまた》でレイテの俘虜だとはわかるが、顔は判然としないので、我々はただ手を大きく振り合うだけである。船は不動のわが信濃丸を嘲《あざけ》るように一周すると、そのまま沖を目指して出て行った。残念だ。

しかし後で聞いたところによると、リバーティは沖縄へ寄って荷役したりして、博多へ直航した我々より、一日早く浦賀へ着いたにすぎなかったそうである。ただ浦賀では現に俘虜の持っている米軍の被服をそっくりくれたのに、博多では全部取り上げられたので、終戦直後の衣料不足の間、我々は深くこれを遺憾としたものである。

遂《つい》に水が来た。タンクそのものが船となったようなランチが船尾に横づけになり、しゅうしゅう汲《く》み上げている。そしてその翌日（たしか十一月三十日だった）の夜、船は出た。入港地は船長もまだ知っていない。途中無電で受令する由である。

「この辺はまだ静かだが、日本へ近づくと十一月は向い風できついですぜ」と駆逐艦の水兵上りの俘虜がいった。

しかし船はすぐ揺れ出し、その夜一夜、風と波に向うらしく、大きなピッチングを繰り返していた。信濃丸の最大速力は十二ノットだが、それを八ノットの航海速力で行くそうであるから、この向い風ではいくらも進んでいないであろう。依然として心細い限りである。

翌日空はまだ曇っていたが浪《なみ》は収った。ルソン島の東側を北上しているはずであるが、陸は見えない。ただ一面の黝《あおぐろ》い水である。

左舷《さげん》船橋から一本の針金が垂れ、船尾に近く水に届いている。船橋から突き出た竿《さお》と針金の合わさるところに円い扇があり、くるくる廻っている。速度計だそうである。船と航海についてまるで知識のない私にも、これは甚だ原始的な仕掛のように思われる。これも心細い。

俘虜達は三々伍々甲板をうろついている。ミンダナオ組も風当りのいい前甲板に出て来る。痩せ細った彼等の手足を見るのは傷《いた》ましい。彼等の中には三人の病人がいる。タクロバンで上陸して入院するはずであったのが、何かの都合で日本へ直航となったのだそうだ。

船橋の正面には銅板に信濃丸竣工《しゅんこう》の日附が英文で刻《ほ》ってある。一九〇〇年英国の或る港湾都市の製造である。これは私よりも九歳年長だ。日本近海の激浪で解体してしまわなければよいが。

その銅板の上の船橋に船長が立って、じっと前方を見詰めている。五十に近い白髪。鮭工船時代から引き続いての船長で、温厚な人柄《ひとがら》らしい。彼は船員や俘虜達のいささかに加わらず、ただレイテの俘虜が持っているライフやタイムを要求した。敗戦後やっと四カ月である。彼はそれによって戦争の実状を知るのがうれしいといっていた。

船艙《せんそう》ではカブ賭博《とばく》が行われている。賭《か》けるのはもはや煙草ではなく、収容所を出る時貰った二百円の現金が元手である。そして十日の間に幾人かの一文無しと幾人かの大富豪が出現した。

大抵の俘虜は話し合っている。改めて各自敗軍の経験談が繰り返される。私は収容所でこの種の話にあまり興味を持たなかった方である。要するにいかに米軍の兵器と兵力が圧倒的で、日本軍の食糧が足りなかったか、俘虜になって最初に貰った煙草とチョコレートがいかにうまかったか、に尽きていた。どれもこれも似たような話である。

しかしもうすぐ彼等と別れようとしている時、私は彼等の話を惜しんだ。あちこちお蚕棚を巡って、各師団の兵の敗戦談を聞いて歩いた。現在私の持っているレイテ島の戦闘に関する知識は、大抵この帰りの船中で得られたものである。

俘虜達はみな笑っていた。日本と家族を見る日が、あと数日に迫った喜びに顔がほころんでいた。

幾日か我々は水ばかり見ていたが、或る日右舷から米駆逐艦らしい一隻が現われて、我々の針路を横切った。信濃丸は高く汽笛をならして停り、恐らく無電で何か連絡をすましたのであろう、駆逐艦が我々の丁度正面を通過する頃、また動き出した。この間駆逐艦はそのまま針路を続け、やがて左舷の水平線に没した。

飛魚が航海の友であった。彼等は群をなして、舷側から飛び立ち、我々の期待より少し長く飛んで着水した。多分鮪《まぐろ》であろう、長さ一間以上の巨大な紡錘形の魚が、驚いたように、左舷百米《メートル》ばかり先の海面から、半身を垂直に突き出し、また没し、また突き出して、片眼で我々を窺《うかが》うようにしながら、どこまでも随《つ》いて来た。

或る日飛行機が一機飛来し、低空で右舷に沿って船を追い越し、反転して、左舷を逆行して来た。甲板の俘虜達は歓声を挙げて手を振ったが、米操縦士は人形のように前方を向いたまま過ぎた。

この一機は多分沖縄の基地に属するものであったろう。そろそろ涼気が感ぜられて来た。俘虜は夏衣を重ねて着た。

ミンダナオの三人の病人中二人が死んだ。水葬が行われるそうで、有志は後甲板に集合と廻状《かいじょう》が来た。

祖国を三日の先に見ながら死んだ人達は確かに気の毒であった。しかし、彼等が気の毒なのは戦闘によって死んだ人達が気の毒なのと正確に同じである。私とても死んだかも知れなかった。自分と同じ原因によって死ぬ人間に同情しないという非情を、私は前線から持って帰っている。

葬送する気のない以上、水葬に立ち会うのは正確ではない。一方私の弥次馬根性《やじうま》はこの一生に二度見られるかどうかわからない場面に立ち会えと命ずるが、戦争という現実によって死者を憐《あわれ》まないという人でなしに追い込まれた私の心の裏側にある或る感情に照らせば、出て見ることもやはり正確ではない。で、私はその時の私にとって一番正確と思われたことをすることにした。つまり船艙に止《とど》まっていた。

やがて船は汽笛を鳴らし、静かに廻《まわ》り出した。水葬者を落した地点を一周すると見え、船艙の入口から見える空と雲がどんどん廻った。それからまた一際《ひときわ》高く長く汽笛を鳴らして、進み出した。

私は甲板に出た。死者は既に沈んだと見え海面には何も見えない。日暮であった。南の空には積乱雲が一面に立ち騰《のぼ》って、半面を陽に照らされ、陸地のように連っていた。北は曇り、沖縄列島の一部らしい島影が墨絵のように淡く浮んだ上を、灰色の雲また雲が重って、下を十二月の寒い風が吹いている気配であった。

俘虜達はいつものように無表情にうろうろしていた。

二千の俘虜のそれぞれの喜びや無関心を乗せた復員船信濃丸は、八ノットの航海速力をもって、一路日本に近づきつつあった。

附　西矢隊始末記

比島派遣威第一〇六七二部隊西矢隊（固有名独立歩兵第三五九大隊臨時歩兵第一中隊）ガ組織サレタノハ、昭和十九年七月二十五日ルソン島南部バタンガスニオイテデアル。同年六月十三日東京都麹町《コウジマチ》代官町東部第三部隊（近衛《コノエ》歩兵第二聯隊《レンタイ》）ニオイテ結成サレタ、輸送大隊ノ一部デアッタ。バタンガスニオイテ他部隊に転属ニナッタ者八ノホカハ輸送編成ノママ、任地ミンドロ島ニ赴イタノデアル。

中隊長陸軍中尉西矢政雄以下将校下士官ハ東京都及ビ近県ヨリノ臨時召集ニ依《ヨ》リ、兵ハ昭和十九年三月十八日ヨリ六月十日マデ、東部第二部隊（近衛歩兵第一聯隊）ニオイテ教育サレタル東京ノ補充兵ヨリ成ル。自分ハソノ兵ノ一人デアッタ。

六月十七日午後三時品川発、十八日朝門司着、市中民家ニ分宿セル後、二十八日輸送船第二玉津丸ニ乗船。七月二日夕刻船団九隻《セキ》ヲ以《モッ》テ出港シタ。東支那《ヒガシシナ》海《カイ》ヲ一路南下。護衛駆逐艦四隻。

沖縄沖《オキナワオキ》ニテ兵ハサイパンニ敵上陸ノ報ヲ知ラサル。

十日朝台湾ノ山々ヲ見ル。東海岸ニ沿ッテ半日航行後、突如水平線上ノ護衛艦爆雷ヲ投ジ始メ、船団ハ回頭シテ北上、夕刻基隆《キールン》港ニ入ッタ。翌日出発、西海岸ヲ南下スルコト二日、三日目ノ朝台湾ヲ見ズ。波高クバシー海峡ニカカレルヲ知ル。

十二日午後六時二十分、後ニ航行中ノ日蘭丸《ニチランマル》ノ船尾ヨリ黒煙上ル。全員退船準備、魚雷ジャナイ失火ダソウダ、「ワレ船尾ニ魚雷ヲ受ケタルモ航行ニ差支《サシツカ》エナシ」ト無電ガアッタ、ナド流言飛ブウチニ、同船ハ僚船一ト共ニ次第ニ後《オク》レル。数分ノ後、同船ハ突如船首ヲ高ク水平線上ニ掲ゲ、瞬時ニシテ没シ去ル。米潜水艦ピランハノ雷撃ニヨルモノデアッタ。生存者千名弱、搭載《トウサイ》人員ノ六分ノ一デアッタ。

幸イ犠牲ハ右一船ノミ、夕刻ルソン島北端アパリニ着ク。比島ハ当時雨季ニシテ霖《リン》雨《ウ》アリ、気温下ル。沈没船ノ生存者ヲ収容スル僚船ヲ待ッテ一晩碇泊《テイハク》。翌朝出発。

ルソン島ノ火山性ノ山容嵬崛《カイクツ》。岸ニ迫レル翠巒《スイラン》ト白キ燈台絶エズ左舷《サゲン》ニアリ。十五日未明マニラ着。遮光《シャコウ》セザル燈火ノ岸ニ連ナルヲ見ル。真紅ノ朝焼。

郊外アルベルト学校ニ宿営。校庭ニテ飯盒炊爨《ハンゴウスイサン》。柵《サク》外ニ比島ノ子供ラ、バナナ、マンゴー、飴《アメ》ナドヲカザシ、「チェンジ、チェンジ」ト叫ンデ蝟集《イシュウ》シ来《キタ》ル。外出許サレズ。軍票支給サレズ。兵隊オオムネコノチェンジニヨッテ私物ヲ失ウ。

輸送大隊中我中隊ヲ含ム二個中隊ハ、当時ルソン島南部ヲ警備セル第百五師団（勤、津田義武中将）ニ属スル大藪《オオヤブ》隊（固有名独立歩兵第三五九大隊）ニ配属、ミンドロ島警備ヲ命ゼラル。二十二日トラックニ分乗シテ、大藪隊所在地タルルソン島西南ノ港町バタンガスニ向ウ。ソコヨリ対岸ミンドロ島ニ渡ルノデアル。

大藪隊ハ同年七月マデミンドロ島北部カラパンニ大隊本部ヲ前進サセテイタガ、我々ノ到着ト共ニバタンガスニ引揚ゲタノデアル。ルソン島防禦《ボウギョ》強化ノタメノ処置デアッタ。

元来我輸送大隊ハ渡《ワタリ》兵団（第十四軍）補充隊トシテ、マニラ周辺ノ警備ニ就ク予定デアッタガ、内地参謀ト現地参謀ノ間ニ意見ノ相違アリ（端的ニイエバ現地参謀ハ我々ノ如《ゴト》キ装備訓練劣等ノ兵隊ハ要ラナイトイッタ由《ヨシ》）、着クニハ着イタガ、現地デハ我々ヲ作戦通リ使用スル意志ナク、然《シカ》ルベキ兵器弾薬モ支給サレズ、僻《ヘキ》地ノ警備ニ当テラレタノデアル。

シカシコノ混乱カラ我々兵士ハ一ツノ利益ヲ受ケタ。即《スナワ》チ我々ハ上官トシテ将校（准尉欠）下士官（曹長《ソウチョウ》欠）ヲ戴《イタダ》クノミデ、カノ班内ノ暴君上等兵ヲ持タズニ済ンダコトデアル。任地ニツクト下士官ハ別室ニ集マッタカラ、我々ハ少クトモ班内デハ平等デアッタ。

カツ中隊長ノ方針デ我々ノ教育（我々ハ前線ニ着イテモナオ教育中ト見做《ミナ》サレタ）ハカナリ寛大ナモノデアッタ。頬打《ビンタ》ハメッタニ行ワレズ、演習モ必要以上ノ過激ニ到ラナイ。

兵ノ三分ノ二ガ昭和七年徴集ノ三十四、五歳、三分ノ一ガ昭和十八年徴集ノ二十一歳ノ補充兵デアッタ。中隊長西矢中尉ハ当時二十六歳、山梨県勝沼ノ人、幹部候補生出デ、ノモンハンノ戦闘ヲ知ッテイタ。下士官モ補充ダッタガ、支那事変ノ経験ガアッタ。タダ三人ノ小隊長ノミ、初メテ戦場ニ出ル大正ノ志願兵上リノ少尉デアッタ。

バタンガスデ我々ハ戦争初期日本軍ニヨッテ加エラレタ砲撃ノ跡ヲ見、住民ノ明ラカニ悪意ニミチタ眼ヲ見タ。約一週間治安警察署長官舎ニ宿営。演習。二十八日ヨリ三十日ノ間ニ小型発動機船（内地漁船ヲ乗員ト共ニ徴用セルモノ）ヲモッテ、一個小隊ズツ出発、ミンドロ島ノ三ツノ任地ニ向ッタ。

ミンドロ島ハルソン島ノ西南ニ接シ、縦約百五十キロ幅最広部ニテ約七十キロ、ホボ我四国ノ半分ノ面積ヲ占メル。リンガエンカラバターン半島ニ到ル山脈ハ、マニラ湾口デ海ニ没シ、約百五十キロヲ経テ再ビコノ島ノ西北端ニ上ル。主脈ハソレヨリ西南ニ走ッテカラミヤン諸島、パラワン島ヲ経テボルネオニ到リ、南シナ海ノ東縁プラトフォームトナルガ、東南南ニ向ウ一支脈ガ標高二千米《メートル》ノ中央山脈トナッテ、島ノ脊梁《セキリョウ》ヲ形ヅクッテイル。ソノ東側ハ雨量多ク、米、玉蜀黍《トウモロコシ》ヲ産シ、北部カラパン附近ニテコプラ、南部丘陵地帯ニテ木材ヲ産スル。

西矢隊ノ警備地区ハ島ノ西部及ビ南部デアル。中隊本部ハ第三小隊（隊長井上昇少尉）ト共ニ西南端サンホセニアリ、第一小隊（隊長田中泰一郎少尉）ハ東南ブララカオ、第二小隊（隊長渡辺勝少尉）ハ西北端パルアンニアッタ。（次ページの付図参照）残部及ビルソン島ヲ隔テルベルデ海峡ノ入口ヲ扼《ヤク》スルルバング島ヲ、臨時歩兵第二中隊（塩野隊）ガ担当、中隊本部ハ第三小隊ト共ニ北部カラパン、第二小隊ガ中部東海岸ピナマラヤン（サラニ一個分隊ヲ南方ボンガボンニ分遣）、第一小隊ガルバング島ニアッタ。

兵器ハ内地カラ持ッテ来タ三八銃ニ弾薬一人約百八十発。バタンガスデ分捕品《ブンドリヒン》ノ重機ガ支給サレタガ照星《ショウセイ》ハ曲リ威嚇《イカク》ノ用ヲナスニスギナイ。

シカモコレガ中隊単位ニ一挺《チョウ》ノミ、中隊本部ト共ニイナイ小隊ハ全ク機銃ヲ欠イタ。西矢隊デハ後サンホセニ不時着セル飛行機ヨリ旋回機銃ヲ取リ、木製ノ床尾ヲツケテ漸《ヨウヤ》ク各小隊ニ分配スルヲ得タ。十一月ニ到ッテ初メテ手榴弾《シュリュウダン》ガ各自一個ズツ支給サレタ。

三十日夜、自分ヲ含ム第三小隊ハ中隊本部ト共ニ、島ノ南端マンガリン湾口ノ漁村カミナウエ着。ガソリン・カーニテ十キロ北上サンホセニ着ク。

サンホセノ町ハコノアタリニ開ケタ小平野ノ北端ニ位置シ、人口約七百、比島人経営ノ砂糖工場ヲ中心ニ集マッタ、ルソン島及ビビサヤ諸島ヨリノ出稼《デカセ》ギ人ヨリ成ル。セントラル、ミンドロ、ルバング等ノ部落ヨリ成リ、会社ガ建造シタ多数ノ木造トタン葺《ブキ》ノ劃一《カクイツ》的ナ小屋ガ、戦争以来工場ノ休転ノ結果、多ク空屋トナルカ、附近農民或《アル》イハ労働者ノ農ト化シタ者ニヨッテ住《スマ》ワレテイタ。

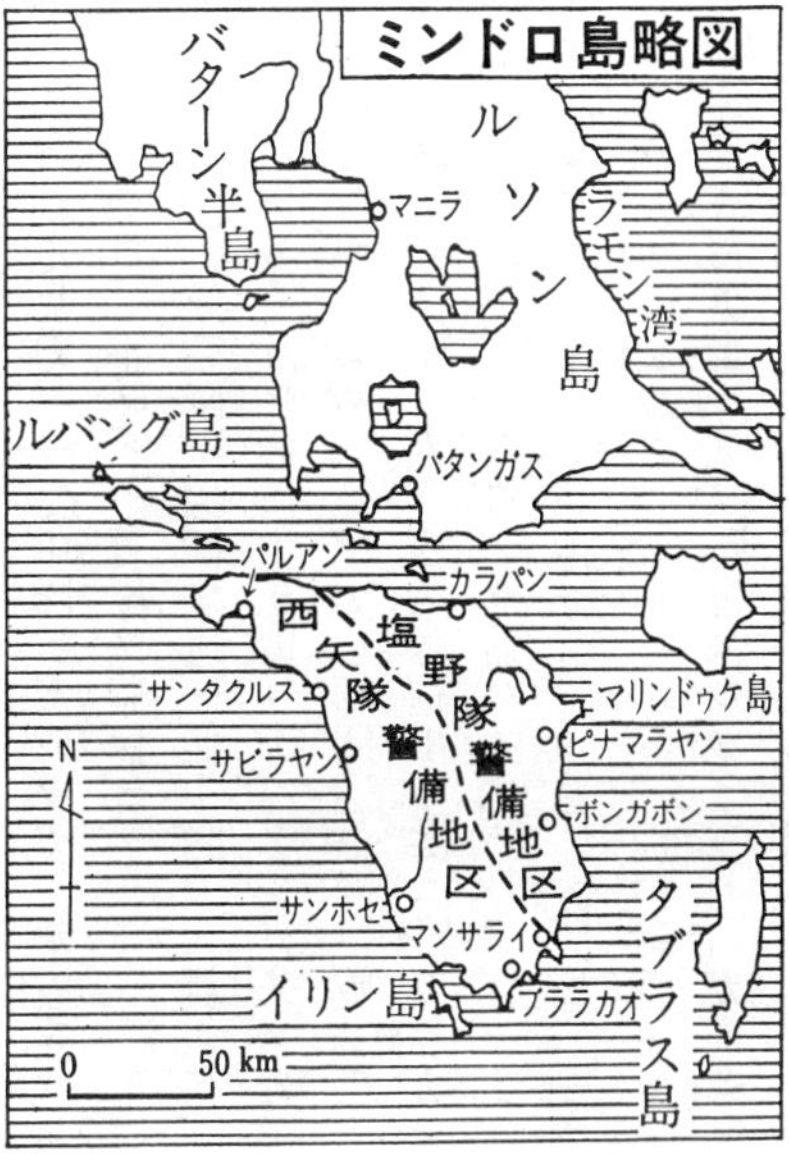

別ニ赤屋根ノ高級社宅ガ丘上、林際《ギワ》ニ点在シ、工場主ハジメ高級社員ノ大部分ガ残ッテイル。彼等ハメッタニ外出セズ、終日麻雀《マージャン》ニ耽《フケ》ル。下層民ハ闘鶏モシクハトランプ博奕《バクチ》ニ耽ル。

戦前米軍ハコノ地ニ不時着飛行場及ビ無電塔ヲ設置シ、一個小隊ガ駐屯《チュウトン》シテイタ。戦争初期我駐屯兵力ハ一個中隊デアッタガ、治安定マルニ及ビ一個小隊ニ減ジタ。任務ハ主トシテコノ不時着飛行場ノ確保デアル。ナオ別ニ陸軍航空隊気象観測班一個中隊（人員六名）ガ社長邸ヲ占有シテイタ。西矢隊ハソノ無線機及ビ通信手ヲ借リテバタンガスノ大隊本部ト連絡シタ。サンホセ警備隊ニハソレマデハ師団通信隊（威一〇六六四部隊）足立道人軍曹以下八名ガ配属サレテイタガ、西矢隊進出ト共ニブラカオニ転属ニナッタノデアル。状勢緊迫ニ伴イ南部ミンドロノ通信ハ強化サレタノデアッタ。

前任部隊三十一日出発、我部隊ハ八月一日カラ正式ニ任務ニツイタ。一個分隊ハ我々ノ港タルカミナウエニ分哨《ブンショウ》トナリ、別ニ附近草原ニ不時着破損シタ飛行機一ノ、部品ヲ住民ガ持チ去ルノヲ監視スルタメ、七名ガ一週間交替デ民家ニ宿営シタ。シカシコレハヤガテ附近地上ニ、同種残骸《ザンガイ》ノ増エルニ及ビ廃止サレタ。自分ノ任務ハ暗号手デアリ、一日一回午後七時気象隊ニ出張シテ大隊本部トノ連絡ニ任ジ、一般勤務ハ免ゼラレタ。

兵舎ハアメリカ人ノ建テタ小学校デアル。教室ノ一方ノ壁ニ寄セテ高サ一尺ノ床ヲ造リ、ソノ上ニ毛布ヲ敷イテ、一班ノ人員十二—十五名ガゴロ寝スル。燈火ハ椰子油《ヤシユ》ヲ燃ヤス。

ミンドロ島ハ大体六月カラ十月マデガ雨季デアル。連日霖雨《リンウ》、朝晩ハムシロ寒イ。兵舎前面ハ林際マデ半キロバカリ湿原ガ開ケ、低イ丘ノ彼方《カナタ》ニ我々ガ鋸山《ノコギリヤマ》ト名ヅケタ岩山ガ頭ヲ出シテイル。ソノ背後カラ中央山脈ガ発シ、北上シテイル。

附近ノ丘ハ萱《カヤ》ニ似タ雑草デ蔽《オオ》ワレ、柔カナ整然タル緑ヲ見セタ。兵舎ノ西ヲ通ル道ハ、両側ニ椰子ヲ植エタ典型的ナ熱帯ノ並木道デ、夕方ハソノ並木越シニ美シイ夕焼ガ眺《ナガ》メラレタ。

並木ノ向ウハ玉蜀黍畑デアル。モト砂糖工場所属ノ甘蔗畑《カンショバタケ》デアッタガ、現在ハ玉蜀黍ヲ植エテ住民ノ主食トスル。収穫ハ年二回、ソノ一タル十二月ニ入ルト突如工場カラトラクターガ出動シタ。

九月カラ、畑ノ向ウニ遠ク芒《ススキ》ガ穂ヲツケテ輝イタ。ソノ先ニハ、鋸山ノ西北方山地カラ流出シ、サンホセノ西方六キロノサン・アグスチンデ海ニ注グ、ブザンガ川ガアル。幅員多摩川中流ホドノ濁ッタ急流デアル。

夜蛍《ホタル》ガ椰子ノ梢《コズエ》マデ上ル。班内ニ侵入シテ蚊帳《カヤ》ノ上ヲ旋回スルト、飛跡ガ完全ナ円形ノ残像ヲ残スホド、強イ光ヲ放ツ大キナ蛍デアル。

砂糖工場ハナオ五千俵ノストックヲ有シ、住民ニハ配給制ヲトッテイタガ、兵士ニハ一キロ四十銭デ自由販売サレタ。我々ハ日曜外出ノ際コレヲ携エテ附近ノ民家ニ入リ、モンゴート呼バレル青イアズキヲ煮テ汁粉《シルコ》ニシテ貰《モラ》ッタリ、或イハ鶏豚《ケイトン》ト交換シタ。兵士ノ俸給《ホウキュウ》ハ月二十一ペソ、内五ペソ強制貯金、手取十六ペソデアルガ、右砂糖ノタメドウヤラ小遣《コヅカイ》ニハ困ラナカッタ。但《タダ》シコノ自由販売モ、後大隊本部カラノ大量註文《チュウモン》ニヨリストックガ減少スルニ及ビ、制限サレタ。

食糧ハ玉蜀黍ヲ混用シテホボ満腹スルコトヲ得タ。副食ハ週ニ一度牛マタハ豚ガ屠《ホフ》ラレ、青イパパイヤ及ビカンコント呼バレル、芹《セリ》ニ似タ野生ノ菜草ガ供セラレタ。莨《タバコ》ハ一日二本当リ官給。土民ノ売ル手巻莨モ、砂糖ニヨリ不自由ナク購《アガナ》ウコトガ出来タ。要スルニコノ地ノ駐屯生活ハ、内地ヨリ遥《ハル》カニ呑気《ノンキ》ダッタトイウコトガ出来ヨウ。我々ハ米軍ガカカル僻地ヲ、レイテニ次グ上陸地点ニ選ボウトハ、夢ニモ思ッテイナカッタ。

我々ノ当面ノ敵ハゲリラデアル。中隊長ハ前任部隊ヨリ島内ノゲリラニツキ、ソノ所在地、人数、将校ノ姓名人相ニ到ルマデ、詳細ナル情報ヲ引継イデイタ。サンホセ附近デハマンガリン湾東方、ブザンガ川対岸、及ビサンホセ、サン・アグスチン、カミナウエ中間ノ三角地帯ニモイルラシイガ、攻撃シテハ来ナカッタ。タダ我々ガ飛行場附近ノ丘上ニ立テタ風見ノ吹流シハ、絶エズ何者カニヨッテ持チ去ラレタ。

ゲリラヲ殲滅《センメツ》スルコトハ警備隊ノ任務外ニアル。タダ彼等ガ蠢動《シュンドウ》スルニ応ジテ、牽《ケン》制《セイ》出動スルダケデアッタ。

八月下旬、ブララカオ北方マンサライニ第一回討匪《トウヒ》。地形偵察《テイサツ》ニ赴イタ田中小隊ノ兵ガ狙撃《ソゲキ》サレタタメデアル。八月二十七日、西矢中隊長、重機班一個分隊ガ出動、田中小隊ノ一個分隊ト共ニ海上ヨリ近ヅク。シカシゲリラハ折柄《オリカラ》パナイ島ヨリ渡来セル別派ノゲリラト同士討チヲ始メ、戦イツツ共ニ北方ニ去リ、討伐隊ハ彼等ト遭遇スルコトナク九月四日引揚ゲタ。

九月上旬、カミナウエニ海軍水上機基地設置サル。海軍整備員九十六名駐屯。

九月二十一日マニラ第一回空襲。通信一時杜絶《トゼツ》。

二十四日、サンホセ上空ニ初メテ敵大編隊ヲ見タ。同日味方軍艦一隻イリン島外辺ニテ空雷ニヨリテ撃沈サレ、後、乗員救助方《カタ》連絡アリタルモ、結局海軍舟艇ニ収容シテ引揚ゲタ。

九月下旬自分ハ暗号手集合教育ノタメバタンガス大隊本部ニ出張シタ。軍票ノ価値下落シ、住民ノ様子漸ク不穏ナルヲ認ム。シバシバ空襲警報発セラレシモ敵機飛来セズ。

同ジ頃《コロ》、中隊ハ大隊命令ニヨリ西矢隊長以下三個分隊（内一個分隊パルアン渡辺小隊ヨリ抽出）ヲ以テ、中部西海岸サビラヤンニ討匪。ゲリラノ夜襲ヲ受ケ、兵四名ガ負傷シタ（内一名死亡）。自分ハ当時ナオ便船ヲ待ッテバタンガスニ在ッタ。傷兵ヲコノ地ノ野戦病院へ送ッテ来タ下士官ト共ニ帰途ニツイタ。

西海岸ニ沿ッテ南下。翌日、サビラヤンニテ討伐隊ヲ収容。パルアンヨリ抽出ノ分隊ヲ駐屯地へ送ッテノ帰リ、サンタクルス海岸ニ碇泊中ノ敵機帆船《キハンセン》ヲ襲ッテ、米軍ノ報告書、ミンドロ島諜報網《チョウホウモウ》図解等ヲ入手、大隊本部ニ送ッタ。十月十三日、コノタメ中隊長ハ新任方面軍司令官山下大将ヨリ賞詞ヲ受ケタ。

押収書類ニヨレバ、米軍ハコノ地ニ西南太平洋総司令部直属ノ諜報部隊（隊長少佐）ヲ設ケ、主トシテ写真撮影ニヨリ情報蒐集《シュウシュウ》シアルモノノ如シ。マラリア患者モ少クナイト見エ、隊長ハ戯《タワム》レニ自隊ヲ「マラリア部隊」ト呼ンデイタ。

奇襲セルゲリラヲ誘導セル嫌疑《ケンギ》ニヨリ、サビラヤン町長及ビ書記一名ヲ俘虜《フリョ》トシテ連行、十月初旬サンホセニ帰着シタ。

中旬、ラジオデ所謂《イワユル》台湾沖航空戦ニ関スル大本営発表ヲ聞ク。英訳シテ町ノ広場ニ掲ゲタルモ、住民ハ立止ラナカッタ。米軍ノレイテ島上陸ニツキ、大分タッテカラ大隊本部ヨリ「米海兵隊三個大隊レイテ島ニ上陸」ト無電ガアッタ。

十月十五日附、兵ノ三分ノ二ガ一等兵ニ進級。十一月一日附残余モ全部進級シタ。

台湾沖航空戦ヲ祝ッテ演芸会ガ催サレタ夜、俘虜ノ一名ガ逃走シタ。

演芸会ハ七時カラ十一時マデ続イタ。ソノ間ニ正面玄関階段上ニ繋《ツナ》ガレテイタ俘虜（町長。二十五、六歳。精悍《セイカン》ナル顔貌《ガンボウ》）ハ足ノ縛《イマシ》メヲホドイテイタラシイ。皆ガ寝静マッタ一時頃、彼ハ「ショウベン」トイイナガラスルスルト階段ヲ降リタ。監視兵二名ハ俘虜ノ繋ガレタ位置ヨリ内方廊下ニ立ッテイタ。一名ハ直チニ追オウトシテ階段ヨリ顚落《テンラク》シ、倒レタママノ姿勢デ、前庭ノ左手ノ裏門（門扉《モンピ》ナシ）ノ方へ逃ゲテ行ク俘虜ヲ射ッタ。弾ハ著シク高ク、丁度ソノ方面ニアッタ気象隊ノ宿舎ノ壁ヲ貫イテ天井ニ入ッタ。気象隊デハ敵襲ト信ジタ。

コノ時右手表門ノ立哨《リッショウ》ハ物音ヲ聞イテ兵舎前ノ道路ヲ裏門ノ方へ駈《カ》ケタガ、銃声ニ驚イテ伏セテシマッタ。俘虜ハ直接ノ追及者ヲ持タナクナッタ。

後《アト》デ気象隊員ノ秘《ヒソ》カニ私ニモラシタトコロニヨルト、コノ時同隊デハ一個ノ人影ガ構内ノ立木ニ倚《ヨ》ルノヲ見タソウデアル。シカシ状況ガ不明デアッタノデ、隊長ノ判断ニヨリ、任務外ノ危険ヲ冒スノヲ避ケタ由。

我々ハ直チニ全員手分ケシテ、附近暗闇《クラヤミ》ノ捜索ニ懸《カカ》ッタ。捜索ハ夜ガ明ケテモ続ケラレタガ、逃ゲタ俘虜ハ遂ニ見付カラナカッタ。中隊長ハ「俘虜一逃走ヲ企テタルニヨリ射殺セリ」ト報告シタ。

残ッタ他ノ一名ノ縛メト監視ハ厳シクナッタ。彼ハ同僚ノ逃走ヲ呪《ノロ》イ、一人ニナッタ気安サカラカ、種々ノ新事実ヲ告ゲタ。中隊長ハ米諜報部隊ノ宿営地ニ関シ、詳シイ情報ヲ得タ後釈放シタ。

十一月一日大藪隊ハルソン島中部地区ニ転進シ、我々ハ同隊所属ノママ、替ッテバタンガス地区ノ警備ニツイタ第八師団隷下藤兵団ノ市村大隊ノ指揮下ニ入ッタ。ソ満国境カラ着イタバカリノコノ大隊ハ、兵器糧秣《リョウマツ》ノ支給ニハ気前ガヨカッタガ（我々ガ手榴弾ヲ受領シタノハコノ後デアル）通信ニハヒドク冷淡デ、ホトンド電報ヲ寄越サナクナッタ。前月末大藪隊転進前ノ打合セデハ、我々ガサンタクルスデ得タ情報ニ基《モトヅ》キ、同地区ニ大規模ナ大隊討伐ヲ行イ、我中隊ハソノ嚮導《キョウドウ》ニ任ズルハズデアッタガ、市村大隊ハナゼカ出発ヲ遷延《センエン》シ、シカモソノ理由ヲ告ゲナカッタ。

中隊長ハ焦慮シテイタガ、事実ハコノ間レイテ戦局ノ悪化ト共ニ、第十四方面軍ノ全体ガモハヤ討伐ドコロデハナクナッテイタノデアル。市村大隊ハバタンガス地区防備陣地構築ニ忙殺サレテイタ。

サンホセノ状況モ悪化シタ。カミナウエ水上機基地ハシバシバB24ノ掃射ヲ受ケ、水上ニアッタ飛行機十ガ破壊サレ、監視兵一ガ戦死シタ。頭上ニ米陸軍双胴機P38ヲ見ルコトガ多クナッタ。

十一月上旬サンホセ、カミナウエ間デガソリン・カーガゲリラニ襲ワレ、小林トイウ若イ衛生兵ガ戦死シタ。

下士官一、兵四ガカミナウエ分哨ニ連絡ニ行ク途中デアッタ。衛生兵ハ衛生材料ニツキ海軍部隊ト交渉ノタメ便乗シタ。中間ノ小駅デ車ハ不意ニ本線ヲハズレテ引込線ニ入ッタ。運転シテイタ兵士ガ下車シテ調ベルト、転轍《テンテツ》部ニ小石ガ挿《ハサ》ンデアル。危険ヲ直感シテ顧ミルト、線路ワキノ土手ニ十数名ノゲリラガ折敷キ、銃口ガコッチヲ向イテイタ。

車ノデッキニ立ッテイタ衛生兵ハ数弾ヲ受ケテ顚落シタ。内部ニイタ他ノ兵ハ窓ヨリ逃《ノガ》レテ分哨方面へ走ッタ。

兵一名ノミ線路反対側ノ斜面ニ伏セテ応射シタ。ゲリラハ進ンデ来ナカッタ。衛生兵モ同ジ斜面マデ匍《ハ》ッテ来タ。彼ハソノ兵ニ指図シテ自ラノ応急手当ヲホドコサシメタガ、糞便《フンベン》ガ出タノヲ見テ「俺《オレ》ハ駄目《ダメ》ダ。コレカラ天皇陛下万歳ヲイウカラ、ソコデ聞イテイテクレ」トイイ、三回唱エテ息絶エタ。

残ッタ兵ハ憤懣《フンマン》ヤル方ナク、線路上ニ躍リ上ッテ怒鳴ッタ。

「ヤイ、ミンナ出テコイ、俺ガ相手ニナッテヤルゾ」シカシゲリラハ既ニ去リ、土手ハ静カデアッタ。

分哨ヨリノ電話ニヨリ中隊長以下ホトンド全員出動、現場附近ヲ捜査シタ。留守隊ニ諜者来《キタ》リ、約百五十名ノゲリラガマンガリン湾北岸ヲサンホセニ向イ前進中ト伝エタ。

自分ヲ含ム留守隊十名ガ配置ニツイタガ、夜ニ到ルモ敵ハ来ナカッタ。ゲリラガ本隊ノ行動ヲ牽制スルタメニ放ッタ流言デアッタラシイ。出動部隊ハソノ夜カミナウエ分哨ニ泊リ、翌日ナオモ索敵ヲ続ケナガラ帰来シタ。

数日後ミンドロ部落内ノヨク日本ノ下士官ヲ接待シタ娘ガゲリラニ拉致《ラッチ》サレタ。

マラリア患者が漸ク増エタ。十二月十五日米軍ガ上陸シタ時、自分ノホカ四名ノ発熱者ガイタ。

雨季去リ、連日炎天、米機ガ飛ブ日ガ多クナッタ。毎夕キマッテB24ガ西方海上ヲ低ク飛ブノガ見ラレタ。海軍士官ヲ従兄《イトコ》ニ持ツアル兵士ハコレヲ見テ、米軍ハ上陸ヲ企図シテイルラシイト予言シタ。

米偵察機一ガサンホセ兵舎ニ低空デ迫ッタコトガアル。機銃掃射ハ受ケナカッタ。写真偵察ヲ実施シタノデアッタ。

十二月十日スギバタンガスヘ出張シテイタ給与掛ノ軍曹《グンソウ》ガ帰ッタ。連絡船ハB24ノ掃射ヲ受ケ、兵一名ガ負傷シタ。軍曹ハ大隊副官カラ、レイテ戦局ノ絶望ナルコト、米軍ノ次ノ上陸地点ハオソラクサンホセナルコト、シカシ上陸シテモ大隊デハ救援部隊ヲ送レナイカラ、善処シテ貰イタイト申渡サレテアッタ。

ナオ彼ハ内地ヨリノ最初ノ郵便ヲ受領シテ帰ッタ。コレハ同時ニ我々ノ受取ッタ最後ノ郵便トナッタ。

同日兵一名ガマラリアデ死ンダ。遺骸《イガイ》ハ終夜後庭デ焼カレタ。朝四時頃、屍衛兵《シカバネエイヘイ》ハ海岸方面ニ曳光弾《エイコウダン》ノ上ルノヲ認メタ。衛兵ハゲリラノ来襲ヲ警戒シタ。

十二月十五日午前六時半、我々ハ班内デ朝食ヲシタタメツツアッタ。突然海岸方面ニ砲声ガ起リ、空ガ黒煙デ斑《マダ》ラニナッタ。砲弾ノ空中ヲ飛ブ音ガ交リ、窓外ノ玉蜀黍《トウモロコシ》畑《バタケ》ニ土煙ガ上ッタ。

「全員直チニ前方ノ森へ退避」ト命令ガ出テ直チニ取消サレ「各自背嚢《ハイノウ》ヲ負イ、米ヲ飯盒《ハンゴウ》ニ一杯ズツ持ッテ、森ニ集合」ト改メラレタ。倉庫ガ開カレ軍靴《グンカ》、地下足袋《ジカタビ》ガ持去ルニ任セラレタ。

下士官ハ砂糖工場屋上ノ展望哨舎ニ上リ、軍艦輸送船合ワセテ約六十隻ヲ西南方海面ニ見タ。

我々ガ森ニ入ロウトシタ時、友軍機二機ガ高射砲弾ニ追ワレテ、東北ニ飛ビ去ルノヲ見タ。

艦砲射撃ハヤガテ止《ヤ》ンダ。砲弾ノ落下点ハ最初窓カラ見タ地点ヨリハ延ビナカッタ。カミナウエモ砲撃サレテオリ、電話連絡ハ砲撃中ニ杜絶シタガ、衛兵司令ハ辛《カロ》ウジテ「北方山中ニ退避」ト伝エルコトガ出来タ。

サンホセ警備隊全員五十一名、気象隊員六名、在留邦人四名、東北方鋸山ヲ目指シテ行軍ヲ開始シタ。ホボ九時頃デアッタロウ。（次ページの付図参照）

暫《シバラ》クブザンガ川ニ沿ッテ北上、東ヘ切レテ広茫《コウボウ》タル草原ニ歩ミ入ッタ。草焼ケ風吹キ煙ガ匍ッタ。正面ニ鋸山ノ巍々《ギギ》タル山容ヲ望ミツツ、終日草ノ中ヲ歩ミ続ケ、夕闇ノ迫ル頃漸ク山麓《サンロク》ノ一僻村《ヘキソン》ニ着イタ。ゲリラヲ警戒シツツ宿営。

翌朝中隊長ハ全員ヲ集メテ決意ヲ告ゲタ。即《スナワ》チコレヨリ山中ヲ横断シテ東海岸ブララカオニ出《イ》デ、田中小隊ト連絡シテ後図《コウト》ヲハカルトイウノデアル。食糧ハアト二日ヲ剰《アマ》スノミ、ナオブララカオニモ敵上陸シアルヤモハカリ難イ。

気象隊ハココニテ山路運搬不能ノ通信機ヲ焼キ、自分ハリパノ同隊本部ヲ通ジテ、大隊本部ニ最後ノ電報ヲ送ッタ。ソノ全文ハホボ憶《オボ》エテイル。

「昨十五日〇六〇〇敵ハ艦船六十隻ヲモッテサンホセ北方四キロ、サンドラヤンニ上陸セリ。本隊ハ三日ノ予定ヲモッテブララカオニ向イ、田中隊ト連絡ノ上新タニ企図セントス。現在地サンホセ北方十キロ。全員士気極メテ旺盛《オウセイ》、誓ッテ撃滅ヲ期ス」

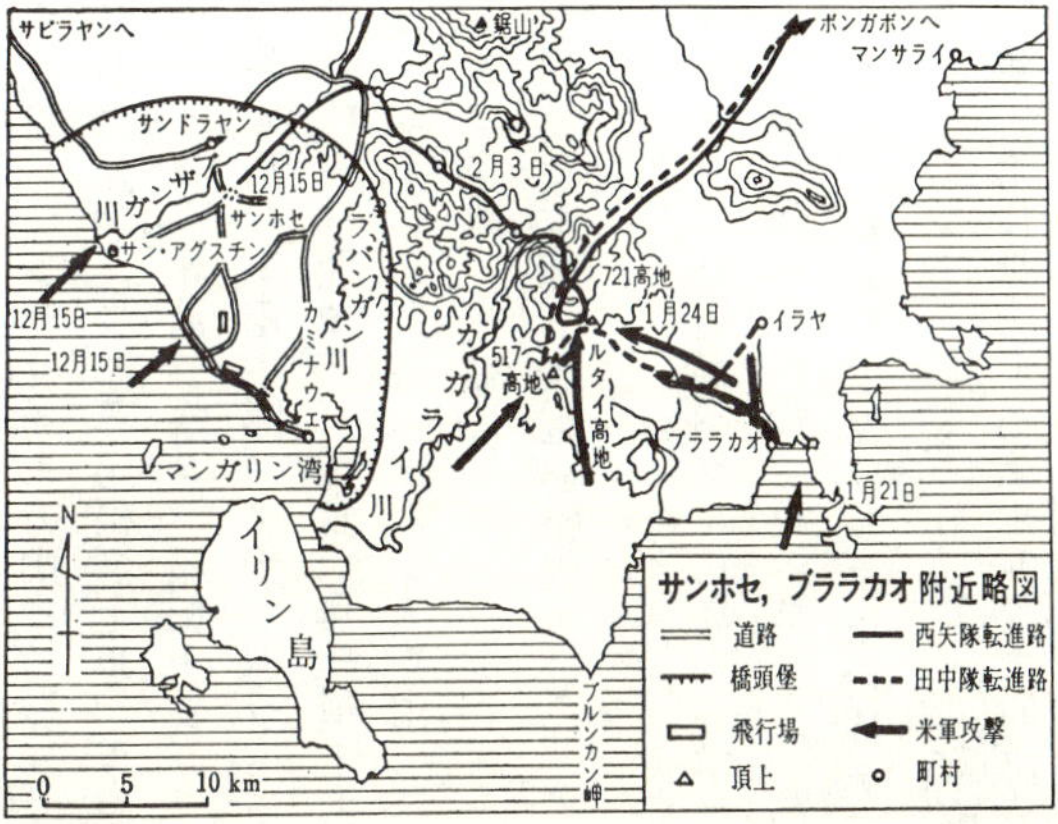

サンホセヨリ水牛ト共ニ連レ来《キタ》レル比島人二ヲ道案内トシテ出発。自分ハ当時、マラリアニテ発熱中。四名ノ病兵ト共ニ別ニ一下士官ニ率イラル。鋸山ニ沿ッテ六キロ東行。隣接高地ニ取付キ密林ヲ登攀《トウハン》。夕刻雨降ル。山小屋ヲ見出シテ宿営。

翌十七日ナオモ登攀ヲ続ク。途中マンギヤント呼バレル山地人ノ甘蔗畑《カンショバタケ》ヲ通過、伐採シテ嚙《カジ》ル。甘味忘レ難シ。

山上ハ草原、眺望《チョウボウ》佳シ。鋸山スデニ低ク、遥カニカミナウエヲ控エタルマンガリン湾ノ平ラナル水面ニ、敵内火艇縦横ニ疾駆スルヲ見ル。

一尾根ヲ伝ッテ東ニ下ル。風吹ク。マンギャン嚮導ス。日暮山間ノ小流ヲ見出シテ露営。四日ノ行軍中最長ノ行程。落伍者《ラクゴシャ》ナシ。食糧尽ク。途上青イバナナヲ採リ、明日ノ朝食ニ備ウ。

十八日。マンサライ東方山中ニ発シマンガリン湾ニ注グ一河ノ河原ニ降リ、暫ク遡《ソ》行《コウ》、左岸丘陵ノ長イ草尾根ヲ上ル。東海岸ニ到ル最後ノ山越ナル由。正午山頂ヨリ遥カニブラカオ湾ヲ臨ム。船影ナシ。

先発隊帰リ、田中隊ノ兵士ニ遇《ア》ウト伝ウ。ブラカオニハ敵上陸ナカリシモ、サンホセノ砲声ヲ聞イテ、糧食、無線機ト共ニ、予《アラカジ》メコノ山中ニ退避セルモノナリ。前方ノマンギャンノ聚落《シュウラク》ニ宿営シアル由。

到着、交歓、休息。

夕刻大隊本部ト無電連絡成ル。「サンホセ方面ノ敵状偵察及ビ企図妨害」ノ任務ヲ受ク。

サンホセヨリ道案内セル比島人ニ米ヲ与エテ帰ラシム。

コノ地ハ我々ガ最後ニ越エタルタイ高地ノ山頂カラ東ヘ少シ降《クダ》ッテ、三ツノ尾根ニ分レルトコロニ形ヅクラレタ小台地デアル。（次ページの付図参照）四ツノマンギャン小屋ガアッテ、当時約二十人ノ山地人ガ居住シテイタ。

彼等ハ海岸地方ヲ占居セルタガログ人ヨリ色ノ黒イ異人種ニ属シ、戦争ニ無関心デアル。中隊長ハ彼等ニ、宣撫用《センブヨウ》トシテバタンガスデ受領シテイタ分捕品ノ布地ヲ与エ

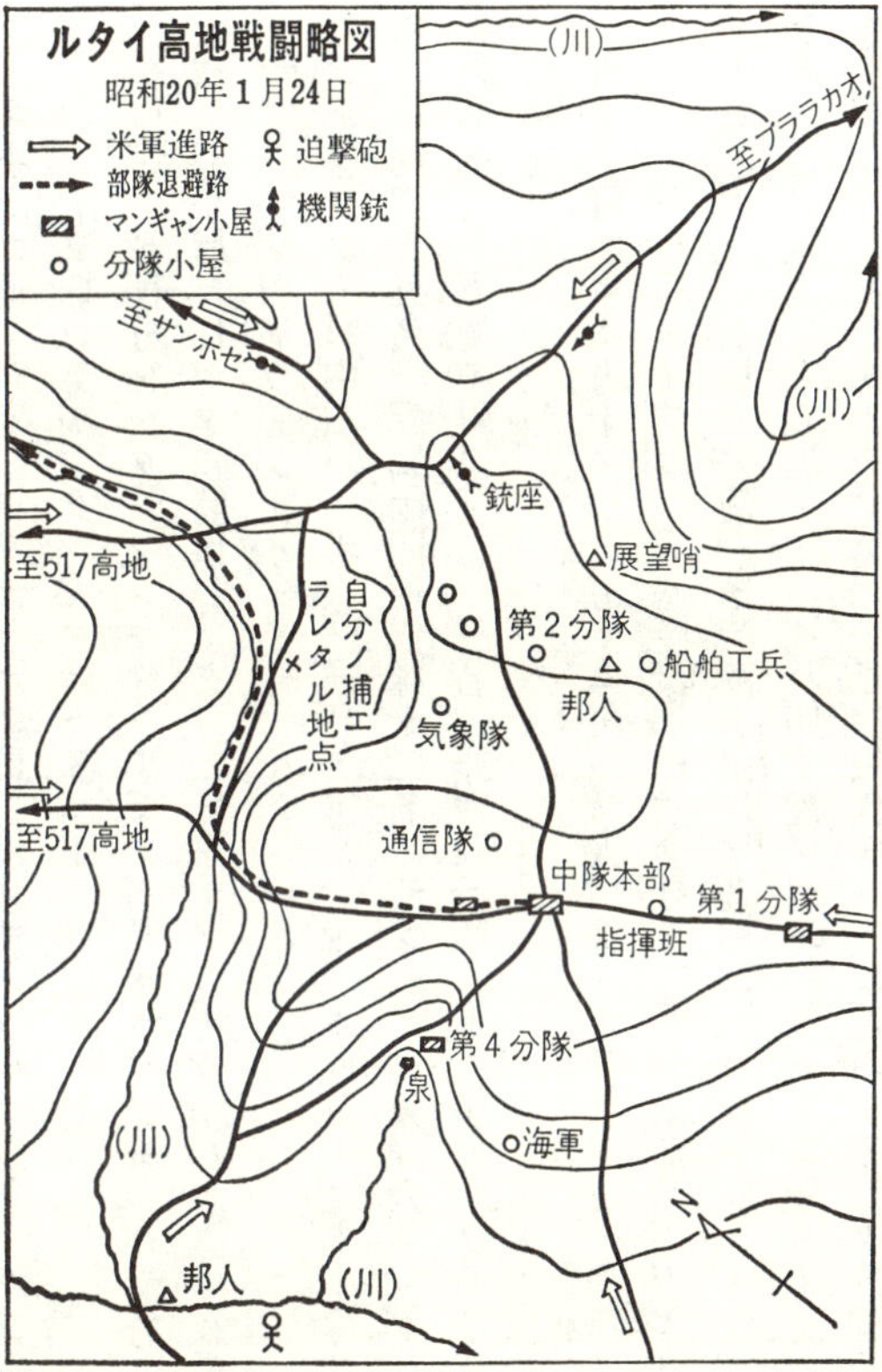
ルタイ高地戦闘略図
昭和20年1月24日
米軍進路
部隊退避路
マンギャン小屋
分隊小屋
迫撃砲
機関銃
(川)
至プララカオ
至サンホセ
(川)
銃座
展望哨
至517高地
自分ノ捕エラレタル地点
第2分隊
船舶工兵
邦人
気象隊
至517高地
通信隊
中隊本部
第1分隊
指揮班
第4分隊
泉
海軍
(川)
N
邦人
(川)

テ、畑ノ作物ノ採収権ヲ得タ。彼等ハシカシ数日後何処《ドコ》カヘ移動シテ行ッタ。

食糧ハ田中小隊ガ運ンダ米、味噌《ミソ》デナオ全員三カ月ヲ支ウルニ足リ、マンギャンノ畑ヨリ芋、バナナヲ採ッテ補ッタ。マタ時々麓《フモト》ニ下リテ野牛《ウ》ヲ射ッタ。

兵士ハ分隊毎《ゴト》ニ疎開分宿シタ。マンギャン小屋ノ当ラナカッタモノハ、竹ノ柱ニ萱《カヤ》ノ屋根ヲ載セ、小屋ヲ作ッタ。時候ハアタカモ乾季デアルカラ雨ハ少ク、夜露ヲ凌《シノ》ゲレバ、アマリ日常ノ苦痛ヲ感ジナイ。

コノ地ニ集結シタ人員内訳ハホボ次ノ通リデアル。中隊本部及ビ井上小隊合計六十一名。田中小隊四十五名。配属師団通信隊十二名。サンホセ気象隊六名。ブララカオニ漂着セル船舶工兵蠣崎《カキザキ》中尉以下二十三名。非戦闘員サンホセ四名、ブララカオ十二名計十六名。総計百六十三名。

ブララカオノ町ハ東南方十キロノ海岸ニアル。人口約三百。主トシテ漁撈《ギョロウ》及ビ牧畜ニ従事スル。六キロ奥ノイラヤニ、基隆《キールン》炭鉱株式会社（三井鉱山別系）ガ軍ノ南方資源開発ノ方針ニ従ッテ炭坑ヲ整備、当時漸《ヨウヤ》ク出炭ノ運ビニナロウトシテイタ。シカシ事務員七名、台湾人工員十五名ノミ。坑ハ四十度ノ斜坑一。水牛ニ綱ヲ引カセテトロッコヲ巻上ゲル頗《スコブ》ル原始的ナモノデ、一日出炭量三トンニ及バナカッタラシイ。炭質ハ褐炭《カッタン》デアル。十一月一日ヨリ三菱《ミツビシ》鉱業所ニ移管ノ予定ニテ、二十五日所長河野盛義、島村哲夫、浅田伍市ホカ十二名ガ交替シタトコロデアッタ。

田中隊ノ任務ハコノ炭坑ノ守備デアッタ。本部ハ炭坑宿舎ニアリ、一個分隊ガブララカオノ町役場ニ分哨トナッテ、海路ヨリノ連絡ニ応ジタ。

田中隊ハサンホセニ米軍上陸ノ前夜、大隊本部ヨリ「敵機動部隊全速力ヲモッテネグロス島西方ヲ北上中」ト警報ヲ受ケテイタ（コノ日サンホセ気象隊ノ無電機故障ノタメ、我隊デハ受信セズ）。十五日サンホセノ砲声ヲ聞イテ準備ニカカリ、十七日水牛二十頭ニ糧秣《リョウマツ》ヲ積ンデ、予メ選ンデアッタコノ地ニ退避シタノデアル。

二十日カミナウエヨリ別途山ニ入ッタ分哨ノ橋本軍曹以下八名到着。二名砲撃中、行方不明。

二十一日「敵状偵察」ノ大隊命令ニ基キ、井上少尉以下十二名ノ潜伏斥候《セッコウ》ヲ組織、一週間ノ予定ヲモッテ、サンホセ附近高地ニ進出シタ。

二十五日頃全員無事帰還。米軍ハ海岸地方ニ飛行場ヲ新設シ、スデニB24（B25ノ誤認）発着シアリト。又鋸山山麓盆地ニモ滲透《シントウ》、多数テントノ連ナレルヲ見タリト。

井上小隊一等兵市江一誠風邪ヲ得テ帰リ、肺炎ヲ起シテ翌年一月三日病歿《ビョウボツ》。山中最初ノ犠牲者デアル。

十九日同地海軍水上機基地部隊生存者約四十八名ガ合流。数日後ブララカオ川口ニ破損碇泊《テイハク》中ノ機帆船ヲ修理シテルソン島ニ渡ルト称シ、全員山ヲ下ッタガ、ゲリラニ襲ワレ、指揮官石崎少尉以下十名ノ犠牲ヲ出シテ再ビ山ニ戻ッタ。我隊ヨリ分与セル食糧モ同時ニ失ッタタメ、以後食糧ヲ附近山野ニ渉猟シテ惨状ヲ呈ス。病人ハ常ニ上官ヨリ「死ネ、死ネ」トイワレ殴打《オウダ》サル。

マラリア漸ク蔓延《マンエン》ス。戦死セル若キ衛生兵ニ替レル新任衛生兵ガ、キニーネヲサンホセニ忘棄セルタメ、手ノホドコシ様ナシ。明ケテ一月二十四日米軍ニ襲撃サレタ時、健康者三十名ヲ出ナカッタ。

十二月二十七日、潜伏斥候ノ要地偵察ニヨリ、田中小隊ノ全員四十五名ハ、西南方四キロ、マンガリン湾ヲ見晴ラス五一七高地ニ進出、毎日同方面ノ状況ヲ偵察シタ（高地鞍部《アンブ》ニ小屋ヲ建テテ宿営、一個分隊ガ一日交替デ頂上ニ露営シテ、望遠鏡ニヨリサンホセ方面及ビ海上ヲ展望ス）。一日二回双方ヨリ三名ヨリナル連絡者ヲ出シ、十時及ビ十六時、中間ノ小流ノホトリニ落チ合ッテ、偵察事項ソノ他ヲ伝達シタ。偵察事項ハ毎夕我隊ノ位置ヨリ師団通信隊ニヨリ大隊本部ニ打電シタ。

監視哨ハサンホセ海岸ニ一、セントラル部落附近ニ二、飛行場ガ建設サレテイルノヲ見タ。B24（B25ノ誤認）二十四機ガ毎日キマッテ十二時サンホセ飛行場ヲ飛立チ、十五時帰着スルノヲ見タ。

マンガリン湾内外ニハ殆《ホト》ンド毎日、大小舟艇五〇—八〇、駆逐艦五、タンカー三ガ碇泊シテイタ。マタサンホセ西方沖合珊瑚礁《サンゴショウ》附近ニハ、駆逐艦五—一〇、巡洋艦五—一〇ガイタ。イリン島トノ中間水道ニハ飛行艇五—一〇、小舟艇二〇〇ヲ数エタ。一月四日以降大船団ガサンホセ西方ヲ通過北上、二、三回南下セルヲ確認シタ。ルソン島リンガエン湾ニ上陸ノ船団デアッタ。

ルソン島ノ航空兵力ガ壊滅シタ折柄、コノ原始的ナ情報モ無意味ナモノデモナカッタラシイ。

ナオコノ時ヨリ暗号事務ハ田中小隊ノ暗号手ガ担当、自分ハ一歩兵ノ任務ニツク。

明ケテ一月一日大隊本部ヨリ百五十名ノ斬込隊《キリコミタイ》ノ出発ヲ告ゲ来ル。翌日ブララカオニ到着ノ予定ナリト。

二日未明中隊長自ラ二個分隊ノ兵力ヲ率イテ出迎エニ出張ス。我分隊ヨリハ自分外一名ガ参加。蓋《ケダ》シコノ頃分隊ノ他ノ兵士ハスベテマラリアニ伏シ、最初病兵デアッタ私ガ精兵ノウチニ入ッテイタ。

斥候ノ報告ニヨレバ海軍部隊ヲ襲撃セル約百名ノゲリラハ、ナオブララカオニ蟠居《バンキョ》シアルモノノ如《ゴト》シ。一戦ヲ覚悟シテ出発ス。

正午ブララカオ着。背後森林ヨリ出《イ》デテ散開。敵影ナシ。広場ニ犬ノ蝟集《イシュウ》シ、烏《カラス》ノ飛ビ交ウノミヲ見ル。進ンデ海軍兵士ノ屍《シカバネ》数個ヲ見ル。肉喰《ク》ワレ骨現ワル。住民去リ、道傍《ミチバタ》ノコワレタル水道栓《スイドウセン》（山水ヲ引ケルモノ）ヨリ水ノ迸《ホトバシ》ル音ノミ響ク。沖ニ敵哨戒艇《ショウカイテイ》往来ス。米軍通過ノ徴候アリ。

遊撃隊到ラズ。一泊。夜半櫓声《ロセイ》アリ、住民一、我ノ到レルヲ知ラズシテ海上ヨリ近ヅケルヲ捕ウ。町長ノ息子ナリ。家財ヲ取リニ帰レルナリト。

翌日モ遊撃隊到着セズ。午後三時捕エタル住民ヲ伴ッテ帰途ニツク。帰リテソノ朝中部東海岸ピナマラヤンニ米軍ノ上陸セルヲ知ル。退路ヲ絶タレタル絶望感兵士ノ間ニ漲《ミナギ》ル。

敵機ハ終日頭上ニアリ。友軍機ハ夕刻モシクハ夜明、単機サンホセ方面ニ通過、稍々《ヤヤ》アッテ爆撃ノ音ヲ聞クコトアリシモ、年更《アラタ》マッテヨリ飛来次第ニ稀《マレ》トナリ、一月九日米軍ルソン島ニ上陸後ハ全ク絶ユ。

マラリアニテ死スルモノモ多ク、一日ホボ海軍ニ、陸軍一ノ割合ナリ。

一月十三日マタマタ遊撃隊到着ノ通知アリ。同隊ハ米軍ニ接近ヲ妨ゲラレテ、ナオ東方海上ニ遊弋《ユウヨク》シアル由《ヨシ》。十四日自分ヲ含ム一個分隊ブララカオ出張。遊撃隊依然到着シアラズ、民家ヨリ塩、布、砂糖ヲ掠《カス》メ、豚一匹ヲ屠《ホフ》ッテ直チニ帰ル。

十六日自分発熱。連日四十度。足立タズ。舌モツレル。

捕エタル住民逃走ス。翌日一下士官、兵ヲ率イテブララカオニ到リ、報復ノタメ、逃亡セル住民ノ家ヲ焼イテ帰ル。

二十二日夕刻ブララカオ湾ヲ見晴ス絶壁上ニ上ッタ展望哨ハ、同湾ニ米艦三隻ノ入ルノヲ見タ。ソノ夜ノ中《ウチ》ニ出タ将校斥候（長井上少尉）ハ帰ラナカッタ。二十四日朝出タ将校斥候（長船船工兵隊長蠣崎《カキザキ》中尉）ハ麓デ襲撃サレ中尉ハ戦死シタ。

師団通信、陸海病兵中歩ケル者ハ非戦闘員ト共ニ、田中小隊ノ位置ニ退避ニ決ス。出発ニ際シ中隊長ハイッタ。「本隊ハコノ位置デ米軍ト戦ウガ、皆ハコレヨリ五一七高地ニ退キ、田中小隊ト協力シテ、最後マデ敵状偵察ノ任務ヲ続行スル。シカシ中隊長ト一緒ニ死ノウト思ウ者ハ残レ」五名ノ若イ病兵ガ前ニ出タ。

総員六十一名、通信隊足立軍曹ノ引率ニテ十時頃出発。二キロ行ッタ山背ニテ機銃ニテ掃射サレテ四散。後陸軍七、海軍一、非戦闘員一ガ、一カ月山中ヲ彷徨《ホウコウ》シタ後、比島人ニ捕エラレタ。

十一時半中隊本部附近ハ南方ヨリ迫撃砲撃ヲ蒙《コウム》ル。敵偵察機一頭上ニ旋回シアリ。兵一大腿《ダイタイ》ニ傷ツキ、自決ス。中隊長敵火点《カテン》観測ノタメ前進、直撃弾ヲ受ケテ戦死ス。

残員ノ指揮ヲトル者ナシ。歩ケル者約六十—八十名、西方ノ谷ニ降リテ脱出。五一七高地ニ向ッタガ前方ニ銃声ヲ聞イテ、ピナマラヤンニ目標ヲ変更、北進ス。過半数ハ数キロノ間ニ落伍シ、三十日北方山中ニテ田中小隊ト合流セル者二十四名。一時間後米兵四方ヨリ到ル。自分ハ暫《シバラ》ク脱出者ニ追随セントシテ及バズ、中隊本部ヨリ一町離レタル叢林《ソウリン》中ニ倒レテイテ、翌日米兵ニ発見サレタ。コノ地点デ捕エラレタ唯一ノ俘虜デアル。

本部附近ニアッタ全ク動ケナイ病兵約三十―五十名ハ、尽《コトゴト》ク戦死モシクハ自決シタモノト思ワレル。

捉《トラ》エラレタ後、自分ガ見タ米兵ノ兵力ハ約二個中隊デアル。米軍ノ隊長（少佐）ガ南方ノ一地点ヨリ乗船シテサンホセニ帰ルトイッタコト、及ビ砲撃ガ西南方ヨリ加エラレタコト、ソノ他ノ状況ヨリ見テ、米軍ノ主力ハコノ方面ニアリ、ブラカオニ上陸シタノハソノ別働隊デアッタラシイ。

米軍ハ二十三日中ニ、我隊ノ位置ヲ迂廻《ウカイ》シテ、マズ田中小隊トノ連絡ヲ断チ、ソレヨリ東行シテ我々ヲ攻撃シタモノト思ワレル。

二十四日砲声ヲ聞イタ田中小隊カラハ、直チニ二個分隊ガ出動シタ。途中丘上ニ少数ノ兵ノ集マレルノヲ見テ、我々ノ一部ト思イ大イニ呼ンデ弾丸ノ返答ヲ受ケタ。情況不明ナルタメ退ク。

二十五日朝サラニ十二名ノ斥候ガ中隊本部西側ノ谷マデ潜行シ、敵影ヲ認メテ射撃シ退イタ。途中彼等ハ草上ニ友軍ノ戦死体多数ヲ見（退避組ノ者ナラン）、空《カラ》ノ壍壕《ザンゴウ》ニ米軍ノ缶詰《カンヅメ》ノ空缶《アキカン》、莨《タバコ》ノ吸殻《スイガラ》等ノ散乱セルヲ見タ。ルタイ高地ノマンギャン小屋ノ炎上スルヲ認ム。

コノ間本隊ハ附近ニ銃声ヲ聞イテ不安ヲ感ジ、斥候ノ帰ルヲ待タズシテ陣地ヲ棄《ス》テタ。幸イ二十六日、高地北側叢林中ニテ、斥候隊ニ遭遇、十九時月明ヲ利シテ移動開始、二十四時北方二キロノ谷間ニテ露営シタ。

ソノ夜田中小隊長ハ部下ニ告ゲタ。即《スナワ》チ中隊主力ハ全滅シタト思ワレルカラ、我隊ハ中央山地ヲ縦走シテ北岸カラパンニ到リ、ソコヨリバタンガスニ渡ッテ大隊本部ニ中隊ノ最後ヲ報告シ別命ヲ待トウト。コノ時ノ人員約四十五名、内病者八名、残有食糧米一週間分デアッタ。

二十七日六時ニ行軍開始。十三時、敵襲ヲ受ケ兵一戦死。十九時サンホセ、ブララカオ連絡路ニ出《イ》ズ。

大ナル河ノ河原ニ降リタ。サンホセ方面ニ砲声ヲ聞ク。足ヲ早メテ北上。鉄兜《テツカブト》背嚢《ハイノウ》ヲ捨ツ。二十四時数キロニ亘《ワタ》ル大丘阜《ダイキュウフ》ニ出テ夜営。

二十八日、朝四時出発。一望ノ高原、マンギャンノ小屋点在ス。ブララカオ北方十キロ、バクラサン高原ノ一部ナリ。十六時空屋ノマンギャン小屋ニテ米、玉蜀黍《トウモロコシ》ヲ得。

二十九日七時出発、十四時マンギャン四人ヲ発見、嚮導《キョウドウ》セシム。十六時渡河点ニテ兵一戦死。二十時マンギャン小屋ニ宿営。

三十日、七時、霖雨《リンウ》中出発、稜線錯綜《リョウセンサクソウ》難行軍トナリ、落伍者多シ。十二時豪雨到リ大休止、焚火《タキビ》シテ暖ヲ取ル、雨収リ十四時出発、夕刻マンギャン小屋ニ着ク、ルタイ高地ヲ脱出セル小笠原軍曹以下二十四名ニ会ウ。

田中少尉以下四十二名ヲ第一小隊、小笠原軍曹以下二十四名ヲ第二小隊トシタ。田中少尉中隊長代理。

三十一日、一日休養、田中少尉、古川兵長、兵一ト共ニ附近ヲ偵察ス。

二月一日、七時出発、第二小隊ニ落伍スル者多シ。十三時敵襲ニヨリ第一小隊大戸井、岡田一等兵、第二小隊赤継兵曹（海軍）ラ計五名戦死。マンギャン一ヲ捕エ、嚮導セシム。日暮マンギャン逃亡。二十時山上ノ平坦地《ヘイタンチ》ニ出テ露営。

二日、八時半出発、終日降雨、古川兵長マンギャン三ヲ捕エ、道案内サセタ。

三日、依然北進ヲ続ク、十五時ゲリラノ襲撃ヲ受ケ、一等兵宮本亥一郎戦死、夕刻北東ニボンガボンノ町ヲ望見ス。五一七高地ヨリ北進二十キロナリ。

四日、ボンガボン川中流ヲ渡河、水深胸ヲ越ユルモ全員相助ケテ渡ル。十四時マンギャン小屋ニ到着、宿営。

五日、未明ゲリラノ襲撃ヲ受ケ、一等兵荒木武比古、小島茂三郎戦死。十時出発、十四時急坂登攀《トウハン》中、案内ノマンギャン逃亡ス。十七時漸ク小屋ヲ発見、宿営。六日、九時出発、行路漸ク平坦、人家近キヲ思ワシム。マンギャン部落ヲ発見、八戸ニ別レテ宿営ス。ボンガボンへ数キロノ地点ナリト。

幹部相寄リ協議ス。コレマデマンギャンヨリ徴発ノ米、玉蜀黍、芋ニヨリ食糧不足セザリシモ、永ラク山路行軍ニテ病死、落伍者多シ、多少危険アルモ平坦地ニ降リ、夜間行軍、昼間ノミ山地ニ入ル方ガヨカロウ、ト衆議一決。

七日、八時出発、ボンガボン川支流ニ沿ッテ北上。十四時匪襲《ヒシュウ》ヲ受ケ若林行存軍曹戦死ス。十五時半マンギャン一ヲ発見、コノ地区最後ノマンギャンナリ。大製材工場ヲ発見ス。数名ノタガログ人アルモ、元日本木材工場使用人タリシ証明書ヲ有スルヲ以《モッ》テ、二軒ニ分宿ス。ボンガボンマデ三キロ、米軍ハ十二月末上陸セルモ、現在ハカラパンニ引揚ゲタリトイウ。

八日、午前中出発予定ノトコロ、小笠原軍曹、松本伍長《ゴチョウ》、宮崎兵長、茂木上等兵、中村一等兵ナド、優秀ナル下士官兵ノ発熱スル者多ク、マタ豪雨襲来セルタメ、一日休養ト決ス。総員五十七名ナリ。

製材所主ニ滞在費一、五〇〇ペソ、純綿服地等ヲ与エ、鶏、豚ヲ買ウ。夕食ヲ用意シアリシ十七時、西南方二キロノ林中ヨリ、大規模ナルゲリラノ攻撃ヲ受ケ、四散ス。田中少尉ノ確認セル戦死者、一等兵河合信吾、服部洋男、武藤潔、藤沢瑞雄、中村茂次。

九日早朝、田中少尉ノ掌握セル者ハ小笠原軍曹、宮崎兵長、上等兵茂木操、一等兵中村政義、境地武雄、西村正一、仙石朋四郎、山中太郎、斎藤栄一、橋本謙太郎、豊下里美、大沢菊次郎、木村、板岡、秋田、計十六名。西方山地ニ入ル。製材工場ノ山小屋ヲ発見、休憩、昼食。十六時峻崖《シュンガイ》ヲ攀《ヨ》ジツツアル時、山上ヨリ俯瞰《フカン》射撃ヲ受ケ、小笠原軍曹、宮崎兵長、茂木上等兵、一等兵西村、仙石、山中、斎藤、中村政義ガ行方不明トナッタ。

コノ日ヲモッテ西矢隊ノ部隊行動ヲ終ル。以来三月十六日マデ三十五日ノ間ニ、田中少尉以下十九名ト船舶工兵一等兵一ガ、或《アル》イハ単独、或イハ数名ズツ、ココヨリカラパンニ到ル山中ヲ、木ノ実、草ノ根、オタマジャクシ等ヲ食ベテ彷徨セル後、比島人ニ捕エラレタ。

パルアン渡辺部隊ニハ生還者ナク情況ヲ知リ得ナイ。パルアンハミンドロ島西北端ノ岬《ミサキ》ニ抱カレタ湾内ニアル。岬ノ高地頂上ヨリマニラ湾口ガ見晴ラセ、米軍ハ永クココニ監視隊ヲオキ、マニラ湾及ビベルデ海峡通過ノ日本艦船ノ隻数ヲ無電ニテ潜水艦ニ通報シテイタトイウ。米人将校フィリップ少佐ハ十九年四月射殺サレタガ、パルアン小隊ノ任務ハ岬ニオケルコノ種ノ行動ノ監視ニアッタ。

彼等ハミンドロ島警備隊中最モ孤立シ、最モ野性ニ帰ッテイタ。毎日海ニ泳ギ漁《スナド》ッタ。連絡船ガ近ヅクト、馬ヲ善クスル下士官ガ裸馬ニ乗ッテ砂浜ニ躍リ出タ。ソシテ船ガ碇泊地ヲ求メテ岬ニ沿ッテ徐行スルニ従イ、岸沿イノ小高イ道ヲ、木ノ間ニ隠レタリ現ワレタリシナガラ、追ッテ来タ。

東京ヲ出発シタ西矢隊全員百八十名中、将校一、下士官四、兵十六、計二十一ガレイテ島俘虜収容所へ来タ。外《ホカ》ニ師団通信へ抽出サレタ者四、憲兵志願二、身体虚弱ナルタメ旅団練成隊ニ編入サレタ者二、入院患者四、計十二ガルソン島ニ止《トド》マッテイタ。ソノ中《ウチ》四ガ別途帰還シテイル。

（昭和四十四年十二月刊『ミンドロ島ふたたび』に収録の訂正本文と変更した——著者）

あとがき

本書は既刊『俘虜記』『続俘虜記』『新しき俘虜と古き俘虜』の中から、一連の俘虜の記録を集めたものである。

『俘虜記』はこれら作品全体のための題であった。俘虜収容所の事実を藉《か》りて、占領下の社会を諷刺《ふうし》するのが、意図であった。しかし五年にわたって書き継いだため、その間状勢と私の考えに変化があり、調子は一様ではない。

今日の考えで書き直し、時々の気分を改めるのは正しくないように思われた。発表当時占領軍への遠慮から省いた二三の詳細を加え、字句を統一するに止《とど》めた。

発表の都合上採った区分と題名を次のように変更した。

題名	変更	雑誌	
俘虜記	捉まるまで	『文学界』	昭和二十三年二月

サンホセ野戦病院	―	『中央公論』	〃　四月
レイテの雨	タクロバンの雨	『作　品』	〃　八月
	パロの陽		
生きている俘虜	―	『作　品』	二十四年三月
戦　友	―	『文学界』	〃　三月
俘虜の季節	季　節	『改造文芸』	〃　七月
建　設	労　働	『文芸春秋』別冊	〃　十月
外　業		『改　造』	〃　十二月
八月十日	―	『文学界』	二十五年三月
新しき俘虜と古き俘虜	―	『文芸春秋』	〃　九月
俘虜演芸大会	演芸大会	『人　間』	二十六年一月
帰　還	―	『改　造』	二十五年十月
西矢隊始末記	―	『芸　術』	二十三年十二月

『西矢隊始末記』は旧『俘虜記』の附録としたものより短くなっている。同じ内容を敷衍《ふえん》して、別に一連の短編としたので、部隊行動の記録に限ったのである。

この本を著者の随意な形にまとめてくれた創元社に御礼申し上げる。

昭和二十七年十二月

著者

解説

吉田《よしだ》凞生《ひろお》

大岡昇平氏は昭和十九年七月フィリピンのミンドロ島に送られた。三月以来教育召集で東京の東部第二部隊に入隊、暗号手として教育を受けていたが、六月除隊予定のところを臨時召集の形でそのまま前線要員として残されたのである。同じ班四十名中十六名がこの不運を引当てた。大岡氏は当時三十五歳であった。

ミンドロ島では第百五師団大藪《おおやぶ》隊西矢中隊に所属してサンホセ警備に当った。大岡二等兵（後一等兵に進級）の任務は中隊本部付暗号手で、英語通訳を兼ね、あわせてタガログ語の習得をも命ぜられていた。十二月の米軍上陸によりブララカオ背後の山中に入ってから一度ゲリラ「討伐」に参加している。ただし戦闘は行われなかったから、結局実戦の経験はないことになる。翌年一月二十四日米軍の攻撃を受け、翌二十五日俘虜《ふりょ》となった。復員は十二月初旬である。

『俘虜記』は、この米軍上陸から復員まで約一年間の記録である。兵庫県に疎開していた家族のもとに復員した大岡氏は、翌昭和二十一年一月上京して小林秀雄氏を訪ね、そこで小林氏の主宰する創刊予定の雑誌『創元』に「従軍記」を書くことを勧められた。小林氏は大岡氏が成城高校の学生だった時からの友人であり文学上の先輩である。大岡氏は入隊まで帝国酸素、川崎重工業の社員であり、また批評家・スタンダール研究家であったが、ここで「文運を試す」道を選ぶ。退職手当などで食いつなぎながら、五月から六月にかけて『捉《つか》まるまで』の章を書いた。その苦心は現在も保存されている原稿の推敲《すいこう》の痕《あと》が証している。

出来上がった原稿を小林氏は賞讃《しょうさん》したが、米兵に関する記述があるため、敗戦一年後という時点では直ちに発表することができなかった。『文学界』に『俘虜記』と題して発表されたのは昭和二十三年である。懐疑的な批評もあったが、結果は概して好評で、『パロの陽《ひ》』までを収めて同年刊行された単行本『俘虜記』は翌二十四年五月、第一回横光賞を受けた。新進作家としての文壇的地位はこれで確立したと見なされる。以後本書「あとがき」に記された順序で各章が書きつがれ、合本『俘虜記』が完成した。

合本『俘虜記』はほぼ三部に分れている。第一部は『捉まるまで』から『パロの陽』まで、第二部は『生きている俘虜』から『八月十日』まで、第三部は『新しき俘虜と古き俘虜』から『帰還』までである。時期的にはそれぞれ昭和二十年一月――三月、三月――八月、八月――十二月に当っている。ただし第二部と第三部という区分は便宜的なものに過ぎない。

第一部は病兵として部隊行動から取残されて俘虜になるまで、すなわち死への接近と離脱の記録である。特に冒頭の『捉まるまで』は、「米兵をなぜ射《う》たなかったか」という命題の緻密《ちみつ》かつ誠実な省察によって名高い。「『殺さず』という絶対的要請」への衝突は、戦争がわれわれに強制した生と死の問題に食い入っていたからである。

大岡氏はこの命題を検討して、次々に「人類愛」その他の無用の観念を剝《は》ぎ落して行き、「父親の感情」という一種の「自然」を得る。そして一方では「無稽《むけい》の観念」たる「神」を捨てることができず、逆に「神」にかかわりながらその「神学に含まれた自己愛」を警戒することを止《や》めない（『タクロバンの雨』）。しかし「神」は後の『野火』まで保留され、『俘虜記』の結論はまだ仮定の域を出ない。われわれは結論よりもむしろ「自然」と「神」という二つの極の間を往復する一精神の運動を見るのである。

この抑制された運動は美しい。ただこの命題の立て方の逆説的性格、あるいは論理的に危険な性格には注意する必要がある。「なぜ射たなかったか」という否定形の疑問は、「なぜ射ったか」という既に実現完了した行為についての探求とは異質のものだからである。実現した行為についてわれわれは原因をそれと関係づけることができる。ここでは問題は正しいか誤っているかである。しかし未完了の行為については、原因は常に否定形の中に呑《の》みこまれる。正誤以前に関係づけの可能性が問われなければならぬ。大岡氏の省察は言わば「虚無よりの創造」の努力である。

この省察法は自己の置かれた状況についての認知と照応している。『捉まるまで』の章には「死」が色濃く漂っているが、大岡氏は「死」に従順でもなければ「死」を詠嘆しているわけでもない。「肉体の反作用」は氏に万全をつくして「生還の可能性」を追求させる。「私」に観察家・分析家だけを見ることは妥当ではない。「私」の魅力はやはりその生への行動の魅力である。ただ大岡氏の前には、「死」が異常に確実なものとして置かれていた。自己の生は常に「死につつない」という否定形でしか表現されない。たとえば米軍の砲声を聞いた病兵たちの顔は「表情のない」顔であり、「とにかく」上へ行ってみよう、という「私」の消極的な提案に応ずる彼等の反応は「うん」という曖昧《あいまい》な返事と「身動き」である。また「私」が不発の手榴弾《しゅりゅうだん》の信管を復元して行う実験は、驚くべき実証精神の現われだが、これも爆発しないという形で成功する。